DANÇANDO
NO AR

Nora Roberts

Romances

A Pousada do Fim do Rio
O Testamento
Traições Legítimas
Três Destinos
Lua de Sangue
Doce Vingança
Segredos
O Amuleto
Santuário
Resgatado pelo Amor
A Villa
Tesouro Secreto
Pecados Sagrados
Virtude Indecente
Bellíssima
Mentiras Genuínas
Riquezas Ocultas
Escândalos Privados
Ilusões Honestas
A Testemunha
A Casa da Praia
A Mentira

Trilogia do Sonho

Um Sonho de Amor
Um Sonho de Vida
Um Sonho de Esperança

Trilogia do Coração

Diamantes do Sol
Lágrimas da Lua
Coração do Mar

Trilogia da Magia

Dançando no Ar
Entre o Céu e a Terra
Enfrentando o Fogo

Trilogia da Gratidão

Arrebatado pelo Mar
Movido pela Maré
Protegido pelo Porto

Trilogia da Fraternidade

Laços de Fogo
Laços de Gelo
Laços de Pecado

Trilogia do Círculo

A Cruz de Morrigan
O Baile dos Deuses
O Vale do Silêncio

Trilogia das Flores

Dália Azul
Rosa Negra
Lírio Vermelho

NORA ROBERTS

DANÇANDO NO AR

Tradução
Renato Motta

11ª edição

BERTRAND BRASIL
Rio de Janeiro | 2016

Copyright © 2001, Nora Roberts

Título original: *Dance Upon the Air*

Texto revisado segundo o novo
Acordo Ortográfico da Língua Portuguesa

2016
Impresso no Brasil
Printed in Brazil

CIP-BRASIL. CATALOGAÇÃO NA PUBLICAÇÃO
SINDICATO NACIONAL DOS EDITORES DE LIVROS, RJ

Roberts, Nora
R549d   Dançando no ar / Nora Roberts; tradução de Renato Motta. — 11ª ed.
11ª ed.   — Rio de Janeiro: Bertrand Brasil, 2016.
       23 cm. (Trilogia da magia; 1)

       Tradução de: Dance upontheair
       ISBN 978-85-286-1045-1

       1. Ficção americana. I. Motta, Renato. II. Título. III. Série.

16-35750   CDD: 813
       CDU: 821.111(73)-3

Todos os direitos reservados pela:
EDITORA BERTRAND BRASIL LTDA.
Rua Argentina, 171 – 2º andar – São Cristóvão
20921-380 – Rio de Janeiro – RJ
Tel.: (0xx21) 2585-2000 – Fax: (0xx21) 2585-2084

Não é permitida a reprodução total ou parcial desta obra, por quaisquer meios, sem a prévia autorização por escrito da Editora.

Atendimento e venda direta ao leitor:
mdireto@record.com.br ou (0xx21) 2585-2002

Para os Broad, os Brat,
os Brawn e os Babe,
por sua alegria e amizade.

É doce dançar ao som de violinos.
Se o Amor e a Vida são justos, cristalinos:
Dançar ao som de flautas e alaúdes
É delicado, raro e tem virtudes:
Mas não tão doce quanto pés a bailar
Como se estivessem dançando no ar!

— Oscar Wilde

Prólogo

*Aldeia de Salem, Massachusetts,
22 de junho de 1692 Estados Unidos*

Por entre as sombras verdes e escuras das profundezas da floresta, uma hora antes de a lua nascer, elas se encontraram em segredo. Em poucos minutos, o dia mais longo do ano iria se transformar na noite mais curta do solstício.

Não haveria celebrações, nem rituais de ação de graças pela luz e pelo calor reconfortante do Sabá de Litha. Esse alto verão era uma época de ignorância e morte.

As três mulheres que se encontraram ali estavam tomadas pelo medo.

— Trouxemos tudo de que precisamos? — A que era conhecida ali no grupo pelo nome de Ar apertou um pouco mais o capuz, para que nem uma pequena mecha de seu cabelo louro pudesse ser vista na luz difusa do dia que morria.

— O que temos aqui vai servir. —A que tinha o nome de Terra colocou no chão o embrulho que trouxera consigo. A parte dela que queria chorar e se enfurecer pelo que havia sido feito e pelo que ainda estava por vir encontrava-se enterrada bem no fundo de sua alma. Com a cabeça curvada, deixou seu grosso cabelo castanho cair para a frente, solto.

— Não há outra saída para nós? — Ar colocou a mão sobre o ombro de Terra, e ambas olharam para a terceira mulher.

Ela estava de pé, magra e ereta. Havia sofrimento em seus olhos, mas por trás deles morava uma firme determinação. Ela, que se chamava Fogo, jogou seu capuz para trás em uma atitude de desafio. Ondas de cachos vermelhos se derramaram sobre os ombros.

— É por sermos assim que não há outra saída para nós — respondeu. — Eles vão nos caçar como ladras e bandoleiras e vão nos assassinar, como já fizeram com uma pobre inocente.

— Bridget Bishop não era uma bruxa! — disse Terra em um tom amargo, enquanto se colocava de pé.

— Não, e ela afirmou isso diante do tribunal que a julgou e condenou. Jurou diante de cada um deles. Mesmo assim, eles a enforcaram. Foi morta por causa das mentiras de algumas meninas e dos delírios daqueles fanáticos que sentem o cheiro de enxofre em cada partícula do ar que respiram.

— Mas já houve apelações!... — Ar uniu os dedos como uma mulher que se prepara para rezar. Ou implorar. — Nem todos apoiam o tribunal ou essa terrível perseguição.

— Muito poucos — murmurou Terra. — E já é tarde demais!

— E não vai acabar apenas com uma morte. Eu já vi o futuro. — Fogo fechou os olhos e tornou a visualizar os horrores que as aguardavam. — Nossa proteção não vai durar até o final da caçada. Eles nos encontrarão... e nos destruirão.

— Mas nós não fizemos nada! — Ar deixou as mãos caírem para os lados do corpo. — Não fizemos mal a ninguém!

— E que mal Bridget Bishop fez a alguém? — argumentou Fogo. — Que mal fizeram todas as outras acusadas que estão à espera do julgamento? Que mal fizeram ao povo da Aldeia de Salem? Sarah Osborne morreu em uma prisão de Boston. Por qual crime? — Seu gênio forte transparecia pelo jeito de falar, quente e aguçado, e era rejeitado na mesma hora. Até mesmo naquele momento, ela se recusava a deixar seu Poder ser manchado pela raiva e pelo ódio. — O sangue delas está nas mãos desses Puritanos. Estes... *Pioneiros*. Fanáticos, é isso que são, e vão trazer uma onda gigantesca de morte antes que a sanidade e a razão consigam retornar.

— Se ao menos pudéssemos ajudar...

— Não podemos impedir isso, irmã.

— Não, não podemos! — concordou Fogo, assentindo com a cabeça para Terra. — Tudo que podemos fazer é tentar sobreviver. Sendo assim, temos que abandonar este lugar, o lar que construímos aqui, as vidas que poderíamos ter levado aqui. Largar tudo e começar de novo.

Com carinho, encaixou o rosto de Ar em suas mãos abertas e completou o que dizia.

— Não lamente nem sinta pesar pelo que jamais poderá acontecer... Em vez disso, celebre aquilo que virá. Nós somos as "Três Irmãs" e jamais seremos derrotadas neste lugar.

— Mas estaremos sozinhas.

— Estaremos juntas!

E, sob aqueles últimos raios do dia, formaram um círculo. Um... Dois... Três. Labaredas surgiram da terra e formaram um anel de proteção em volta delas. O vento fez aumentar as chamas e as levou até bem alto.

Dentro do círculo mágico de fogo, elas formaram outro, unindo firmemente as mãos.

Aceitando agora o que estava por vir, Ar levantou o rosto para o céu e recitou:

Como a noite toma o dia, esta luz oferecemos
A Verdade aqui e agora será feita, e nisto cremos
Tão fiéis e assim seguindo no caminho do que é certo
Neste círculo de três, sou o "um" no céu aberto.

Terra, com ar desafiador, levantou a voz:

Esta hora é nossa última a pisar sobre este solo
Com a Força e sem lamentos, nos lançamos em teu colo
Passado, Futuro, e, agora, não serei mais encontrada
Neste círculo de três, sou o "dois" nesta jornada.

Fogo levantou as mãos unidas bem no alto e gritou:

Entregamos nossa Arte e a ninguém fazemos mal
Longe da morte e do medo nessa viagem astral
A caçada começou, e vamos embora de vez
O Poder viverá livre, no círculo em que sou o "três".

O vento se contraiu e expandiu. A terra tremeu, e as chamas do fogo mágico se elevaram para o céu através da noite. As três vozes se elevaram em uníssono:

> *Longe do ódio infame, que esta terra se desprenda*
> *E se levante no ar, levando-nos desta contenda*
> *Entalhe a rocha, as árvores, a terra e o rio*
> *E afaste o medo, a morte, o escárnio, o desvario*
> *Nos carregue pelo ar em um raio de luar*
> *Por sobre os rochedos e, mais adiante, sobre o mar*
> *Separadas do continente nesta noite de verão*
> *Carregadas pelas nuvens e criando um novo chão*
> *No meio do mar cresça o grão, longe da peleja*
> *Que uma ilha ali se forme... E que tudo assim seja!*

E ouviu-se um ribombar na floresta, uma torrente rodopiante de vento, um selvagem corcovear de fogo. Enquanto aqueles que perseguiam o que jamais conseguiram compreender dormiam calmamente em suas camas, uma ilha imensa se recortou do solo e se ergueu em direção ao céu, girando loucamente em direção ao mar.

Acomodou-se longe da costa, serena, sobre ondas calmas. E teve ali seu primeiro sopro de vida naquela noite mais curta do ano.

Capítulo Um

Ilha das Três Irmãs
Dezembro, 2003

Ela olhava diretamente para a frente à medida que a ponta da ilha, mais parecendo uma corcova verde a distância, começava a revelar seus segredos. Havia o farol, é claro. O que seria de uma ilha na costa da Nova Inglaterra sem a sua vigorosa lança luminosa? Esta aqui, pura e ofuscante de tão branca, elevava-se sobre um penhasco duro e áspero. *Exatamente como deveria ser,* pensou Nell.

Havia uma casa de pedra junto do farol, cinza com a cor de névoa escura sob os raios brilhantes do sol de verão. Tinha cumeeiras e telhados pontudos, e o que parecia ser uma varanda em volta do andar de cima.

Ela já observara várias pinturas que retratavam o *Farol das Irmãs* e a casa, que parecia tão sólida e enraizada, ao lado dele. Foi um quadro desses, que ela vira em uma loja de souvenires na pequena cidade na costa, que a fizera ir de forma tão impulsiva na direção das barcas que levavam à ilha.

Vinha seguindo os impulsos e instintos já fazia seis meses, apenas oito semanas após o meticuloso e tão bem-arquitetado plano que finalmente a tinha libertado.

Cada momento daqueles dois primeiros meses tinha sido feito de puro terror. Depois, pouco a pouco, o estado de temor contínuo se transformara em ansiedade e depois em um tipo diferente de medo, quase como uma sensação de fome e carência, um receio de que pudesse perder o que havia conseguido reconquistar.

Foi preciso que ela morresse para que pudesse viver de novo.

Agora estava já cansada de fugir, de se esconder, de se perder em metrópoles abarrotadas. Queria um lar. Não fora isso que sempre quisera? Uma pequena casa, raízes, uma família, amigos. Gente à sua volta que jamais fosse muito severa ou implacável demais nos julgamentos.

Talvez achasse uma parte de tudo o que procurava ali naquele lugar, naquele pedacinho de terra embalada pelo mar. Certamente se encontrava agora no ponto mais ao leste do país. Não poderia estar mais longe de Los Angeles do que ali naquela pequena ilha, a não ser que saísse dos Estados Unidos de uma vez.

Se não conseguisse encontrar trabalho na ilha, mesmo assim ficaria por alguns dias. Como uma espécie de parada, pequenas férias para a sua fuga, decidiu. Iria aproveitar as praias rochosas, a pequena cidade; poderia escalar os penhascos e vagar pelo espesso manto de florestas.

Aprendera a celebrar e tratar com carinho cada momento em que se sentisse viva. Isso era uma coisa da qual nunca, jamais se esqueceria.

Deliciada com os chalés de madeira que vira espalhados atrás do cais, ela se inclinou sobre o gradil da barca e deixou o vento soprar através dos cabelos. Eles já tinham voltado à cor original, um louro desbotado pelo sol. Ao fugir, ela os cortara bem curtos, como os de um menino, repicando-os para se livrar dos longos e desorganizados cachos louros, e depois os tingira de castanho-escuro. Ao longo dos últimos meses, ela trocara a cor periodicamente: vermelho-fogo, preto-carvão, um tom sedoso de marrom que parecia pele de marta... Sempre muito curtos e totalmente lisos.

Parecia significar alguma coisa nova, que finalmente ela poderia deixá-los em paz. Tinha a ver talvez com ela própria a tentando recuperar a si mesma, pensou.

Evan sempre gostara de vê-los longos, com os cachos rebeldes. Algumas vezes a arrastara pelo chão, segurando-a pelos cabelos, descendo as escadas, usando-os como correntes.

Não; ela nunca mais os usaria tão longos novamente.

Um calafrio percorreu-lhe o corpo, e ela olhou depressa para trás por sobre os ombros, observando atentamente os carros que estavam na barca, reparando nas pessoas à sua volta. Sua boca ficou seca, sua garganta pegando fogo enquanto tentava achar um homem alto, magro, com cabelos dourados, olhos claros e duros como vidro.

Mas ele não estava lá, é claro. Estava a quase seis mil quilômetros dali. Ela estava morta para ele. Não fora o próximo Evan que dissera que ela iria conseguir se livrar dele quando morresse?

Então... Helen Remington morrera para que Nell Channing pudesse viver.

Furiosa consigo mesma por se deixar voltar ao passado, mesmo que apenas por um momento, Nell tentou se acalmar. Inspirou o ar, lenta e profundamente. Um ar salgado, molhado. Liberdade.

Enquanto sentia seus ombros começarem a relaxar lentamente, um esboço de sorriso brincou em sua boca. Ficou ali, agarrada na grade, uma mulher pequena com cabelos curtos da cor do sol, com pontas que dançavam alegremente em torno do rosto delicado. A boca, macia e sem pintura, curvava-se para cima e insinuava pequenas covinhas nas bochechas. O prazer do momento lhe colocou na pele um tom rosado e brilhante.

Estava sem maquiagem, outro ato deliberado. Uma parte dela estava ainda se escondendo, ainda sendo caçada, e ela fazia tudo o que podia para passar despercebida.

No passado fora considerada uma mulher belíssima e havia se cuidado e arrumado de acordo com essa imagem. Vestira o que a mandavam vestir, usara roupas insinuantes, sensuais e sofisticadas, escolhidas por um homem que afirmara amá-la sobre todas as coisas. Conhecera o toque suave da seda mais pura sobre a pele; soubera como era usar casualmente em torno do pescoço uma gargantilha de finos diamantes. Helen Remington conhecera todos os privilégios de ser muito rica.

Mesmo assim, durante três anos vivera com medo e infeliz.

Nell usava uma camisa simples de algodão sobre calças jeans desbotadas. Os pés estavam confortáveis dentro de um par muito barato de tênis brancos. Sua única joia era um medalhão antigo que pertencera à sua mãe.

Certas coisas eram preciosas demais para se deixar para trás.

Enquanto a barca se aproximava lentamente do cais, foi caminhando de volta para o carro. Chegaria à Ilha das Três Irmãs levando apenas uma pequena bolsa com alguns pertences, um Buick de segunda mão todo enferrujado e 208 dólares. Era tudo o que tinha no mundo.

Não poderia estar mais feliz.

Nada — pensou enquanto estacionava o carro junto do cais e começava a vagar pelas redondezas a pé — poderia estar mais distante dos palácios de prazer e esplendor de Beverly Hills. E nada, compreendia agora, jamais lhe trouxera tanto apelo à alma do que aquela pequena cidade que parecia saída diretamente de um cartão-postal. As casas e lojas eram simples, limpas e arrumadas, com suas cores ligeiramente desbotadas pelo sal do mar e pelo sol. Ruas pavimentadas com pedras arredondadas eram cheias de pequenas curvas e perfeitamente limpas, e subiam em ladeiras acima do terreno elevado ou desciam retas como flechas, de volta ao cais.

Os jardins eram cuidados com muito amor, como se mato e ervas daninhas fossem ilegais ali. Cachorros latiam atrás de cercas brancas feitas de pequenas estacas, e crianças andavam por toda parte em bicicletas vermelho-cereja e azul-cintilante.

O cais, por si só, já era um exemplo de organização. Havia muitos barcos com redes, homens com bochechas vermelhas e botas de borracha de cano alto. Dava para sentir o cheiro de peixe e de suor.

Caminhando até o alto da ladeira que vinha do cais, ela se virou e olhou para trás. Dali era possível ver barcos com turistas que atravessavam a baía, e os pequenos bancos de areia, formando praias onde as pessoas se espalhavam deitadas sobre toalhas ou se balançavam e se atiravam na rebentação energética das ondas. Um pequeno bonde vermelho com letras brancas que diziam EXCURSÕES TRÊS IRMÃS estava ficando rapidamente cheio de turistas que chegavam para passar o dia, sempre acompanhados por suas máquinas fotográficas.

A pesca e o turismo, imaginou Nell, eram os meios de subsistência da ilha. Mas isso era o verdadeiro espírito da Economia. Fincar pé contra as intempéries, o mar, as tempestades e o tempo, sobrevivendo e prosperando em seu ritmo próprio. Isso, pensou, era o verdadeiro espírito da Coragem.

E ela levara muito tempo para encontrar a coragem.

A Rua Alta atravessava a parte final da ladeira, dividindo o monte. Lojas maiores, restaurantes e outras construções que ela supunha serem o centro de negócios da ilha se alinhavam ali. Um dos restaurantes deveria ser a sua primeira parada, decidiu. Era possível que conseguisse um emprego como garçonete ou ajudante de cozinha, pelo menos durante a temporada de verão. Se encontrasse trabalho, iria então procurar um quarto para alugar.

Sentiu que poderia ficar ali por uns tempos.

Em poucos meses as pessoas a conheceriam. Acenariam para ela quando passasse ou a chamariam pelo nome. Já estava cansada de ser uma completa estranha nos lugares, de não ter ninguém com quem conversar. Ninguém que se importasse com ela.

Parou para avaliar o hotel. Diferente das outras construções, esta era revestida de pedra em vez de madeira. Seus três andares com decoração elegante e elaborada, varandas de ferro trabalhado e telhados pontudos eram inegavelmente românticos. E o nome combinava... "A Pousada Mágica".

Havia uma boa chance de encontrar trabalho ali. Servindo às mesas no salão de jantar ou fazendo parte da equipe de limpeza. Um emprego era agora a prioridade número um.

Mas não conseguiu entrar e lidar com aquilo. Queria um pouco mais de tempo primeiro, um pouco de tempo para ela, antes de resolver as questões práticas.

Avoada, Evan a teria chamado. *Você é muito avoada e tola demais. Isso não é bom em uma pessoa, Helen. Agradeça a Deus por ter a mim para cuidar de você.*

Pelo fato de a voz dele parecer brincar tão claramente dentro de seus ouvidos e porque suas palavras beliscaram a confiança que conseguira reconstruir tão lentamente, ela resolveu sair deliberadamente dali e começou a caminhar na direção oposta.

Poderia conseguir a droga de emprego outra hora qualquer, quando estivesse mais preparada. Por ora, ia simplesmente caminhar por ali sem rumo, bancar a turista, fazer pequenas explorações. Quando tivesse acabado de circular por toda a Rua Alta, voltaria até o cais para pegar o carro e daria uma volta em torno da ilha. Não iria sequer parar no Departamento de Turismo do lugar para pegar um mapa.

Seguindo seus instintos, colocou a mochila nas costas e atravessou a rua, passou por lojas de artesanato, lojas de presentes, olhou sem compromisso as vitrines. Gostava de coisas bonitas colocadas sobre prateleiras de forma casual, sem finalidade específica. Um dia, quando assentasse a sua vida novamente, montaria uma casa decorada como bem quisesse, cheia de pequenos objetos interessantes, coisas divertidas e muita cor em toda parte.

Uma sorveteria a fez sorrir. Havia mesas redondas com tampos de vidro e cadeiras de ferro pintadas de branco. Uma família de quatro pessoas estava sentada em uma delas, rindo muito enquanto enfiavam as colheres escavando o creme batido salpicado de bolinhas coloridas e crocantes. Um rapaz muito novinho usando um gorro branco estava atrás do balcão, e uma jovem, usando uma calça jeans apertada, com a bainha esfiapada, flertava com ele, enquanto escolhia os sabores.

Nell fez um esboço da imagem em sua mente, como que para guardá-la, e seguiu em frente.

A livraria a fez parar, e ela soltou um suspiro. Sua casa seria cheia de livros, também, mas não exemplares raros, da primeira edição, que não eram feitos para serem abertos e lidos. Ela teria livros velhos, marcados, e alguns romances de bolso novos e brilhantes, todos misturados em um turbilhão de histórias, nas prateleiras. Na verdade, isso era uma coisa que ela poderia começar agora mesmo. Um romance de bolso não adicionaria muito peso à sua mochila, se tivesse que seguir em frente.

Olhou para a parte de cima da vitrine, onde viu escrito em letras góticas espalhadas pelo vidro o nome da loja. "Livros e Quitutes". Ora, isso estava perfeito. Ela poderia fuçar as prateleiras, achar alguma coisa interessante para ler e dar uma olhada enquanto tomava uma xícara de café.

Pisou na loja e sentiu no ar uma fragrância de flores e temperos, e ouviu uma música suave tocada ao fundo, com flautas e harpas. Não era só o hotel que era mágico, pensou Nell, no minuto em que atravessou o portal da loja.

Livros, em um banquete de cores e formatos, estavam alinhados em prateleiras pintadas de azul-escuro. Acima da cabeça, pequenas luzes pendiam em cascata do teto, como estrelas cadentes. O balcão do caixa era um gabinete de carvalho antigo, todo entalhado com fadas aladas e luas crescentes.

Uma mulher com cabelos escuros, repicados nas pontas, estava sentada em um banco alto atrás do balcão, folheando preguiçosamente um livro. Olhando para cima, ajustou os óculos de leitura com moldura prateada.

— Bom dia! Posso ajudá-la?

— Vou só dar uma olhada por aí, se não houver problema.

— Claro, fique à vontade. Se precisar de algo especial, é só dizer.

Ao ver que a atendente voltava para o livro, Nell começou a vagar pela loja. Do outro lado da sala, duas generosas poltronas estavam voltadas para uma lareira. Na mesa que ficava entre elas havia um abajur cuja base tinha a forma de uma mulher com um manto sobre a cabeça, as mãos unidas e levantadas para o alto. Em outras prateleiras havia bugigangas diversas, pequenas estátuas de pedra colorida, ovos de cristal, dragões. Nell circulava por elas, passando por livros de um lado e fileiras de velas do outro.

No fundo da loja, um lance de escadas em curva levava ao segundo andar. Subindo, encontrou mais livros, novas quinquilharias diversas e a pequena cafeteria.

Meia dúzia de mesas de madeira envernizada estavam colocadas próximas à janela da frente. Ao longo de um dos lados, havia um balcão todo de vidro, exibindo uma impressionante quantidade de massas, bolos, sanduíches e um pequeno caldeirão com a sopa do dia. Os preços eram um pouco salgados, mas não absurdos. Nell pensou que um pouco de sopa cairia bem, antes do café.

Chegando mais perto, ouviu vozes que vinham da porta que ficava atrás do balcão e estava aberta.

— Jane, isso é ridículo e totalmente irresponsável!

— Não, não é! É a grande oportunidade de Tim, além de uma forma de sair desta droga de ilha. Nós queremos aproveitar essa chance!

— A possibilidade de um teste para uma peça que poderá ou não ser produzida, e ainda por cima fora do circuito da Broadway, *não* é uma grande oportunidade. Nenhum de vocês dois sequer vai ter um emprego quando chegarem lá. Não vão conseguir nem...

— Nós já decidimos, Mia! — cortou Jane. — Eu avisei a você que só iria trabalhar até o meio-dia de hoje; já trabalhei até o meio-dia.

— Mas você só me avisou isso há menos de vinte e quatro horas! — Havia impaciência em sua voz. Uma voz um pouco grave, muito agradável. Sem conseguir evitar, Nell foi chegando mais perto. — Como diabos vou conseguir manter a cafeteria funcionando sem ninguém para cozinhar?

— Você só pensa em você, não é? Não consegue nem nos desejar boa sorte!

— Jane, seria o caso de desejar um milagre na vida de vocês, porque é disso que vão precisar em Nova York. Escute, espere um pouco... Não saia assim, bufando de raiva ou ressentimento.

Nell pressentiu uma sombra se movendo em direção à porta e se afastou para o lado. Ficou, porém, dentro do raio de escuta.

— Tenham cuidado, Jane! Sejam felizes. Ora, droga... Sejam abençoados vocês dois.

— Tudo bem... — Ouviu-se uma fungada alta. — Desculpe, de verdade. Sinto muito por deixar você assim na mão, de uma hora para outra. É que Tim tem que agarrar essa chance, e eu preciso estar com ele. Então... Vou sentir muitas saudades, Mia. Prometo que vou escrever.

Nell deu um jeito de se abaixar entre duas prateleiras bem na hora em que uma mulher, chorando, passou correndo vindo lá do fundo, de trás do balcão, e desceu correndo as escadas.

— Ótimo! Só me faltava essa!

Nell ouviu, vindo lá de dentro. Esticando o pescoço para olhar, piscou automaticamente, admirada.

A mulher que estava em pé atrás do balcão parecia uma visão. Nell não conseguiu pensar em outra palavra para ela. Tinha uma massa pesada de cabelos da cor de folhas de outono. Cintilações vermelhas e douradas escorriam-lhe dos ombros de um vestido longo azul sem mangas, que deixava seus braços livres para ostentar uma grande quantidade de braceletes de prata que brilhavam em cada pulso. Os olhos faiscavam, mostrando um gênio forte. Eram acinzentados como fumaça e dominavam um rosto perfeito. Maçãs do rosto salientes, uma boca cheia e larga, pintada em um tom de vermelho-vivo. A pele parecia... Nell já ouvira alguém comparar a pele de uma pessoa a alabastro ou porcelana, mas era a primeira vez que sentia isso pessoalmente.

Era esbelta, alta e tinha um corpo perfeito.

Nell olhou para as mesas em volta, no salão da cafeteria, para ver se algum dos clientes espalhados por ali estava tão boquiaberto quanto ela. Mas ninguém parecia reparar na mulher de temperamento forte e uma energia que circulava em torno dela como água fervendo, agitada.

Esticou um pouco mais o pescoço para dar uma olhada melhor, e os olhos cinza mudaram de direção e caíram inesperadamente sobre ela.

— Olá! Você deseja comer alguma coisa?

— Eu estava... Eu pensei... Gostaria de uma xícara de *cappuccino* e uma tigela de sopa. Por favor!

Um ar aborrecido cintilou nos olhos de Mia com tanta força que quase empurrou Nell de volta até as prateleiras dos livros.

— Posso servir a sopa. Temos sopa de verduras com lagosta. O problema é que a máquina de café expresso está além da minha capacidade porque não sei mexer nela.

— Posso preparar o café eu mesma... — E Nell olhou para a maravilhosa máquina de metal prateado e cobre, sentindo um arrepio.

— Você sabe como fazer funcionar aquela coisa?

— Sim. Na verdade, sei, sim!

Considerando o assunto, Mia fez um gesto para que Nell passasse para o lado de dentro do balcão, e ela mais que depressa correu para lá.

— Posso aproveitar e preparar um para você também, se desejar.

— É... Por que não? — *Ela é como um coelhinho valente,* avaliou Mia, observando Nell assumir o controle da máquina. — Como é que você veio parar aqui? É uma dessas mochileiras que andam por aí, de carona?

— Ahn?... Ah, não! — Nell ficou vermelha, lembrando da mochila que carregava nas costas. — Estou só explorando a ilha um pouco. Estou procurando um emprego e um quarto para alugar.

— Ah!...

— Desculpe, sei que não parece educado, mas eu escutei a sua... conversa ainda agora. Se entendi direito, você parece que está em uma enrascada. E eu sei cozinhar.

— Sabe mesmo?... — Mia observou o vapor em volta. Ouviu o chiado.

— Sou uma excelente cozinheira. — Nell ofereceu a Mia o café espumante. —Já trabalhei com bufê, já trabalhei em uma confeitaria e já fui até garçonete. Sei bem como preparar a comida e sei também como servi-la.

— Que idade você tem?

— Vinte e oito.

— Tem algum antecedente criminal?

— Não!... — Uma gargalhada quase escapou da garganta de Nell. Por um momento o riso dançou com vivacidade em seus olhos. — Sou entediante de tão honesta, uma trabalhadora confiável e uma cozinheira muito criativa. — *Não fique tagarelando e pare de se gabar assim!...,* ordenou a si mesma em pensamento, mas não conseguiu parar. — Preciso do emprego porque estava pensando em me mudar, morar aqui nesta ilha. E gostaria de trabalhar aqui porque adoro livros e gostei do... bem... da atmosfera gostosa que senti em sua loja, assim que entrei.

— E o que, exatamente, você sentiu quando entrou? — Mia, intrigada, estava com a cabeça um pouco pendida para o lado.

— Possibilidades.

— E você acredita em... possibilidades? — continuou Mia, avaliando que aquela tinha sido uma resposta excelente.

— Sim, tive que aprender a acreditar — disse Nell, pensativa.

— Com licença... — Um casal se aproximou do balcão. — Gostaríamos de tomar duas xícaras de café gelado com dois daqueles bolinhos cobertos com creme.

— Claro, em um instante. — Mia virou-se para Nell. — Está contratada! O avental está lá atrás. Mais tarde acertamos os detalhes. — E experimentou o *cappuccino*, acrescentando, enquanto saía um pouco para o lado. — Humm... Delicioso! E... Qual é o seu nome?

— Nell. Nell Channing.

— Muito prazer. Bem-vinda à Ilha das Três Irmãs, Nell Channing.

Mia Devlin dirigia a loja "Livros e Quitutes" do mesmo modo que dirigia a sua vida. Com um estilo nascido do puro instinto, transmitia claramente a sua satisfação pessoal. Era uma mulher de negócios astuta, que gostava de lucros e de levar vantagem em alguma coisa. Sempre. Porém, dentro dos seus próprios termos.

O que a aborrecia, ela ignorava. O que a intrigava, porém, ela perseguia, buscando respostas. E, naquele momento, Nell Channing a deixara intrigada.

Se Nell estivesse exagerando ao falar dos seus dotes, Mia poderia despedi-la tão depressa quanto a contratara, sem remorsos. Poderia também, é claro, se o seu espírito assim lhe indicasse, ajudar Nell a conseguir um emprego em algum outro lugar. Isso não levaria muito tempo nem iria interferir em seus negócios.

Teria tomado essa atitude apenas porque alguma coisa em Nell a tinha cativado, no instante em que os imensos olhos azuis da recém-chegada se encontraram com os seus.

Inocência maltratada. Essa havia sido a primeira impressão de Mia, e ela confiava em suas primeiras impressões, implicitamente. Sentira também competência nela, embora a autoconfiança da moça lhe parecesse um pouco abalada.

De qualquer forma, uma vez que Nell se adaptasse e começasse a se familiarizar com o trabalho na cafeteria, conseguiria se firmar nessa área também.

Mia a observou por toda a tarde, reparando que ela conseguia anotar com precisão os pedidos, lidava bem com os clientes, saía-se bem tanto na máquina registradora quanto na outra, a misteriosa máquina de café expresso.

Seria necessário apenas enfeitá-la um pouco, decidiu Mia. Todos se vestiam de modo casual na ilha, mas aquelas calças jeans velhas e gastas eram um pouco de descontração demais para o gosto da dona da loja.

Satisfeita no momento, Mia voltou e entrou na cozinha da cafeteria. Ficou impressionada ao ver que as bancadas e os equipamentos estavam impecavelmente limpos. Jane jamais conseguira ser uma cozinheira organizada, embora a maioria dos doces e salgados não fosse preparada na cozinha da loja.

— Nell!

Tomada de surpresa, Nell deu um pulo e se virou devagar da frente do fogão, onde estivera raspando e limpando os queimadores. Seu rosto ficou ruborizado ao olhar para Mia e para uma jovem que estava a seu lado.

— Desculpe, não quis assustá-la. Esta é a Peg. Ela atende no balcão no horário da tarde, de duas às sete.

— Ah... Como vai?

— Oi!... Puxa, não consigo acreditar que Jane e Tim estão mesmo de *partida*. E para Nova York! — Peg parecia estar com um pouco de inveja. Era baixa e com um jeito alegre e um pouco atrevido. Tinha uma profusão de cabelos encaracolados louros e descoloridos, quase brancos. — Jane sabia preparar uns bolinhos de mirtilo que eram uma loucura!

— Sim, mas Jane e seus bolinhos não estão mais por aqui. Preciso conversar com Nell agora, então você fica tomando conta da cafeteria.

— Está certo. A gente se fala mais tarde, Nell.

— Por que não usamos meu escritório? — propôs Mia. — Para acertarmos os detalhes da sua contratação. Geralmente abrimos de dez às sete, no verão. No inverno, fechamos duas horas mais cedo, às cinco. Peg prefere o turno da tarde. Gosta de gandaia e detesta acordar cedo. De qualquer modo, já que começamos a servir às dez, vou precisar de você aqui logo de manhã, antes de abrirmos.

— Para mim está ótimo — respondeu Neil, seguindo Mia por mais um estreito lance de escadas. Não prestara atenção por fora, mas a loja tinha três andares, e ela não havia reparado nisso. Alguns meses atrás, jamais teria deixado de perceber esse detalhe, aparentemente comum. Ela teria se certificado de todos os espaços, cada canto do local, as possíveis saídas.

Ficar mais relaxada não significava baixar a guarda, lembrou a si mesma. Tinha que estar sempre preparada para fugir de novo a qualquer momento.

Passaram por uma grande sala que servia de depósito e estava apinhada de prateleiras e caixas de livros. Passando por uma porta no fundo da sala, entraram no escritório de Mia.

A escrivaninha de cerejeira clara, obviamente uma antiguidade, combinava com ela, pensou Nell. Imaginava Mia cercada de coisas ricas e maravilhosas. Havia muitas flores ali, plantas viçosas, pequenos pedaços de cristais diversos e pedras polidas colocadas em tigelas. Ao lado da mobília elegante havia um computador de último tipo, um fax, arquivos com fundas gavetas e prateleiras cheias de catálogos de editoras.

— Você já esteve algumas horas na cafeteria, portanto você já deve ter percebido o tipo de cardápio que oferecemos. Há um sanduíche especial a cada dia, e temos também a sopa do dia e uma pequena seleção de sanduíches alternativos. Duas ou três variedades de saladas frias. Salgados, doces, bolinhos, biscoitos finos. Eu sempre deixei a escolha do menu por conta da cozinheira. Está tudo bem assim, para você?

— Sim, senhora.

— Por favor, "senhora" não! Sou apenas um ano mais velha do que você. Chame-me simplesmente de Mia, está bem? Até termos certeza de que vai dar tudo certo, preferia que você trouxesse o menu do dia seguinte para a minha aprovação. — E pegou um bloco, de uma das gavetas, entregando-o a Nell. — Por que não tenta escrever o que teria em mente para oferecer amanhã, por exemplo?

O pânico começou a engatinhar por dentro de Nell, e seus dedos tremiam. Respirando fundo, esperou até que sua mente se acalmasse e ficasse clara, então começou a escrever, enquanto falava.

— Nesta época do ano, acho que devíamos oferecer sopas leves, então... pensei em um *consommé* de ervas. Uma salada de macarrão fino, tipo *tortellini*, outra de feijão-branco e uma maionese de camarão. Poderíamos oferecer um sanduíche de frango temperado, com pão árabe, e uma seleção de legumes e vegetais, mas eu teria que ver o que está na safra. Sei fazer tortas de frutas, também, mas depende das frutas da época, que sempre têm melhor aspecto. Os bolinhos de massa leve parecem muito populares; eu poderia fazer o dobro do que está no balcão. Uma torta úmida com seis camadas de chocolate e creme. E também sei preparar bolinhos de mirtilo, que são uma loucura, e de nozes também. Estamos com poucos biscoitos de avelã. E quanto aos *cookies* crocantes... Acho que aqueles com pedaços de chocolate dentro nunca vão mal. E macadâmia, também. Em vez de um terceiro tipo de *cookie*, eu ofereceria brownies. Sei preparar um brownie irresistível com três camadas cremosas.

— Quantas dessas delícias você consegue preparar aqui mesmo na cozinha da loja?

— Tudo isso, acho. Só que, se você está pensando em começar a servir as massas, os salgados e bolinhos assim que abrir a loja às dez, vou ter que começar a prepará-los às seis da manhã.

— E se você tivesse a sua própria cozinha?

— Ahn... bem... *Que maravilhosa fantasia seria isso!...* Se eu tivesse uma cozinha equipada, poderia preparar quase todo o menu na véspera, à noite, e deixaria só para assar pela manhã, para ficar tudo bem fresquinho.

— Hã, hã... — Mia estava pensativa. — Quanto dinheiro você tem, Nell Channing?

— O suficiente.

— Não fique melindrada com a pergunta — avisou Mia, em tom de brincadeira. — Posso lhe dar um adiantamento de cem dólares. Isso fica já por conta de um salário, para começar, de sete dólares por hora. Você vai registrar todas as horas trabalhadas, inclusive o tempo que levar para fazer as compras no mercado e as horas que levar para preparar a comida diariamente, em casa. Pode comprar lá tudo de que precisar, ingredientes, temperos e acessórios, e colocar na conta da loja. No final do dia, você me entrega os recibos, para meu controle de gastos.

Quando Nell abriu a boca para falar, Mia simplesmente levantou um dos seus elegantes dedos com unhas da cor de coral.

— Espere! — disse ela. — Fará também parte do seu trabalho servir e limpar as mesas nas horas de maior movimento, além de dar assistência aos clientes nas seções de livros do andar, nas horas mais paradas. Haverá dois intervalos de meia hora nos turnos, folga aos domingos e quinze por cento de desconto como funcionária da loja em suas compras, não incluindo comida ou bebida, as quais, a não ser que você se revele uma glutona, fazem parte das suas mordomias. Até aqui você está me acompanhando?

— Sim, mas eu...

— Bem. Estarei aqui todos os dias. Se houver algum problema com o qual você não consiga lidar, traga-o para mim. Se eu não estiver disponível no momento, fale com a Lulu. Ela normalmente fica no caixa do andar de baixo e sabe tudo sobre a loja. Você me parece esperta e vai pegar tudo bem depressa. Se não souber dar alguma resposta a algum cliente, não hesite em perguntar. Agora, vamos ao outro assunto. Você está procurando um lugar para ficar.

— Sim... — Falar com Mia era como ser levada por um vento forte e inesperado. — Eu estava pensando em...

— Venha comigo. — Mia pegou um molho de chaves de uma gaveta e se afastou da escrivaninha, pinicando o chão com os pés em pancadas curtas e agudas. Nell notou que ela estava usando um maravilhoso par de sapatos com salto-agulha.

Ao chegarem no andar térreo, ela foi direto até uma porta que saía pelos fundos da loja.

— Lulu! — gritou ela. — Volto em dez minutos!

Sentindo-se desajeitada e tola, Nell a seguiu pela porta dos fundos do estabelecimento e saiu em um pequeno jardim que tinha um caminho marcado por pedras planas. Uma imensa gata preta estava esparramada tomando sol sobre uma das pedras da passagem e piscou luminosos olhos dourados quando Mia pulou com agilidade por cima dela.

— Esta é Isis. Ela não vai perturbar você.

— É linda! É você quem cuida do jardim?

— Sim! Nenhum lugar é um verdadeiro lar se não tiver flores. Ah, eu esqueci de perguntar. Você tem transporte próprio?

— Sim, tenho um carro. Só que ele não pode exatamente ser chamado de "transporte".

— Mas é útil. Você não vai precisar ir muito longe, mas seria trabalhoso trazer os ingredientes do mercado a pé pela rua todos os dias.

Ao chegar na ponta do terreno, Mia entrou à esquerda, mantendo o ritmo apressado, e passou pelos fundos de diversas lojas que ficavam em frente a casas impecavelmente mantidas.

— Senhora... Desculpe, eu não sei o seu sobrenome.

— É Devlin, mas eu já disse que pode me chamar apenas de Mia.

— Mia, agradeço muito pelo emprego e pela oportunidade. Posso também prometer que você não vai se arrepender, mas... posso saber para onde estamos indo?

— Você precisa de um lugar para ficar. — E, virando uma esquina, parou e apontou com um gesto: — Aquele deve servir.

Do outro lado da rua estreita estava uma pequena casa amarela, plantada como um raio de sol radiante, à beira de uma alameda de pequenas árvores. As persianas eram brancas, e havia uma varanda estreita na frente. Havia muitas flores ali também, em uma dança alegre de brilhantes cores de verão.

Ficava um pouco afastada da rua, com um pequeno gramado na frente, muito bem-tratado, com árvores mais altas que a mantinham na sombra e filtravam a luz do sol.

— Esta casa é sua? — perguntou Nell.

— Sim. Por enquanto. — Balançando as chaves, Mia caminhou pela entrada pavimentada com lajotas. — Eu a comprei na primavera passada.

Tinha sido compelida a comprá-la, Mia se lembrava agora. *Como um investimento,* convencera a si própria na época. E, apesar disso, ela, uma mulher de negócios até os ossos, não fizera nada até aquele momento para tentar conseguir um locatário. Apenas esperara, como lhe parecia agora que a casa é que estivesse esperando durante todo aquele tempo.

Destrancando a porta da frente, deu um passo para trás.

— Já foi abençoada — avisou.

— Como disse?

— Seja bem-vinda — replicou Mia, apenas acenando com a cabeça.

A mobília era pouca. Um sofá simples que precisava desesperadamente de um estofador, uma poltrona com assento alto e algumas mesas espalhadas.

— A casa tem quartos dos dois lados, embora aquele ali à esquerda seja mais adequado a um estúdio ou escritório. O banheiro é minúsculo, mas charmoso, e a cozinha foi toda reformada e deve servir bem. Fica ali, seguindo direto em frente até os fundos. Eu trabalhei um pouco nos jardins, mas eles estão precisando de mais cuidados. Não tem ar-condicionado, mas o aquecimento funciona bem. E você vai ficar muito feliz também em saber que a lareira está funcionando perfeitamente, especialmente quando chegar janeiro.

— É maravilhosa! — Não conseguindo resistir, Nell circulou pela casa, esticando o pescoço para dentro do quarto principal, onde havia uma linda cama com cabeceira de ferro pintada de branco. — Parece um chalé de fadas. Você deve adorar morar aqui.

— Eu não moro aqui. Quem mora é você.

Nell se virou lentamente. Mia estava no centro da sala com as mãos estendidas juntas em concha, com as chaves sobre as palmas. Os raios de luz penetravam pelas duas janelas da frente, fazendo parecer que o seu cabelo estava em chamas.

— Eu não compreendo...

— Você precisa de um lugar para ficar, e eu tenho um lugar para você. Minha casa fica nos rochedos; eu prefiro morar lá. Este lugar é só para você, por enquanto. Não se sentiu bem neste ambiente?

Ela sabia apenas que estava se sentindo muito feliz e muito nervosa ao mesmo tempo. E que, no momento em que pusera os pés na casa, ficara com vontade de se espalhar e se acomodar ali, como se fosse a gata que vira no caminho, sob o sol.

— Então quer dizer que eu posso... morar aqui?

—A vida tem sido difícil para você, não tem? — murmurou Mia. — Por isso é que está tremendo assim, diante de uma coisa boa. Mas você vai pagar aluguel por ela, porque nada que vem de graça mantém o seu valor com o tempo. Vamos calcular em função do seu salário. Acertar e oficializar tudo. Você vai ter que voltar lá na loja, assinar formulários, papeladas e assim por diante. Mas isso pode esperar até amanhã. O Mercado da Ilha é o melhor lugar para se comprar os ingredientes de que vai precisar para o cardápio de amanhã. Vou avisar a eles que você vai até lá, para que a deixem colocar todas as compras na conta da loja. Quaisquer despesas adicionais que tenha, panelas, frigideiras, o que precisar, pode comprar, e depois eu confiro tudo no fim do mês. Espero por você e pelas suas criações amanhã de manhã na loja, às nove e meia em ponto.

Mia deu um passo à frente e largou as chaves sobre as mãos trêmulas e sem energia de Nell.

— Alguma pergunta?

— Perguntas demais para saber por onde começar. Não sei como posso lhe agradecer.

— Economize as lágrimas, irmãzinha — replicou Mia. — Elas são preciosas demais. Você vai ter que dar muito duro pelo que tem aqui.

— Mal posso esperar para começar. — Nell estendeu-lhe a mão. — Obrigada por tudo, Mia.

Apertaram as mãos, e, quando suas peles se tocaram, uma fagulha estalou, azul como uma chama forte, e logo em seguida sumiu. Tentando sorrir, Nell deu um pulo para trás, de susto.

— Deve haver um bocado de estática ou alguma outra coisa no ar por aqui.

— ... Ou alguma outra coisa!... Bem, seja bem-vinda, Nell — e, virando-se, Mia foi em direção à porta.

— Mia! — A emoção espremeu-lhe tanto a garganta que provocou um pouco de dor. — Eu disse ainda há pouco que este lugar parecia um chalé de fadas. Você então deve ser a minha fada-madrinha.

O sorriso de Mia era ofuscante, e a sua gargalhada soou grave e rica, como um creme denso.

— Você vai descobrir logo, logo que eu estou longe de ser uma fada. Na verdade, estou mais para bruxa. E praticante! Não se esqueça de me trazer os recibos — acrescentou, ainda sorrindo, e fechou suavemente a porta atrás de si ao sair.

Capítulo Dois

Nell achou que a pequena cidade era um pouco parecida com a Brigadoon, do livro de Nathaniel Hawthorne. Demorou-se explorando todas as redondezas antes de ir para o mercado. Durante meses ela tentara se convencer de que estava a salvo; de que estava livre. Mas ali, pela primeira vez, perambulando pelas lindas ruas com suas casas curiosas, respirando o ar do mar e ouvindo as vozes agudas com o sotaque da Nova Inglaterra, ela se sentia *realmente* a salvo. E livre.

Era uma estranha ali, por enquanto, mas todos iriam conhecê-la com o tempo. Iriam saber quem era Nell Channing, a competente cozinheira que morava no pequeno chalé amarelo perto do bosque. Faria novos amigos ali e construiria uma vida nova. Teria um futuro. Nada que viesse do passado conseguiria alcançá-la naquele lugar.

Um dia, ela ainda faria parte da ilha tanto quanto a pequena agência de correios pintada em um tom de cinza já desbotado ou o centro de turismo revestido com caquinhos de azulejos e pedras lisas e coloridas. Ou ainda o comprido e robusto cais, para onde os pescadores traziam sua carga diária de peixes e frutos do mar.

Para celebrar, comprou um móbile sonoro que balançaria alegremente com o vento da varanda. O móbile tinha várias estrelas; ela o vira em uma vitrine e se encantara com ele. Era a primeira compra que fizera apenas por prazer, em quase um ano.

Na sua primeira noite na ilha, Nell dormiu na adorável cama, abraçada a uma felicidade nova, enquanto ouvia a música proporcionada pelas pequenas estrelas do móbile, acompanhadas pelo sopro do mar.

Levantou-se antes do amanhecer, ávida para começar o seu trabalho. Enquanto a sopa do dia fervia em fogo brando, ela batia a massa para os bolinhos. Gastara até o último centavo que tinha, incluindo a maior parte do salário do mês, em utensílios para cozinha. Não tinha importância. Ela queria o melhor, para produzir o melhor. Mia Devlin, sua benfeitora, jamais teria motivos de arrependimento por tê-la aceitado na loja.

Tudo na cozinha estava agora precisamente como ela queria. Não como lhe disseram que deveria ser. Quando tivesse tempo, planejava fazer uma pesquisa na loja de jardinagem que havia na ilha, à procura de ervas. Algumas ela poderia até plantar no próprio peitoril da janela, pelo lado de fora. Todas seriam plantadas bem juntinhas, do jeito que ela gostava. Nada, absolutamente nada em sua casa seria novamente uniforme, simétrico, com precisão milimétrica e estilo sofisticado. Não teria acres de pisos cobertos de mármore dentro de casa, ou mares de taças sobre mesas, ou vasos antigos em forma de torre, cheios de medonhas flores exóticas sem calor ou perfume. Nunca mais...

Interrompeu os pensamentos de repente. Estava na hora de parar de pensar no que a sua vida não seria mais e começar a planejar o que seria realmente dali para a frente. O passado continuaria a assombrá-la enquanto ela não fechasse a porta atrás de si com firmeza e colocasse uma tranca.

Enquanto o sol se levantava, transformando as janelas voltadas para o leste em clarões de chamas vermelhas, ela colocava a primeira fornada de torta de frutas para assar. Lembrou-se da mulher de rosto rosado que a ajudara no mercado. Dorcas Burmingham, um nome típico do norte do país, mas simpático, pensou Nell. Ela pareceu bastante acolhedora e muito curiosa, também. A curiosidade de estranhos teria feito Nell se fechar até bem pouco tempo atrás. Naquele dia, porém, ela conseguira bater papo normalmente, responder a algumas das perguntas de forma descontraída e evitar outras.

As tortas já estavam esfriando na bancada, e os bolinhos para o chá entrando no forno. Enquanto a cozinha se inundava de luz, Nell começou a cantarolar para dar as boas-vindas ao dia.

Lulu cruzou os braços sobre um peito magro que parecia ter só pele e osso. Aquela era, Mia sabia, a sua forma de tentar parecer intimidadora. Como Lulu tinha pouco mais de um metro e meio de altura, pesava apenas quarenta e cinco quilos, assim mesmo se estivesse com as roupas totalmente encharcadas, e tinha o rosto de um duende sofrido. Era muito difícil, para ela, conseguir intimidar alguém.

— Você não sabe coisa alguma a respeito dela!

— Sei que é uma moça sozinha procurando trabalho e que apareceu no lugar certo e na hora certa.

— Ela é uma completa estranha. Não se dá emprego a uma estranha dessa maneira; não se empresta dinheiro a ela nem se oferece uma casa para morar sem pelo menos fazer uma investigação sobre seus antecedentes. Nem uma referência sequer, Mia. Nem umazinha! Pelo que sabemos dela, pode muito bem ser uma psicopata fugindo da polícia.

— Você andou lendo aqueles livros sobre crime novamente, não foi? Confesse.

Lulu olhou com cara feia e fez uma expressão que em seu rosto inofensivo aproximava-se de um sorriso magoado.

— Tem muita gente má no mundo! — argumentou.

— Sim, tem, sim! — Mia imprimiu os pedidos de mala direta de livros para a loja, que haviam acabado de chegar pelo computador. — Sem essas pessoas más não haveria equilíbrio, não haveria desafios. Ela está fugindo de alguma coisa sim, Lulu, mas não é da polícia. Foi o destino que a trouxe para cá. Foi ele que a trouxe até mim.

— É... e às vezes o destino esfaqueia você pelas costas.

— Sei muito bem disso. — Com as listagens na mão, Mia saiu do escritório, com Lulu nos seus calcanhares. Só mesmo o fato de que Lulu Cabot praticamente criara Mia desde pequena é que a impedia de mandar que ela fosse cuidar da própria vida. — Além do mais, Lulu, você sabe muito bem que tenho como me proteger.

— Quando acolhe os desgarrados, você sempre baixa a guarda.

— Ela não é uma desgarrada, é uma *buscadora*. Existe uma diferença. Senti alguma coisa de especial nela — acrescentou enquanto descia as escadas para preencher os pedidos. — Quando ela estiver mais à vontade, vou olhar mais de perto.

— Pelo menos peça alguma referência.

— Acabei de conseguir uma... — respondeu Mia, levantando uma sobrancelha ao ouvir a porta traseira se abrir. — Ela é pontual. Não pegue no pé dela, Lulu! — ordenou Mia enquanto entregava as listagens. — Ela também é meiga e sensível. Bem... Bom dia, Nell!

— Bom dia! — Com os braços cheios de travessas cobertas, Nell entrou apressada. — Estacionei meu carro na parte de trás da loja. Há algum problema nisso?

— Não, está tudo ótimo. Quer uma mãozinha?

— Ahn... Não, obrigada; já estou com tudo empilhado no carro.

— Lulu, gostaria que conhecesse a Nell. Vocês podem se apresentar detalhadamente mais tarde.

— Prazer em conhecê-la, Lulu. Vou começar a levar as coisas lá para cima.

— Vá em frente! — Mia esperou até Nell subir as escadas e cochichou: — Ela parece mesmo terrivelmente perigosa, não?

— As aparências enganam! — respondeu Lulu, apertando o maxilar.

Poucos momentos depois, Nell desceu as escadas, saltitando. Usava uma camiseta branca enfiada por dentro da calça jeans. Um pequeno medalhão de ouro pendia do lado de fora da camiseta como um amuleto.

— Já comecei a preparar a primeira jarra de café do dia — anunciou, — Vou trazer-lhes uma xícara aqui para baixo na próxima viagem, mas não sei como é que vocês gostam.

— Bem forte para mim, fraquinho e bem doce para a Lu. Obrigada.

— Olhem... Vocês se importam de ficar aqui embaixo até que eu tenha terminado de arrumar tudo? Gostaria que vissem a apresentação completa. Então... — E foi se encaminhando para a porta dos fundos, com o rosto enrubescido enquanto falava: — Esperem um pouco antes de subir, está bem?

— Vontade de agradar... — comentou Mia enquanto ela e Lulu preenchiam os pedidos. — Ávida por trabalho... Sim, definitivamente: perigosas tendências psicopáticas. Chame a polícia!

— Não enche!

Vinte minutos depois, sem fôlego, anunciando sua chegada com uma voz estridente e nervosa, Nell desceu novamente.

— Podem subir agora! Ainda vou ter algum tempo para trocar as coisas de lugar se algo não estiver do seu agrado, Mia. Venha também, por favor, Lulu. Mia me disse que você sabe tudo a respeito da loja, então vai poder identificar com precisão se alguma coisa não estiver como deveria.

— Ora!... — De má vontade, Lulu parou de fazer os pedidos pelo telefone. — A cafeteria não é o meu departamento! — Mesmo assim, encolhendo os ombros, seguiu Mia e Nell escada acima.

O balcão envidraçado estava transbordando de massas reluzentes, bolinhos com cobertura cremosa e muffin com recheio de groselha. Uma torta de frutas bem alta resplandecia, com um revestimento de chocolate gelado na lateral e toda confeitada em volta com suspiro. *Cookies* grandes como a palma de uma mão cobriam duas folhas delicadas de papel de confeiteiro. Trazido pelo ar, vinha da cozinha o aroma maravilhoso da sopa que começava a ferver.

Sobre o quadro do cardápio do dia, escrito com uma caligrafia delicada e bonita, estavam discriminados os especiais do dia. O vidro fora polido até brilhar, o café estava com um aroma irresistível, e uma jarra azul-claro estava sobre o balcão, cheia de bengalinhas de canela cobertas com açúcar.

Mia avaliou todos os detalhes de cima a baixo, como um general que estivesse inspecionando as tropas, enquanto Nell ficou de lado, retorcendo as mãos de nervoso, como se fosse arrancá-las.

— Ainda não coloquei as saladas e a sopa. Achei que, se esperasse até dar umas onze horas, as pessoas estariam mais preparadas para elas e também para as massas. Há mais tortas lá dentro, além de muitos outros bolinhos. Eu também não quis expô-los todos juntos agora porque, bem, acho que as pessoas ficam com mais vontade de comê-los se pensarem que sobraram poucos. Além do mais, os bolinhos são itens mais adequados para depois do almoço ou para a parte da tarde. Quis exibir a torta grande agora, na esperança de que os clientes fiquem pensando nela e acabem voltando mais tarde para uma fatia. Mas é claro que eu posso reorganizar tudo se você preferir...

E calou a boca quando Mia levantou um dedo.

— Vamos experimentar uma dessas pequenas tortas de frutas.

— Ah!... Claro! Espere que eu vou pegar uma lá de dentro — e voou para a cozinha, voltando com uma torta sobre um pequeno guardanapo, como uma oferenda.

Sem dizer nada, Mia partiu o doce ao meio e ofereceu metade para Lulu. Ao dar a primeira mordida, seus lábios se curvaram sutilmente em um sorriso.

— Que tal isso como referência? — murmurou, antes de se voltar de novo para Nell. — Se você continuar assim tão nervosa, os clientes vão achar que há alguma coisa errada com a comida. Se isso acontecer, não vão pedir nada e estarão deixando de saborear algo muito especial. Você possui um dom maravilhoso, Nell.

— Você gostou mesmo? — A moça soltou um suspiro de alívio. — Experimentei um de cada, de tudo o que eu preparei. Estou até meio enjoada — disse, e passou a mão pela frente do estômago. — Queria que tudo estivesse perfeito.

— E ficou mesmo. Agora, relaxe, porque, assim que se espalhar pela ilha que nós temos um gênio da cozinha aqui, você vai se ver muito ocupada.

Nell não sabia se a notícia se espalhara, mas em pouco tempo estava ocupada demais para ficar nervosa. Às dez e meia da manhã já estava preparando outra rodada de café na máquina e renovando o estoque das bandejas. A cada vez que a caixa registradora soava, um pequeno tremor de emoção lhe percorria a espinha. E, quando colocou seis bolinhos em um saquinho para viagem, entregue a um cliente que afirmou jamais ter comido algo tão gostoso, Nell teve que se segurar para não sair dançando pela loja.

— Obrigada. Espero que volte a nos visitar logo. — E, sorrindo, se voltou para o cliente seguinte.

Foi essa a primeira impressão que Zack teve dela. Uma linda loura de avental branco, um sorriso com um quilômetro de largura e covinhas. A imagem lhe proporcionou um arrepio rápido e agradável, e seu próprio sorriso cintilou em resposta.

— Já tinha ouvido falar dos bolinhos, mas ninguém havia me falado do sorriso.

— É que o sorriso é grátis. Pelos bolinhos, você vai ter que pagar.

— Vou levar um. De mirtilo. E um café bem forte para viagem. Meu nome é Zack. Zack Todd.

— Eu me chamo Nell. — E despejou o café em um dos copos para viagem. Ela não precisava olhar para ele com o rabo do olho. A experiência lhe ensinara olhar para um rosto uma única vez, mesmo de relance, e se lembrar de todos os detalhes. O rosto dele ainda estava gravado em sua mente enquanto enchia o copo.

Bronzeado, com linhas suaves que saíam, divergentes, das pontas de argutos olhos verdes. Uma mandíbula firme com uma intrigante cicatriz em diagonal. Cabelos castanhos, um pouco compridos, ligeiramente encaracolados e já ligeiramente queimados nas pontas pelo sol de verão. Um rosto estreito com um nariz longo e reto, uma boca que sorria com facilidade e exibia um incisivo ligeiramente torto.

Pareceu-lhe um rosto honesto. Sereno, amigável. Ela colocou o café sobre o balcão, lançando outro rápido olhar enquanto puxava um dos bolinhos de cima da pilha na bandeja.

Ele tinha ombros largos e braços fortes. A camisa estava com as mangas arregaçadas e também ligeiramente desbotada, talvez pelo sol ou pela água. A mão que segurou o café era grande e larga. Nell tinha a tendência de confiar em homens de mãos grandes. As mãos delgadas, macias, bem tratadas por manicures, essas eram capazes de golpear de forma letal.

— Vai levar um bolinho só? — perguntou, enquanto colocava o pedido em um saco.

— Um só vai me satisfazer, por agora. Ouvi dizer que você acabou de chegar à ilha, ontem de manhã.

— Cheguei em boa hora, para mim. — Registrou o pedido e ficou satisfeita ao vê-lo abrir o pacote e cheirar o bolinho.

— Vai ser uma boa hora para todo mundo por aqui, se isso for tão gostoso quanto o cheiro. De onde você veio?

— De Boston.

— Não parece que veio de Boston — e inclinou a cabeça um pouco para o lado. — Seu sotaque — explicou, quando ela simplesmente olhou para ele, calada.

— Ahn... — e resolveu explicar, enquanto pegava o dinheiro e devolvia o troco com a mão firme. — Eu não sou de Boston, originalmente. Vim de uma cidadezinha do Meio-Oeste, perto de Columbus. E que eu me mudei muito, através dos anos. — Seu sorriso continuava no lugar enquanto ele pegava o troco e o recibo. — Acho que é por isso que minha voz não tem nenhum sotaque em particular.

— Deve ser...

— Ei, xerife!

Zack olhou por sobre os ombros e acenou com a cabeça.

— Bom dia, Sra. Macey!

— Seria bom se você pudesse ter uma conversinha com Pete Stahr, a respeito daquele cachorro dele.

— Vou dar uma passada lá agora mesmo.

— Aquele bicho é capaz de rolar sobre peixe morto com a mesma facilidade com que rola sobre rosas. Depois, vem se esfregar na roupa que está secando. Tive que lavar tudo de novo. Os cachorros são todos iguais.

— Sim, senhora, *é* verdade.

— Pete tem que colocar aquele cachorro imenso na coleira e bem preso por uma corrente.

— Vou falar com ele sobre isso ainda hoje de manhã. E acho que a senhora deveria experimentar um desses bolinhos, Sra. Macey.

— Só entrei na loja por causa de um livro — replicou, mas olhou para o balcão envidraçado, os lábios se franzindo no rosto largo. — Parecem mesmo gostosos, não é? Você deve ser a nova atendente.

— Sim, sou. — A garganta de Nell estava seca e quente, e ela teve medo de que a sua voz estivesse do mesmo jeito. — Meu nome é Nell. A senhora deseja alguma coisa?

— Talvez eu dê uma sentadinha ali, só para tomar uma xícara de chá acompanhada por uma daquelas tortinhas de frutas. Tenho um fraco por uma boa tortinha de frutas. Mas não quero nenhum daqueles chás sofisticados, entende? Sirva-me um simples, com laranja, por favor. E Zack, diga a Pete para manter aquele cachorro longe da minha roupa lavada — continuou ela. — Senão é ele quem vai ter que lavar toda a minha roupa.

— Sim, senhora. — Ele sorriu para Nell de novo, mantendo os olhos em seu rosto deliberadamente, pois tinha reparado como ela ficara pálida ao ouvir Gladys Macey chamá-lo de xerife. — Prazer em conhecê-la, Nell.

Ela fez um aceno curto com a cabeça. Manteve as mãos ocupadas, mas ele reparou que elas não estavam tão firmes quanto antes.

O que — ficou pensando — uma linda e jovem mulher teria a esconder da lei? Por outro lado — continuou pensando enquanto descia as escadas —, algumas pessoas ficavam nervosas normalmente, só de ouvir falar em polícia.

Dando uma olhada em torno ao chegar no andar de baixo, viu Mia enchendo algumas das prateleiras com livros, na seção de histórias de mistério. De qualquer modo, decidiu Zack, não faria mal algum lhe perguntar algumas coisas bem casuais.

— Movimentado hoje por aqui, hein?

— E... — Ela continuou enfiando livros de bolso nas estantes, sem olhar em volta. — E espero que fique ainda mais. A alta temporada está apenas começando, e eu já tenho uma arma secreta escondida lá em cima na cafeteria.

— Acabei de conhecê-la. Você está alugando o chalé amarelo para ela?
— Isso mesmo.
— Já conferiu os registros dela de empregos anteriores... sua vida passada, referências?
— Escute aqui, Zack... — Mia se virou. Sobre os saltos altos, ela ficava quase da mesma altura que ele, e olhou bem no fundo dos seus olhos. — Nós já somos amigos há muito tempo. Tempo suficiente para que eu tenha a liberdade de mandar você cuidar da sua vida. Não quero você aqui dentro da minha loja interrogando meus empregados.
— Então está bem, você está certa! Vou só arrastá-la até aqui embaixo, levá-la até a delegacia e dar-lhe um banho com a mangueira de pressão para obrigá-la a falar.

Ela deu uma risada, depois se inclinou para a frente e deu-lhe um pequeno beijo no rosto.

— Seu brutamontes! Não se preocupe com a Nell. Ela não está atrás de problemas.
— Mas ficou toda agitada quando descobriu que eu era o xerife.
— Querido, você é um gato tão bonito que todas as garotas ficam agitadas quando você chega.
— Só que isso nunca funcionou com você — argumentou ele.
— Funcionou sim e você sabe. Agora, caia fora, deixe-me cuidar dos meus negócios.
— Estou indo. Tenho que ir fazer as tarefas que jurei cumprir e dar uma bronca em Pete Stahr por causa daquele cachorro fedorento.
— Ah, xerife Todd, você é tão valente! — Piscou rapidamente as pestanas. — O que nós, pobres ilhéus, faríamos sem você e sua vigorosa irmã para nos proteger?
— Ah, ah, essa é boa... Ripley deve estar chegando na barca do meio-dia. Logo, logo vou estar colocando minha auxiliar a par de todos os detalhes desse grande problema com o cachorro.
— Já faz uma semana que ela viajou? — Mia fez uma careta e voltou a colocar os livros nas prateleiras. — Bem, o que dizem é verdade... Nada do que é bom dura para sempre!

— Não vou ficar no meio de vocês duas novamente. Prefiro resolver o problema do cachorro de Pete.

Ela riu, mas, assim que ele saiu, olhou para o alto das escadas, pensou em Nell e ficou imaginando qual seria o problema dela.

Fez questão de ir até lá em cima no fim da manhã. Nell já tinha preparado as saladas e a sopa, modificando sutilmente o estilo de comida, visando à multidão da hora do almoço. As saladas, Mia reparou, pareciam frescas e apetitosas, e o aroma delicioso da sopa era uma tentação para qualquer um que colocasse os pés na loja.

— Como está indo?

— Bem. Agora é que o movimento diminuiu um pouco. — Enxugou as mãos no avental. — Foi uma correria intensa durante toda a parte da manhã. Os bolinhos ganharam a corrida, mas as tortinhas de frutas chegaram bem perto, em segundo lugar.

— Você está oficialmente no seu horário de folga — Mia lhe disse. — Pode deixar que eu atendo qualquer um que apareça, a não ser que eles me peçam alguma coisa que exija o uso daquela máquina monstruosa. — Ao chegar à cozinha, Mia deixou-se escorregar sobre um banco e cruzou as pernas. — Passe no meu escritório no final do seu horário. Vamos assinar aqueles formulários de emprego.

— Certo. Estive pensando a respeito do cardápio de amanhã.

— Podemos conversar sobre isso também. Por que não pega uma xícara de café e relaxa um pouco?

— Não, café não! Já estou agitada o suficiente. — Nell abriu a porta da geladeira, tirando lá de dentro uma pequena garrafa de água. — Vou me contentar com isto aqui.

— E você?... Já se acomodou bem na casa?

— Foi fácil. Não consigo lembrar de uma noite em que tenha dormido tão bem ou acordado mais bem-disposta. Com as janelas abertas, dá para ouvir as ondas do mar. E como um acalanto. E você viu o sol nascendo hoje? Foi espetacular!

— Vou acreditar na sua palavra. Tenho uma tendência antiga a evitar o nascer do sol. O problema é que ele insiste em chegar cedo demais, logo de manhã. — Ela esticou a mão, surpreendendo Nell ao pedir a garrafa de água e tomando um gole dela. — Soube que você conheceu Zack Todd.

— Conheci? — Nell imediatamente pegou em um pano e começou a esfregar o fogão. —Ah... o xerife Todd. Sim, ele tomou um café bem forte e levou um bolinho de mirtilo para viagem.

— Existiu sempre alguém da família Todd morando na ilha, já faz séculos, e Zachariah é um dos melhores de todo o grupo. Gentil... — Mia continuou, deliberadamente. — ... Cuidadoso, carinhoso e decente, sem ficar se gabando a respeito disso tudo.

— Ele é seu... — A palavra "namorado" não parecia se aplicar a uma mulher como Mia. — Você e ele estão envolvidos?

— Envolvidos como? Romanticamente? Não! — Mia entregou a garrafa de água de volta para Nell. — Ele é bom demais para mim. Embora eu deva confessar que tive uma certa atração por ele quando tinha quinze ou dezesseis anos. Afinal de contas, ele é um pedaço de mau caminho. Você deve ter reparado nisso.

— Não estou interessada em homens.

— Entendo. É disso então que anda fugindo? Um homem? — Como Nell não respondeu, Mia se levantou do banco. — Bem... Se você quiser, quando estiver com vontade de conversar sobre isso, saiba que sou uma ouvinte excelente, com um coração muito solidário.

— Eu agradeço por tudo o que você está fazendo por mim, Mia. Quero apenas desempenhar bem o meu trabalho.

— É bastante justo... — O sino do balcão tocou, avisando que havia chegado um cliente. — Fique aqui, Nell, você está na sua folga — lembrou Mia, antes que ela saísse correndo da cozinha. — Deixe que eu tomo conta do balcão um pouco. E não fique com essa aparência tão triste, irmãzinha. Você não deve explicações a ninguém agora, a não ser a você mesma.

Sentindo-se estranhamente tranquilizada, Nell permaneceu onde estava. Podia ouvir o tom baixo e ondulante da voz de Mia enquanto ela conversava com os clientes. A música que se ouvia na loja agora era com flautas, e deslizava fluida e suave como um líquido. Ela podia fechar os olhos e se imaginar ali, bem ali, no dia seguinte. No ano seguinte. Confortável e sendo confortada. Levando uma vida produtiva e feliz.

Não havia motivos para ficar triste ou receosa. Não havia nada com o que se preocupar a respeito do xerife. Ele não tinha razões para prestar atenção nela ou sair pesquisando o seu passado. E, se o fizesse, o que é que poderia encontrar? Nada. Ela tinha sido muito cuidadosa. Pensara em tudo.

Não, agora ela não estava mais fugindo. Chegara até ali, e resolveu que desta vez era para ficar.

Acabando de beber a água, Nell saiu da cozinha e entrou na loja exatamente no momento em que Mia se virava para trás. O relógio na praça começou a bater as doze badaladas do meio-dia, com tons lentos, pesados e poderosos.

O chão sob os pés de Nell começou a tremer, e as luzes da loja ficaram de repente mais fortes e brilhantes. A música encheu completamente a sua cabeça, como se as cordas de mil harpas estivessem tocando em uníssono. Sentiu então o vento. Podia jurar que sentira um vento quente soprar sobre o seu rosto e levantar-lhe os cabelos. Sentiu por fim um forte cheiro de cera de vela e de terra fresca e molhada.

O mundo estremeceu e girou, para logo em seguida posicionar-se no lugar certo de volta, como se jamais tivesse se movido. Balançando a cabeça para clarear as ideias, Nell se viu fitando os olhos cinza-escuros de Mia, frente a frente.

— O que foi isso, Mia? Um terremoto? — No mesmo instante em que dizia isso, Nell reparou que ninguém mais na loja parecia preocupado. As pessoas estavam andando de um lado para o outro normalmente, sentavam-se, conversavam, tomavam chá. — Eu pensei... Eu senti...

— Sim, eu sei. — Embora a voz de Mia fosse calma, havia um caráter incisivo que Nell até então não conhecera. — Bem, isso explica tudo.

— Explica o quê? — Abalada, Nell agarrou o pulso de Mia e sentiu uma força poderosa que lhe subia pelo braço.

— Vamos conversar sobre isso, mais tarde. É que a barca de meio-dia acabou de atracar. — Ripley estava de volta, pensou consigo mesma. Elas, as três, estavam todas juntas na ilha, agora. —Vamos ter muito trabalho pela frente. Vá servir a sopa, Nell — completou gentilmente, e saiu.

Mia não se deixava pegar de surpresa com facilidade e não se preocupava o tempo todo com essas coisas. A força do que sentira e experimentara com Nell, porém, tinha sido mais intensa e mais profunda do que esperara, e isso a deixava um pouco perturbada. Ela deveria estar preparada. Ela, mais do que qualquer outra pessoa, sabia, acreditava e compreendia a reviravolta que o destino tinha dado, tantos anos antes... E a nova reviravolta que poderia dar agora.

Mesmo assim, o simples fato de acreditar no destino não significava que uma mulher deveria simplesmente ficar parada, esperando o destino atropelá-la. Ações poderiam e deveriam ser tomadas. Mas ela tinha que pensar agora, organizar as coisas.

O que, em nome da deusa, poderia ela fazer para que as coisas dessem certo, quando estava ligada a duas mulheres tão completamente diferentes? Uma delas era tola e teimosa, constantemente negando o próprio poder; a outra mais parecia um coelho assustado fugindo do caçador, sem nem desconfiar de que possuía algum tipo de poder.

Trancando-se no escritório, andava de um lado para o outro. Raramente recorria à magia ali. Aquele era o seu lugar de trabalho, e ela o mantinha deliberadamente separado do resto, com os pés no chão. Por outro lado, havia exceções — argumentou consigo mesma — para todas as regras.

Assim pensando, pegou sua bola de cristal na prateleira e a colocou sobre a escrivaninha. Era uma imagem divertida, ver um elemento tão especial e antigo lado a lado com um telefone de duas linhas e um computador moderno. Mesmo assim, a magia respeitava o progresso, embora nem sempre o progresso respeitasse a magia.

Pousando suavemente as duas mãos, uma em cada lado do globo, ela procurou clarear a mente.

> *Mostre tudo, as três voltaram nesta ilha a se unir*
> *E os destinos nós agora vamos juntas esculpir*
> *Visões de vidro apareçam, e que então enfim eu veja*
> *Assim ordeno agora, para sempre e que assim seja.*

O globo cintilou, e apareceu a imagem de um torvelinho, que afinal foi se focando. Nas profundezas, como figuras no fundo d'água, Mia viu a si mesma, Nell e Ripley. Um círculo estava formado em torno das três, nas sombras de uma floresta, e uma fogueira queimava ao lado. As árvores em volta pareciam também estar em chamas, mas era apenas o vermelho-vivo das folhas sob a coloração do outono. Uma fonte de luz descia sobre elas vinda de uma lua cheia, como água que trepidava.

De repente, uma nova sombra se formou nas árvores e se transformou em um homem. Muito bonito, com pele dourada e olhos flamejantes.

O círculo se rompeu. Enquanto Nell corria, o homem corria logo atrás dela. De repente, ela se quebrou como se fosse de vidro, e milhares de pedaços se espalharam por toda parte. Os céus se abriram, e mil raios penetraram, explodindo com o ensurdecedor barulho de trovões, e tudo o que Mia conseguiu ver então na bola de cristal foi uma torrente de água que se entornava sobre elas, ao mesmo tempo em que a floresta e a própria ilha em que viviam afundavam nas profundezas do oceano.

Mia deu um passo para trás, apoiou as mãos nos quadris e falou sozinha, com indignação:

— E não é sempre assim que as coisas acontecem? Um homem aparece e acaba arruinando tudo. Bem, isso é o que nós veremos. — Colocou o globo de volta na prateleira, com cuidado e um ar de desafio. — Isso é realmente o que veremos!

No momento em que Nell bateu na porta, Mia estava acabando de preparar a papelada.

— Bem na hora! — disse ela, enquanto desligava o computador. — Esse é um hábito seu do qual gosto muito. Preciso que preencha todos estes formulário. — Apontou para a pilha arrumada com cuidado sobre a escrivaninha. — Eu coloquei a data de ontem em todos os papéis. Como é que está indo o movimento mais pesado da hora do almoço?

— Tudo sob controle, correndo bem. — Nell se sentou. As palmas das suas mãos já não suavam mais como antes. Enquanto ela preenchia formulários. Nome, data de nascimento, inscrição na Previdência Social. Todos aqueles fatos e números eram os dela, agora. Ela os preparara, pessoalmente. — Peg acabou de chegar. Já planejei o cardápio de amanhã.

— Humm... — Mia pegou o papel dobrado que Nell tirara do bolso e o leu com atenção enquanto a nova funcionária preenchia os formulários. — Parece bom. Você é mais arrojada do que Jane costumava ser.

— Você achou as ideias arrojadas demais?

— Não, apenas mais do que eram. E então... O que pretende fazer no resto do seu dia, Nell... — e olhou rapidamente para o primeiro formulário preenchido — ... sem nome do meio Channing?

— Dar uma volta na praia, trabalhar um pouco no jardim. Talvez explorar o bosque atrás do chalé.

— Há um riacho lá atrás onde existem pequenas ervas chamadas colombinas que enlouquecem de tanto dar flor nesta época do ano. Mais no fundo do bosque há aráceas, pequenas flores parecidas com o copo-de-leite, e muitas samambaias. Plantas daquele tipo que fazem você pensar que pequenas fadas podem estar escondidas nelas.

— Você não me parece um tipo de pessoa que sai por aí procurando fadas tímidas.

— É porque nós ainda não nos conhecemos muito bem — disse Mia, sorrindo levemente. — A Ilha das Três Irmãs é cheia de lendas e tradições, e suas florestas conhecem todo tipo de segredos. Você conhece a história das Três Irmãs?

— Não.

— Vou lhe contar um dia desses, quando tivermos tempo para lendas e histórias antigas. Por agora, você deve procurar sempre estar em contato com a luz e o ar.

— Mia, o que aconteceu hoje, mais cedo? Ao meio-dia?

— Diga-me você. O que acha que aconteceu?

— Parecia um tremor de terra, mas não era. A luz parecia diferente, e o ar também. Foi como... uma explosão de energia. — Nell sentiu-se tola ao dizer isso, mas insistiu. — Você sentiu também, eu sei. Só que ninguém em volta notou nada. Ninguém mais, na loja, sentiu algo fora do normal.

— A maioria das pessoas espera apenas pelo que é normal, e é isso que conseguem.

— Se isso é alguma espécie de enigma, não sei a resposta. — Impaciente, Nell se levantou com um impulso. — Você não ficou surpresa com o que aconteceu. Talvez um pouco... irritada, mas não surpresa.

— Verdade pura — comentou Mia, recostando-se na cadeira e levantando uma das sobrancelhas. — Você sabe interpretar as reações das pessoas; muito bem, por sinal.

— Habilidade de sobrevivência.

— E bastante aprimorada — acrescentou Mia. — O que aconteceu ao meio-dia? Acho que você pode chamar de *conexão*. O que acontece quando três cargas positivas ocupam o mesmo espaço em um mesmo momento?

— Não faço a mínima ideia. — Nell balançou a cabeça.

— Nem eu. Mas vai ser muito interessante descobrir. Os iguais se reconhecem, você não acha? Eu reconheci você.

O sangue de Nell gelou nas veias e depois correu mais depressa sob a pele.

— Não sei o que você quer dizer, Mia.

— Não estou falando do que você era ou do que você foi — disse Mia, com delicadeza. — Mas sim do *que você é*. Pode confiar em mim porque vou respeitar isso, e a sua privacidade também. Não vou bisbilhotar o seu passado, Nell. Estou mais interessada é no futuro.

Nell abriu a boca. Por pouco, muito pouco, deixou escapar toda a história. Tudo do que fugira, tudo o que a assombrava. Ao fazer isso, porém, ela estaria colocando o seu destino nas mãos de outra pessoa. Era algo que jamais faria de novo.

— Mia, amanhã eu vou trazer uma sopa de verão, com diversos vegetais; vou servir frango, abobrinha e sanduíche de ricota. Não vai ser tão complicado assim.

— É um começo tão bom quanto qualquer outro. Aproveite bem a sua tarde. — Mia esperou até que Nell alcançasse a porta. — E... Nell! Enquanto você ainda tiver medo, ele estará ganhando.

— Eu não ligo a mínima para quem vai ganhar — replicou Nell. Então, saiu com rapidez e fechou a porta atrás de si.

Capítulo Três

Nell encontrou o riacho e as pequenas colombinas selvagens, que pareciam pequenas gotas de sol sobre a relva verde-escura. Sentada no chão macio da floresta, escutando o gargarejo do riacho e o gorjeio dos pássaros, conseguiu reencontrar a paz.

Aquele era o seu lugar. Estava mais certa disso do que jamais estivera a respeito de qualquer outra coisa em toda a sua vida. Sentia que pertencia àquele lugar como jamais sentira em nenhum outro local por onde passara.

Mesmo quando criança, ela se sentira deslocada. Não por causa de seus pais, pensou, passando os dedos sobre o medalhão. Não, jamais por causa deles. Seu lar, no entanto, era qualquer lugar em que seu pai estivesse servindo, durando só até ele ser transferido. Jamais houve um único lugar que pudesse ser associado com a sua infância, nenhum local especial onde as memórias pudessem criar raízes e florescer.

Sua mãe tivera o dom de criar um lar onde quer que eles estivessem, não importava por quanto tempo. Mas não era a mesma coisa que saber que você teria a mesma vista da janela do seu quarto, dia após dia.

E era a falta disso que Nell carregara sempre consigo.

Seu erro foi achar que poderia amenizar essa carência com Evan, quando na verdade deveria ter percebido que isso era uma coisa que ela teria que encontrar por si mesma.

E talvez tivesse encontrado, afinal. Ali, naquele lugar.

Fora isso que Mia quisera dizer. *Os iguais se reconhecem.* Ambas pertenciam à ilha. Talvez, de algum modo adorável, elas duas realmente pertencessem àquele lugar. Era simples assim.

De qualquer modo, Mia era uma mulher muito intuitiva e, de uma forma muito estranha e singular também muito poderosa. Pressentia segredos. Tudo o que Nell podia fazer era esperar que ela cumprisse a palavra e não começasse a bisbilhotar sua vida. Se alguém começasse a cavar através das suas camadas externas, teria que ir embora mais uma vez. Não importa o quanto se sentisse parte dali; não poderia ficar.

Mas isso não ia acontecer.

Nell se levantou, esticou os braços como se estivesse tentando alcançar os raios do sol, e ficou girando em pequenos círculos. Ela *não permitiria* que isso acontecesse. Ia confiar em Mia. Ia trabalhar para se sustentar, morar ali no pequeno chalé amarelo e acordar a cada dia com um vertiginoso e inebriante sentimento de liberdade.

Com o tempo, pensou enquanto tomava o caminho de volta para casa, ela e Mia poderiam se tornar grandes amigas. Seria fascinante ter uma amiga tão vibrante e esperta.

Como será levar uma vida independente e ser uma mulher como Mia Devlin?, ela se perguntou. *Ser alguém tão absolutamente linda e confiante, de uma forma tão sublime!* Uma mulher como aquela jamais teria que se questionar, ou se reconstruir, nem se preocupar com o fato de que, qualquer que fosse a sua realização, ou o que quer que pudesse fazer, talvez não fosse bom o bastante.

Que coisa maravilhosa!

Apesar de tudo, mesmo considerando que uma mulher precisava nascer linda, fisicamente, a confiança era algo que poderia ser aprendido, poderia ser conquistado. E não havia surpreendentes sentimentos de satisfação em ganhar aquelas pequenas batalhas? A cada nova vitória, você voltava para a guerra mais bem-armada.

Chega de devaneios, chega de introspecção, pensou, enquanto apressava o passo. Ela iria estourar o resto do seu adiantamento na loja de jardinagem.

Se isso não era confiança, o que mais poderia ser?

Deixaram-na abrir uma conta no mercado. Mais um favor que estava devendo a Mia, pensou Nell enquanto voltava para casa em seu carro, através da ilha. Afinal, ela trabalhava para Mia Devlin, e por isso a tratavam com respeito e gentileza, confiavam nela e permitiam até mesmo que levasse mercadorias apenas com a força de sua assinatura em um bloco de pedidos.

Aquilo era uma espécie de mágica, que ela supunha ser possível apenas em cidades pequenas. Apesar de tentar não tirar vantagens dessa confiança, Nell acabou com um punhado de bandejas para sementes, além de vasos e sacos de terra. Levou também uma tola gárgula de pedra com cara de monstro, que serviria para ficar de guarda no jardim, protegendo o que ela plantara.

Ávida para começar, estacionou de frente para o chalé e saltou do carro. Quando abriu a porta de trás do carro, sentiu-se imersa em sua pequena selva de fragrâncias.

— Vamos nos divertir muito, e eu vou cuidar muito bem de todas vocês.

Com os pés apoiados com firmeza no chão, debruçou-se para o interior do porta-malas para pegar a primeira bandeja com material.

Que vista bonita..., pensou Zack, ao parar sua viatura do outro lado da rua. Um pequeno e bem-desenhado traseiro feminino em um jeans bem apertado. Se um homem não perdesse pelo menos um minuto para apreciar algo assim, era um indivíduo lamentável.

Saltando do carro e se encostando à porta, observou atentamente enquanto ela retirava do banco de trás uma bandeja com mudas de petúnias rosas e brancas.

— Que quadro bonito!

Nell levou um susto e quase deixou cair a bandeja. Ele reparou nisso, como reparou também no ar de alarme em seus olhos. Zack, porém, simplesmente se espreguiçou lentamente e atravessou a rua.

— Deixe-me ajudá-la com isso.

— Não precisa. Já consegui pegar.

— Mas ainda tem outras coisas. Você vai ter muito trabalho pela frente. — Esticou-se e pegou mais duas bandejas com mudas. — Onde é para colocar isso?

— Lá no jardim dos fundos, por enquanto. Ainda não decidi onde vou plantar cada uma delas. Mas, por favor, você não precisa...

— O cheiro é bom. O que é isto aqui?

— Estas são ervas aromáticas. Alecrim, manjericão, estragão, e assim por diante. — *O jeito mais rápido de se livrar dele*, pensou, *era deixar que levasse as bandejas lá para trás*. Assim, foi na frente, pelo pátio da entrada. — Vou plantar um canteiro de ervas do lado de fora da cozinha, e talvez acrescentar alguns outros vegetais mais tarde, quando tiver tempo.

— Plantar flores é como plantar raízes em um lugar, minha mãe costumava dizer.

— Pretendo fazer as duas coisas. Por favor, deixe tudo nos degraus de trás, e já está bom. Obrigada, xerife.

— Mas tem outras coisas no banco da frente.

— Pode deixar que eu...

— Vou pegá-las. Trouxe algum saco de terra também?

— Sim. Está no porta-malas.

— Vou precisar da chave. — Sorriu suavemente, estendendo a mão.

— Ah... Tudo bem. — Sem ter como escapar, enfiou a mão no bolso. — Obrigada, mais uma vez.

Quando ele voltou para a parte da frente da casa, ela apertou as mãos, nervosamente e pensando: *Está tudo bem... Ele está apenas querendo ser gentil. Nem todo homem e nem todo policial representam perigo. Claro que não.*

Zack voltou carregado de coisas, e a visão do policial de uniforme com um imenso saco de terra colocado sobre um dos ombros e uma singela bandeja com gerânios cor-de-rosa e balsaminas-do-mato carregada por mãos tão grandes a fez soltar uma risada.

— Comprei coisas demais — disse ajudando-o segurando a bandeja. — Fui até lá só para trazer algumas ervas e, antes que pudesse me dar conta... não conseguia mais parar.

— É o que todos dizem quando entram lá. Vou apanhar seus vasos e ferramentas.

— Xerife! — No passado, tinha sido natural para ela retribuir gentileza com gentileza, e agora queria agir de forma natural de novo. — Eu fiz um pouco de limonada de manhã. Gostaria de tomar um copo?

— Adoraria!

Tudo de que precisava lembrar era que tinha que parecer relaxada, ser ela mesma. Encheu dois copos com gelo e os completou com a limonada, levemente ácida. Ele já estava de volta quando ela saiu. Algo no jeito como a olhava, grande e viril, ali parado no meio de flores brancas e cor-de-rosa, a fez sentir um pequeno arrepio.

Atração. Mesmo reconhecendo a sensação, porém, ela se forçou a lembrar que isso não era algo que ela quisesse ou pudesse sentir novamente.

— Obrigada... Acho que foi um abuso de minha parte, um serviço de burro de carga.

— De nada. — Pegou o copo, bebendo metade dele, enquanto aquele pequeno arrepio começou a se transformar em uma comichão que dançava na barriga de Nell. Ele abaixou o copo, com ar satisfeito. — Isso é que é gostoso! Não consigo me lembrar da última vez em que bebi limonada fresca. Você é mesmo um achado!

— Simplesmente gosto de mexer com coisas de cozinha — disse ela e se abaixou, pegando a sua nova espátula de jardinagem.

— Você não comprou luvas.

— Não... não pensei nisso.

Ela estava doida para que ele acabasse de beber logo a limonada e sumisse dali. Foi o que Zack pensou, reconhecendo, no entanto, que ela era muito educada para lhe pedir que saísse. Mesmo sabendo disso, sentou-se no pequeno degrau do lado de fora da porta da cozinha e se acomodou confortavelmente.

— Importa-se se eu me sentar um minutinho aqui? Foi um longo dia. Não se prenda por minha causa, não. Pode começar a trabalhar. É agradável apreciar uma mulher em um jardim.

Ela pensara em se sentar no mesmo lugar que ele, mas sozinha. Ficar ali no sol imaginando o que poderia fazer com as ervas e as flores. Agora, só lhe restava trabalhar.

Começou com os vasos, lembrando que, se não gostasse dos resultados, poderia refazer tudo depois.

— Você... ahn... foi falar com o homem do cachorro?

— Pete? — perguntou Zack, sugando lentamente a limonada. — Acho que chegamos a um acordo, e a paz se restabeleceu em nossa pequena ilha mais uma vez.

Havia um pouco de humor no jeito com que ele disse isso, além de uma espécie de satisfação indolente. Era difícil não apreciar ambos.

— Deve ser muito interessante ser xerife por aqui. Conhecer todo mundo — disse Nell, de forma casual.

— É... Tem momentos bons. — Suas mãos eram pequenas, ele notou, enquanto a observava trabalhar. Dedos ágeis e espertos. Mantinha a cabeça inclinada para a frente, os olhos desviados dele. Timidez, avaliou, associado com o que lhe pareceu um sentido de socialização um pouco enferrujado. — A maior parte do tempo eu sirvo de árbitro em disputas locais ou lido com veranistas que abusam um pouco nas férias. Basicamente é como ser o pastor de um rebanho de três mil pessoas. Como é um trabalho dividido entre Ripley e eu, até que não é complicado.

— Ripley?

— Minha irmã. Ela é a outra policial da ilha. Os Todd vêm sendo os policiais da ilha há cinco gerações. Ei... Isso está ficando muito bom — falou, estendendo o copo em direção ao trabalho que Nell fazia.

— Você acha? — Ela se sentou sobre os calcanhares, quase de cócoras. Tinha plantado um pouco de cada coisa em um vaso grande e agora colocava em volta algumas mudas de sempre-noiva, uma pequena flor branca. O resultado não ficou confuso e misturado como temera. O efeito era de alegria e leveza. Seu rosto refletia isso também quando o levantou e olhou para Zack. — Foi o primeiro arranjo de plantas que fiz na vida!

— Eu diria que você leva jeito para a coisa. Só que devia usar um chapéu. Com uma pele tão clara assim como a sua, vai acabar ficando muito queimada se continuar trabalhando aqui fora por muito tempo.

— Ah... — Ela esfregou as costas da mão na ponta do nariz. — Provavelmente.

— Aposto que você não tinha um jardim em Boston.

— Não. — Ela encheu o segundo vaso com terra. — Não fiquei lá por muito tempo. Aquele não era o meu lugar.

— Entendo o que quer dizer. Já morei algum tempo no continente. Nunca me senti em casa. Sua família ainda está no Meio-Oeste?

— Meus pais morreram.

— Sinto muito.

— Eu também. — Ela enfiou um gerânio no centro do novo vaso.

— Estamos apenas batendo papo, xerife, ou isso é uma investigação?

— Só papo... — Ele pegou uma planta que estava fora do alcance dela e lhe entregou. Uma mulher muito cautelosa, notou. Pela sua experiência, pessoas cautelosas geralmente tinham uma razão para isso. — Há motivos para uma investigação?

— Bem... Não estou sendo procurada por nada de errado que tenha feito, jamais fui presa e não estou à procura de problemas.

— Essa resposta cobre todas as possibilidades — Entregou-lhe outra planta. — Esta é uma ilha muito pequena, Srta. Channing. Quase sempre amistosa. No entanto, um pouco de curiosidade chega junto com tudo isso.

— Imagino que sim. — Ela não podia hostilizá-lo e se lembrou disso. Não podia se dar ao luxo de hostilizar ninguém. — Escute, xerife... Tenho viajado por algum tempo, já morei em vários lugares e estou cansada disso. Cheguei aqui pensando em encontrar um emprego onde pudesse trabalhar em paz e ter um lugar sossegado onde viver.

— Então acho que você encontrou os dois. — Ele se levantou. — Agradeço muito pela limonada.

— Não foi nada...

— É um belo trabalho, esse que está fazendo. Você tem um jeito para a coisa, com certeza. Boa tarde, Srta. Channing.

— Boa tarde, xerife.

Enquanto caminhava de volta para o carro, Zack repassou tudo o que aprendera a respeito dela. Era uma mulher totalmente sozinha no mundo, desconfiada de policiais, e se irritava quando alguém lhe fazia perguntas demais. Possuía gostos e hábitos simples, mas tinha os nervos à flor da pele. Por razões que não conseguia compreender, ela não fazia muito sentido, no todo, para ele.

Deu uma olhada no carro dela enquanto atravessava a rua para chegar ao seu e decorou a placa. Era de Massachusetts, e a placa parecia nova em folha. Não faria mal fazer uma pesquisa sobre aquele número, pensou, apenas por desencargo de consciência.

Seu instinto lhe dizia que Nell Channing podia não estar à procura de problemas, mas eles certamente não eram novidade em sua vida.

Nell serviu pequenas tortas de maçã folheadas e café expresso com leite ao jovem casal que estava sentado junto à janela e depois limpou a mesa ao lado. Três mulheres estavam dando uma olhada nas prateleiras de livros, e ela suspeitava que seriam atraídas para a lanchonete em pouco tempo.

Com as mãos cheias de canecas, perdeu-se em pensamentos olhando pela janela. A barca estava chegando do continente, perseguida por gaivotas que circulavam atrás dela e mergulhavam. Boias inclinavam-se de leve em um mar que estava liso e verde naquele dia. Um barco de passeio com as velas grávidas de vento deslizava, ao longo da superfície.

Há muito tempo, ela também velejara. Em outro mar. Em outra vida. Era um dos poucos prazeres daquela época dos quais sentia falta. A sensação de voar sobre a água, subindo com as ondas. Estranho que o mar sempre tivesse chamado por ela, não? Ele mudara a sua vida e também a levara embora.

Agora, esse novo mar lhe oferecera uma outra vida.

Sorrindo ao pensar nisso, virou-se e deu um encontrão em Zack. E enquanto ele a segurava pelos braços para que não perdesse o equilíbrio, ela continuava se jogando para trás.

— Desculpe-me — disse, enquanto se soltava dele. — Derramei alguma coisa em você? Sou desastrada, não estava olhando para onde...

— Calma, não aconteceu nada. — Ele enfiou os dedos nas asas de duas das canecas e, com cuidado para não tocar nela de novo, retirou as canecas de sua mão. — Fui eu que fiquei parado no seu caminho. Bonito barco, aquele.

— Sim. — Ela saiu de lado, correu de volta para trás do balcão. *Detestava* quando alguém chegava perto dela pelas costas. — Só que, afinal, não estou sendo paga para apreciar barcos. Você deseja alguma coisa?

— Respire fundo, Nell.

— O quê?

— Respire fundo — disse ele, com gentileza, enquanto colocava as canecas sobre o balcão. — Espere um pouco até se firmar de novo.

— Estou bem. — Sentiu uma pontada de raiva circular por dentro dela. Juntou as canecas de modo barulhento ao recolhê-las do balcão. — É que eu levei um susto. Não notei que havia alguém atrás de mim.

— Tudo bem, relaxe, assim está melhor. — Seus lábios se contraíram. — Vou levar uma dessas tortas de maçã folheadas e um copo grande de café para viagem. Já acabou o trabalho no jardim?

— Quase. — Ela não queria conversar com ele, então tentou parecer ocupada preparando o café. Não queria o tira da ilha batendo papo e tentando fazer amizade com ela enquanto a observava por trás daqueles astutos olhos verdes.

— Talvez você possa usar isto aqui quando acabar o serviço e for para o seu jardim cuidar das flores. — Ele colocou uma sacola sobre o balcão.

— O que é isto?

— Ferramentas para jardinagem. — E começou a contar o dinheiro para pagar, colocando-o também sobre o balcão.

Nell enxugou as mãos no avental, com a cara meio amarrada. A curiosidade, porém, a levou até a sacola e a fez abri-la. Uma expressão desconcertante de riso iluminou seus olhos, enquanto examinava o chapéu de palha de aba dobrada, completamente ridículo. Havia apliques com flores de plástico em toda a volta dele.

— Este é o chapéu mais tolo que já vi em toda a minha vida.

— Ah, não, havia outros piores — assegurou a ela. — Pelo menos vai evitar que o sol queime o seu nariz.

— É muita consideração de sua parte, mas você não devia...

— Por aqui chamamos isso de política de boa vizinhança. — O bip em seu cinto começou a apitar. — Bem, de volta ao trabalho.

Ela mal conseguiu esperar até que ele estivesse no meio do lance de escadas que levava ao andar de baixo antes de agarrar o chapéu e disparar para a cozinha. Chegando lá, o experimentou e ficou apreciando o efeito no reflexo da tampa do fogão.

Ripley Todd se serviu de outra xícara de café e estava bebendo lentamente enquanto olhava para a janela da frente da delegacia. Aquela tinha sido uma manhã tranquila, e era assim que ela gostava das coisas.

Apesar disso, havia algo no ar. Ela estava fazendo de tudo para ignorar isso, mas havia *alguma coisa* no ar. Era mais fácil tentar se convencer de que estava superestimulada devido à semana que passara em Boston.

Não que ela tivesse deixado de aproveitar ou não tivesse se divertido. Gostara da viagem. As oficinas e seminários sobre procedimentos legais a tinham interessado, haviam lhe trazido coisas novas nas quais pensar. Gostava do trabalho na polícia, da rotina e seus detalhes. Mas as exigências e o caos da cidade a haviam exaurido, mesmo naquele curto espaço de tempo.

Zack teria dito que ela simplesmente não gostava muito de gente, e Ripley seria a última pessoa a contradizê-lo.

Ela já conseguia vê-lo agora. Vinha descendo pela rua. A pequena caminhada por meio quarteirão ainda iria lhe tomar uns bons dez minutos. As pessoas o paravam; sempre tinham algo a dizer ou um caso a contar.

Mais do que isso, pensou então. As pessoas sempre gostaram de ficar em torno dele. Zack tinha uma espécie de... Ela não queria usar "aura", porque seria uma palavra muito no estilo de Mia. Era um *ar,* decidiu. Zack tinha um ar em torno dele que fazia as pessoas se sentirem melhor a respeito de suas dificuldades. Todos sabiam que, se levassem seus problemas até Zack, ele teria a resposta, ou acharia tempo para tentar encontrá-la.

Zack era uma criatura sociável e gregária, analisou Ripley. Afável, paciente e consistentemente justo e moderado. Ninguém poderia acusá-la de ser nenhuma dessas coisas.

Talvez por isso eles formassem uma boa equipe.

Já que ele estava chegando, ela abriu a porta da frente para o ar do verão e os sons da rua, do jeito que ele gostava. Preparara uma jarra de café fresquinho e estava justamente servindo-lhe uma xícara quando ele entrou.

— A filhinha de Frank e Alice Purdue nasceu agora, às nove horas da manhã. Três quilos e meio. Seu nome é Belinda. O menino dos Younger, Robbie, caiu de uma árvore e quebrou o braço. A prima da senhorita Hachin, em Bangor, comprou um Chevrolet Sedan novinho em folha.

Enquanto falava, Zack pegou a xícara de café que Ripley lhe oferecera, tomou alguns goles, sentou-se à escrivaninha, colocou os pés para cima e sorriu. O ventilador de teto estava rangendo de novo. Ele realmente precisava resolver aquilo.

— E com você, o que aconteceu de novidade agora de manhã? — perguntou à irmã.

— Um caso de excesso de velocidade na estrada do litoral norte — Ripley contou. — Não sei para onde eles estavam indo com tanta pressa. Expliquei-lhes que os despenhadeiros, o farol e tudo o mais já estão aqui há muitos séculos e dificilmente iriam embora em uma manhã. — Puxou um fax de dentro de uma gaveta. — E isto aqui chegou para você. Nell Channing. É a nova cozinheira na cafeteria de Mia, não é?

— Hum-hum... — Ele olhou com atenção o relatório do veículo. Nenhuma multa de trânsito. Ela ainda usava uma carteira de motorista de Ohio, com validade por mais dois anos. O carro estava registrado no nome dela. Ele estava certo a respeito da placa em estado de nova. Tinha menos de uma semana. Antes disso, o carro pertencera a alguém do Texas.

Interessante.

Ripley aproximou-se da ponta da escrivaninha que eles dividiam e tomou um gole do café do irmão, já que ele não estava bebendo.

— Por que você a investigou?

— Curiosidade. Ela é uma mulher curiosa.

— Curiosa como?

Ele começou a responder, mas depois sacudiu a cabeça.

— Por que você não dá uma passadinha na cafeteria e a examina mais de perto? Estou interessado em saber suas impressões a respeito dela.

— Talvez eu faça isso. — Franzindo as sobrancelhas, Ripley olhou para o céu pela janela aberta. — Acho que vem vindo uma tempestade.

— Mas está claro como cristal lá fora, querida irmã.

Algo vem vindo, disse ela para si mesma, pegando seu boné em seguida.

— Vou dar uma volta, então. Talvez eu pare na cafeteria e dê uma olhadinha na nova moradora de nossa ilha.

— Não tenha pressa. Pode deixar que eu faço a patrulha ao longo da praia, na parte da tarde.

— Fique à vontade. — Ripley colocou os óculos escuros e saiu a passos largos.

Ela gostava da pequena cidade, da ordem que havia ali. Para ela, tudo tinha um lugar certo e é ali que deveria ficar. Não se importava com a inconstância do tempo e das marés. Isso era apenas um outro tipo de ordem natural das coisas.

O mês de junho significava um afluxo imenso de turistas e veranistas. A temperatura se movia entre o morno e o quente, fogueiras na praia e grelhas fumegantes.

Também significava alguns excessos em festas, os bêbados e desordeiros de rotina, ocasionalmente uma criança perdida, e as inevitáveis brigas entre namorados e amantes. Eram aqueles turistas que celebravam, bebiam e circulavam tirando fotos e fazendo alvoroço os mesmos que supriam a ilha com os dólares de verão e que a mantinham funcionando durante os frígidos vendavais e as ressacas dos meses de inverno.

Ela aguentaria alegremente (bem, talvez não tão alegremente...) os sofrimentos que todos aqueles problemas dos estranhos traziam para a cidade por alguns meses, a fim de preservar a Ilha das Três Irmãs.

Os trinta quilômetros quadrados de rocha, areia e terra eram tudo de que ela precisava no mundo.

Pessoas tostadas vinham subindo com dificuldade pela areia da praia em direção ao centro, para almoçar. Ela jamais conseguira descobrir o que leva um ser humano a ficar tostando ao sol como uma truta recém-pescada. Sem contar o desconforto, o simples tédio daquilo a teria deixado louca em menos de uma hora.

Ripley não era uma pessoa de ficar deitada quando podia estar de pé.

Não que ela não gostasse de praia. Corria junto da rebentação todas as manhãs, fosse inverno ou verão. Quando o tempo permitia, terminava a corrida com um mergulho. Quando o clima estava mais inclemente, era comum ela ir até o hotel para aproveitar as vantagens da piscina coberta.

Mas preferia o mar.

Como resultado dessa rotina, tinha um corpo rijo e atlético, quase sempre coberto com roupa cáqui ou camisetas. Sua pele era tão bronzeada quanto a do irmão, e seus olhos tinham o mesmo tom vibrante de verde. Usava o cabelo liso sempre comprido, na maioria das vezes saindo pela parte de trás de um boné.

Suas feições eram uma mistura singular. Tinha uma boca larga, com o lábio superior ligeiramente maior, um nariz pequeno e sobrancelhas escuras e arqueadas. Sua aparência a fizera sentir-se esquisita quando criança, mas Ripley gostava de achar que conseguira superar tudo isso e se transformara em uma pessoa adulta, amadurecida e sem preocupações com traços ou características físicas externas.

Entrou na loja, acenou para Lulu e seguiu direto para as escadas. Com sorte, conseguiria dar uma olhada nessa tal de Nell Channing e evitaria Mia ao mesmo tempo.

Estava ainda a três degraus do piso da cafeteria quando notou que a sorte não estava do seu lado naquele dia.

Mia estava atrás do balcão com a aparência impecável de sempre, usando um vestido florido esvoaçante. Seu cabelo estava preso, mas mesmo assim explodia em torno do seu rosto. A mulher que trabalhava ao seu lado parecia arrumada, limpa, comportada e quase formal em comparação a Mia.

Ripley preferiu se dirigir a Nell.

Enfiou os polegares nos bolsos traseiros e se aprumou ao andar em direção ao balcão.

— Delegada Todd! — Mia voltou ligeiramente a cabeça, olhando por sobre o nariz. — Que milagre a trouxe aqui?

Ignorando Mia, Ripley observou Nell com atenção antes de pedir.

— Vou querer a sopa especial do dia e um sanduíche.

— Nell, esta é Ripley, a desafortunada irmã de Zack. Como acaba de entrar aqui na cafeteria e pedir um almoço, creio que podemos assegurar com firmeza que hoje é o Dia de São Nunca.

— Não enche, Mia! Prazer em conhecê-la, Nell. Vou tomar uma limonada para acompanhar.

— Sim. Tudo bem. — Nell olhava de uma para a outra, sem parar. — Vou lhe trazer já, já — murmurou, e desapareceu na cozinha para preparar o sanduíche.

— Soube que você fisgou essa moça assim que ela colocou o pé fora da barca, Mia — continuou Ripley.

— Foi mais ou menos isso. — Mia serviu a sopa com a concha. — Não venha xeretar a vida dela, Ripley.

— E por que eu faria isso?

— Porque você é assim! — Mia colocou a sopa sobre o balcão. — Não sentiu alguma coisa estranha quando pisou em terra firme, na hora de saltar da barca ontem, ao meio-dia?

— Não! — respondeu Ripley, rápido demais.

— Mentirosa! — Mia disse, quase cochichando, enquanto Nell voltava com o sanduíche.

— Quer que eu leve tudo isso para uma mesa, delegada Todd?

— Sim, obrigada. — Ripley enfiou a mão no bolso para pegar dinheiro. — Por que você não vai até o caixa para me dar o recibo, Mia? — E saiu devagar, deixando-se cair sobre uma cadeira enquanto Nell servia a refeição sobre a mesa. — Tem cara de estar saborosa!

— Espero que goste!

— Tenho certeza que sim. Onde aprendeu a cozinhar?

— Ah... Por aí... Deseja mais alguma coisa?

— Não. — Ripley levantou um dedo e provou uma colherada da sopa. — Puxa. Está uma delícia! Sério mesmo. Escute, foi você que fez todos aqueles doces, massas e salgados do balcão, sozinha?

— Sim.

— É um bocado de trabalho.

— É para isso que estou sendo paga.

— Certo. Mas não deixe a Mia fazer você trabalhar demais. Ela é muito exigente.

— Muito pelo contrário — respondeu Nell com uma voz gélida. — E incrivelmente generosa e gentil. Bom apetite!

Leal a moça, decidiu Ripley, enquanto continuava a comer. Não podia recriminar Nell por isso. Era muito educada também, embora fosse um pouco forçada com relação a isso. *Era como*, pensou Ripley, *se ela não estivesse muito acostumada a lidar com pessoas.*

Nervosa. Ela visivelmente havia contraído toda a musculatura diante da hostilidade entre Ripley e Mia, que na verdade fora apenas uma brincadeira relativamente branda. Bem — decidiu por fim, dando de ombros —, algumas pessoas não conseguem lidar com conflitos, mesmo quando o assunto não tem nada a ver com elas.

Considerando tudo, ela achou que Nell Channing era completamente inofensiva. E uma cozinheira de mão cheia.

A refeição a deixara com um estado de ânimo tão bom que Ripley não se apressou para ir embora, parando novamente diante do balcão antes de sair. Foi fácil tomar essa decisão, visto que Mia estava ocupada lá dentro, fazendo alguma outra coisa.

— Bem, Nell, agora você se deu mal!

Nell congelou. Deliberadamente, ela exibia um rosto sem expressão e deixou as mãos soltas ao lado do corpo.

— Como disse, delegada?

— É que agora eu vou ter que começar a vir aqui com regularidade, coisa que evitei durante anos. O almoço estava fantástico.

— Ah...! Que bom!

— Você deve ter reparado que Mia e eu não somos exatamente amigas.

— Isso não é da minha conta.

— Para quem mora na ilha, tudo que é da conta de todo mundo também acaba sendo da sua conta. Mas não precisa se preocupar. Nós conseguimos ficar fora do caminho uma da outra na maior parte do tempo. Você não vai ter que se sentir espremida no meio. E agora... vou levar dois daqueles *cookies* de chocolate para mais tarde.

— Sai mais barato se você levar três.

— Está bem, você me convenceu. Embrulhe três, então. Levo um para Zack e vou virar a heroína do dia.

Agora mais relaxada, Nell colocou os *cookies* em um saco de papel e tirou a nota desta última compra na caixa registradora. Quando pegou o dinheiro das mãos de Ripley, porém, e suas mãos se tocaram, uma rajada elétrica brilhante a fez ofegar de susto.

Ripley lançou um olhar longo, no qual havia um pouco de fúria e frustração. Segurando o pacote com dificuldade, disparou em direção às escadas.

— Delegada, espere! — Apertando as mãos com força, Nell chamou por ela. — Você se esqueceu de pegar o troco.

— Fique com ele! — Ripley soltou essas palavras entre os dentes, enquanto descia correndo pelas escadas. Lá estava Mia, ao lado do último degrau, com os braços cruzados e as sobrancelhas levantadas. Ripley simplesmente resmungou algo incompreensível e seguiu em frente até sair para a calçada.

Uma tempestade estava se formando. Embora o céu continuasse claro e o mar, calmo, uma tempestade estava se formando. Sua violência rugiu nos sonhos de Nell e a atirou incontrolavelmente para o passado.

A imensa casa branca ficava sobre um relvado verde, com grama impecável. Dentro dela, seus cantos eram afiados e penetrantes; suas superfícies, duras e frias. As cores eram todas em tons pastéis de areia, cinza-claro e gelo.

Quanto às flores que ele lhe trazia... As rosas que ele sempre lhe comprava... Essas eram da cor de sangue.

A casa encontrava-se vazia. Mas parecia estar à espera.

Em seu sono, ela virava a cabeça para os lados e para trás, resistindo. Não queria entrar naquele lugar. Nunca mais.

Mas a porta se abriu, a porta branca e alta que dava para o imenso, comprido e largo saguão. Mármore branco, madeira clara, e o frio, o brilho gelado de cristal e metal cromado.

E ela se viu entrando. Seus longos cabelos louros escorregando por trás dos ombros sobre um maravilhoso vestido branco que refulgia um brilho de gelo. Seus lábios eram vermelhos, como as rosas.

Ele entrou junto com ela, logo atrás. Sempre logo atrás. Sua mão estava ali, suavemente colocada em sua nuca. Ainda conseguiria senti-la ali, caso se permitisse.

Ele era alto, magro e esbelto. Parecia um príncipe com sua capa preta, os cabelos um elmo dourado. Ela se apaixonara pelo ar de conto de fadas dele, seu jeito de príncipe encantado, e acreditara em suas promessas de felizes-para-sempre. E ele não a tinha, afinal, levado para o seu palácio, aquele palácio branco em sua terra da fantasia? Ele não tinha lhe oferecido tudo o que uma mulher poderia desejar?

Quantas vezes ele não a tinha lembrado desse fato?

Ela sabia o que vinha a seguir. Lembrava-se do vestido branco fulgurante, lembrava-se do quanto estava cansada e aliviada porque a noite havia finalmente acabado, e tudo correra bem. Ela não fizera nada que pudesse aborrecê-lo, deixá-lo embaraçado ou perturbado.

Pelo menos era o que achava.

Até que ela se voltou para trás a fim de dizer alguma coisa sobre o quanto a noite havia sido agradável, boa, um sucesso total... E vira a expressão fria nos olhos dele.

Ele esperara até chegarem em casa, até estarem sozinhos, para realizar a transformação. Essa era uma de suas melhores habilidades.

E se lembrava do medo que repentinamente apertou sua barriga, enquanto lutava para imaginar o que é que havia feito de errado.

Você se divertiu, Helen?

Sim, foi uma festa adorável, só que muito longa. Será que você pode me preparar um conhaque antes de irmos para a cama?

Você gostou da música, Helen?

Muito.

Música? Será que ela fizera algum comentário inapropriado a respeito da música? Às vezes era meio burra nesses assuntos Foi por pouco, mas conseguiu evitar um arrepio de medo quando ele esticou o braço em sua direção e começou a brincar com seus cabelos.

Foi maravilhoso poder dançar do lado de fora da casa, perto dos jardins.

Deu um passo para trás, esperando por uma chance para subir as escadas, mas a mão dele a acompanhou e a prendeu pelos cabelos, mantendo-a parada e puxando-a lentamente de volta em direção a ele.

Sim. Eu reparei muito bem o quanto você apreciou dançar, especialmente com o Mitchell Rawlings... E flertar com ele... Exibir-se para ele... Humilhar-me diante dos meus amigos e clientes.

Evan, eu não estava flertando. Estava apenas...

A bofetada forte com as costas da mão a jogou no chão. Quando ela tentou fechar-se em posição fetal, como uma bola, para se proteger, ele a arrastara, através do chão de mármore, pelos cabelos.

Quantas vezes ele colocou as mãos em você?

Ela negou e chorou, enquanto ele continuava com as acusações. Até que se cansou daquilo e a deixou rastejar, de gatinhas, até um canto, onde ficou chorando e soluçando baixinho.

Só que dessa vez, nesse sonho, ela engatinhava para fora de casa, para as sombras da floresta, onde o ar era mais suave e o chão mais quente.

E bem ali, onde o riacho tropeçava e gargarejava sobre seixos redondos, ela adormeceu.

Então despertou com o estrondo de um trovão. Acordou aterrorizada. Estava correndo através da floresta agora, e seu vestido branco era um feixe de luz, reluzente como um farol. Seu sangue pulsava forte, o sangue dos caçados. As árvores caíam atrás dela, uma a uma, e o solo se levantava e tremia sob seus pés, agitando-se na neblina.

Mesmo assim ela continuava correndo sem parar, sua respiração ofegante cortando-lhe a garganta e se transformando em lamúrias. Havia muitos gritos no vento, e nem todos saíam de sua boca. O medo tomava conta de tudo, até que não havia mais nada dentro dela, nem entendimento, nem sentimentos, nem respostas.

O vento a esbofeteava com as mãos afiadas pelo regozijo, e os dedos em forma de garras dos arbustos transformavam seu vestido em tiras.

Ela estava escalando agora, tentando subir em uma pedra, agarrada à rocha pelas unhas, como um lagarto. Através da escuridão, um raio de luz vindo do farol passou, como uma lâmina de luz. Lá embaixo, a selvagem violência do mar ribombava.

Ela chutava o ar, chorava e tentava subir mais. Não olhava para trás, porém. Não conseguia se forçar a olhar por sobre os ombros e encarar o que a perseguia.

Em vez disso, preferiu voar a lutar e saltou das rochas, girou e girou no vento em seu mergulho arrojado em direção às águas. E o penhasco, a luz e as árvores, tudo despencou logo atrás dela.

Capítulo Quatro

Em seu primeiro dia de folga, Nell fez uma nova arrumação na mobília do chalé, com os poucos móveis que havia ali. Regou suas plantas e ervas, fez a faxina e colocou um pão integral para assar.

Passava um pouco das nove horas quando ela cortou a primeira fatia do pão quentinho para o café da manhã.

Evan sempre detestara seu hábito de levantar cedo, reclamando que esse era o motivo de sua apatia nas festas. Agora, em seu pequeno chalé junto ao mar, não havia ninguém para criticá-la nem o horrível temor de acordar Evan e ser obrigada a andar silenciosamente pela casa. Estava com as janelas escancaradas, e o dia inteiro pertencia somente a ela.

Ainda mastigando o pão e com um pedaço no bolso de seu short, saiu para uma longa caminhada pela praia.

Os barcos estavam circulando, deslizando pela superfície do mar, não muito longe da costa. O mar estava com um tom suave e quase onírico de azul, com ondas travessas que rolavam, brincando enredadas, e avançavam sobre a areia para recuar logo em seguida. Muitas gaivotas planavam com suas asas estendidas, em uma dança sobre o ar. A música produzida por seus longos e estridentes gritos era penetrante e superava o som grave e infindável das ondas.

Nell ensaiou uma pequena dança solitária, enquanto caminhava. Então, pegou o pão que estava no bolso e o cortou em pedaços pequenos e começou a atirá-los para o alto, atraindo as gaivotas, que começaram a circular e mergulhar em busca do presente.

Estava sozinha, pensou, levantando o rosto para o céu. Mas não se sentia solitária. Naquele momento, achou que nunca mais seria possível sentir-se solitária novamente.

Ao ouvir o som dos sinos da igreja, virou-se para olhar na direção da cidade e viu o lindo campanário branco ao longe. Olhou para o short com a bainha desfiada e para os tênis cheios de areia. Definitivamente não estava com trajes apropriados para assistir aos serviços religiosos na igreja. Mas poderia fazer uma oração ali mesmo, a sua maneira, e oferecer a Deus uma prece sincera de agradecimento.

Enquanto os sinos tocavam e ecoavam por toda a ilha, Nell resolveu sentar-se próximo à linha da água. Havia paz ali, pensou, e também muita alegria. Ela nunca, jamais em sua vida se acomodaria com isso. Deveria lembrar-se de oferecer algo em troca, a cada dia. Mesmo que fosse apenas um punhado de pão para algumas gaivotas. Continuaria a cuidar com amor de tudo o que plantasse. Tentaria ser gentil em todas as ocasiões e jamais se esqueceria de oferecer uma mão amiga a alguém que precisasse.

Iria cumprir todas as suas promessas, sem esperar nada em troca além da oportunidade de levar uma vida boa, simples e sem machucar ninguém.

Faria tudo por merecer o que estava recebendo e valorizaria tudo aquilo como um tesouro.

Passaria a sentir prazer nas coisas simples, decidiu. E resolveu começar a partir daquele mesmo instante.

Levantando-se, começou a recolher conchas, em princípio enfiando-as nos bolsos. Quando os bolsos ficaram cheios, arrancou os tênis e começou a usá-los para guardar as conchas. Alcançou a ponta da praia, onde as pedras se projetavam da areia e começavam a se atirar sobre o mar. Ali, havia pedras do tamanho de uma mão, completamente lisas e arredondadas. Pegou uma, depois outra, pensando, enquanto fazia isso, se elas não dariam uma bonita borda para enfeitar seu canteiro de ervas.

Ao sentir os movimentos de alguém um pouco acima, no seu lado esquerdo, apertou com mais força a pedra que segurava e virou-se em um movimento rápido. Seu coração continuava a bater em movimentos descompassados quando viu Zack, que descia devagar por vários lances de uma escada de madeira em zigue-zague que vinha dar na praia.

— Bom dia!

— Bom dia. — Em um gesto automático de defesa, olhou para trás, sentindo-se pouco à vontade ao ver que tinha vindo até um ponto tão longe da entrada para a cidade em sua caminhada descontraída. A praia já não estava tão vazia, mas as poucas pessoas que apareceram estavam espalhadas e distantes umas das outras, além de longe dela.

— Está um belo dia para uma caminhada na praia — comentou ele, debruçando-se sobre o corrimão da escada para estudá-la melhor. — Foi uma boa caminhada de sua casa até aqui.

Zack a estivera observando desde lá de trás, desde a sua dança solitária com as gaivotas. Era uma pena, pensou, o jeito com que seu rosto mudava tão depressa do tom radiante para um ar reservado.

— Não percebi que tinha vindo tão longe.

— Na verdade, nenhum lugar é muito longe em uma ilha deste tamanho. Hoje vai ser um dia bem quente — disse ele com descontração. — A praia vai ficar apinhada antes do meio-dia. É agradável aproveitar um pouco, antes que a areia fique cheia de corpos deitados, barracas e toalhas.

— Sim. Bem...

— Venha, vamos subir.

— O quê?

— Venha comigo. Até a minha casa. Vou lhe arranjar uma sacola para colocar todas essas pedras e conchas.

— Ah, não... Está tudo bem. Na verdade, eu não preciso de...

— Nell — cortou ele —, são os policiais em geral, os homens em geral ou apenas eu, em particular, que a deixam tão perturbada?

— Não estou perturbada.

— Então, prove. — Ele ficou onde estava, mas estendeu-lhe a mão.

Ela manteve os olhos em seu rosto. Tinha olhos muito bonitos. Astutos, mas pacientes também. Lentamente, ela deu dois passos à frente e levantou a mão para que ele a amparasse.

— O que está planejando fazer com todas essas conchas?

— Nada. — Seu pulso estava galopando, mas ela conseguiu subir pelos degraus cheios de areia com ele. — Bem, nada assim muito brilhante ou especial. Vou apenas espalhar algumas delas pela casa, provavelmente.

A mão dele segurava a dela de modo suave, mas mesmo assim dava para sentir que eram mãos fortes e ásperas. Não havia nenhum anel nem aliança nos dedos, nem relógio em seu pulso.

Sem paparicos, pensou ela. Sem adornos.

Como ela, Zack estava descalço, e o jeans tinha rasgões no joelho e pontos desfiados na bainha. Com o cabelo descorado pelo sol e a pele marrom-amarelada, ele parecia mais um frequentador assíduo de praia do que o xerife da ilha. Isso ajudou a diminuir um pouco a ansiedade de Nell.

No final da escada, viraram à direita e desceram por uma pequena ladeira. Adiante, além das pedras, ficava uma minúscula enseada ensolarada, onde um barco vermelho flutuava preguiçosamente, amarrado a um frágil píer.

— Tudo aqui parece uma pintura — disse ela, baixinho.

— Você já velejou alguma vez?

— Sim. Algumas vezes — respondeu depressa. — Aquele barco é seu?

— Sim, é meu.

Ouviu-se um súbito ruído de água sendo espalhada com vigor, e uma cabeça escura e luzidia apareceu, andando entre as pedras. Quando Nell estava olhando, um enorme cão preto pulou para a areia e se sacudiu violentamente.

— Ela também... — explicou Zack. — Minha, é o que quero dizer. Você gosta de cães? Diga logo, porque assim posso segurá-la e dar a você uma boa desculpa para sair correndo.

— Não... Eu gosto de cães. — De repente ela piscou os olhos e se virou de frente para ele. — O que você quis dizer com "desculpa para sair correndo"?

Ele não se deu ao trabalho de responder, apenas sorriu enquanto a cadela vinha subindo pela ladeira em saltos ágeis e enérgicos. Pulou direto sobre Zack, abanando a cauda, espalhando água para todas as direções e lambendo seu rosto. Depois de dois latidos curtos e muito altos, ela reuniu os músculos para pular, e teria dado a Nell o mesmo tratamento se Zack não a tivesse impedido.

— Esta é a Lucy. É muito amiga, mas tem péssimos modos. No chão, Lucy!

Lucy se agachou, mas agora todo o seu corpo sambava de um lado para o outro. Então, obviamente incapaz de controlar sua alegria e afeição, pulou sobre Zack novamente.

— Ela parece duas! — exclamou ele, empurrando-a de volta para o chão e apertando com as mãos a parte traseira do seu corpo de encontro ao chão. — É da raça labrador. Uma vez me disseram que esses cães se tornam mais moderados quando ficam mais velhos. Será?...

— Ela é maravilhosa. — Nell acariciou a cabeça de Lucy, e, ao primeiro toque amigo, ela se atirou deitada no chão, rolou para o lado e ficou com a barriga para cima, esperando carinho.

— Não tem vaidades, também... — começou Zack, mas parou, surpreso, quando Nell se colocou de cócoras e conseguiu levar Lucy ao êxtase simplesmente esfregando-lhe a barriga com as duas mãos.

— Você não precisa ser vaidosa quando é tão linda, precisa, Lucy? Puxa, não há nada como um grande e lindo cão. Eu sempre... Ooohhh!

Em um delírio de prazer, Lucy rolou, se atracou com Nell e a derrubou de costas no chão. Zack foi rápido, mas não o bastante para evitar que Nell fosse completamente lambida por Lucy sobre ela.

— Meu Deus, Lucy, não! Escute, desculpe. — Zack empurrou a cadela e puxou Nell do chão usando apenas uma das mãos. — Você está bem? Ela machucou você?

— Que nada, eu estou bem! — Ela na verdade se sentia nocauteada, mas isso era apenas parte do motivo da sua perda de fôlego. Zack estava passando a mão sobre a roupa de Nell, tirando a areia que ficara grudada. Enquanto a cadela se sentava com a cabeça baixa e a cauda batendo no chão com cautela, Zack estava, Nell reparou, um pouco frustrado e preocupado, mas não parecia zangado.

— Você não bateu com a cabeça no chão quando caiu, não é? Essa diabinha de cadela pesa quase tanto quanto você. E ainda lhe fez dar uma pancada forte com o cotovelo — acrescentou, reparando então que Nell, na verdade, estava dando risadinhas espremidas. — Qual é a graça?

— Nada, nada... É que é uma gracinha o jeito com que ela finge estar envergonhada. Obviamente, ela morre de medo de você.

— Sim, eu a espanco duas vezes por semana, quer ela mereça ou não. — Passou as mãos por baixo e por cima na lateral dos braços de Nell. — Você tem certeza de que está bem?

— Claro! — De repente ela notou que os dois estavam agora de pé e muito juntos, quase se abraçando. E que as mãos dele estavam sobre ela e que sua pele estava sentindo um calor mais intenso devido a isso. — Sim... — reafirmou e deu um passo proposital para trás, em recuo. — Ninguém se machucou.

— Você é mais durona do que parece. — Havia músculos longos e fortes nos braços dela também, ele reparou. Os das pernas ele já admirara. — Vamos entrar aqui em minha casa! — disse. — Você, não!... — E completou, apontando para a cadela. — Está banida!

Pegou os tênis de Nell, que haviam ficado no chão, e a seguir caminharam em direção a uma varanda larga. Curiosa e incapaz de pensar em uma desculpa para não acompanhá-lo, ela passou pela porta com tela de *nylon* que ele abriu e entrou em uma cozinha imensa, clara e desarrumada.

— Não repare na bagunça; é a década de folga da faxineira. — Aparentando estar à vontade, ele colocou os tênis dela no chão e foi direto até a geladeira. — Não tenho limonada fresquinha para oferecer, mas você aceita um pouco de chá gelado?

— Chá está ótimo, obrigada. Esta é uma linda cozinha!

— É, mas nós a usamos apenas para esquentar comida pronta.

— É uma pena... — Havia acres de bancadas em tons de granito e maravilhosos armários em estilo rústico com a frente envidraçada. Uma generosa pia de cuba dupla ficava embaixo de uma janela que oferecia uma linda vista da enseada e do mar.

Ali havia espaço suficiente para estocar coisas e trabalhar com conforto, ela avaliou. Com um pouco de organização e uma pitada de imaginação, aquele espaço poderia se transformar em um imenso...

Nós? Nell só então percebeu que ele dissera "nós". *Será que ele é casado?* Ela jamais pensara nisso, nunca sequer cogitara essa possibilidade. Não que isso importasse, é claro, mas...

Ele havia flertado com ela! Nell podia não ter muita prática nessas coisas e talvez tivesse pouca experiência, mas sabia muito bem perceber quando um homem estava flertando.

— Você parece estar com um monte de pensamentos desfilando pela cabeça ao mesmo tempo. — Zack estava segurando um copo diante dela. — Não quer dividir algum deles?

— Não. Quer dizer, estava apenas pensando que cozinha gostosa e agradável você tem aqui.

— Era muito mais apresentável quando a minha mãe cuidava dela. Agora que somos apenas Ripley e eu, a cozinha não recebe muitas atenções.

— Ripley... Ah, sei!

— Você estava imaginando se eu por acaso era casado ou talvez pensando que eu estivesse vivendo aqui com alguém que não fosse a minha irmã, não é? Isso é muito bom.

— É um assunto que não me diz respeito.

— Eu não quis dizer isso. Apenas falei que era bom. Vou levá-la para conhecer o resto da casa, mas provavelmente vai ver que está em piores condições do que a cozinha. É bom mostrar tudo de uma vez para você, que é tão arrumadinha. Venha comigo, vamos por aqui. — Pegou na mão dela novamente, puxando-a para fora da cozinha.

— Para onde? Olhe, eu realmente preciso voltar para casa.

— É domingo, e calhou de termos a nossa folga no mesmo dia. Tenho algo aqui atrás que eu acho que você vai gostar — disse, rebocando-a de volta pela varanda.

A varanda circundava toda a casa, e em um dos lados havia um jardim coberto de arbustos e duas árvores com caules retorcidos. Degraus muito gastos pelo uso levavam a uma outra varanda que fora construída em um nível mais elevado e ficava de frente para o mar.

Ele manteve a mão sobre a dela e a ajudou a subir pela escada.

O ar e o sol a atingiram em cheio, fazendo-a pensar em como seria delicioso ficar esticada sobre uma daquelas cadeiras reclináveis de madeira, com assento comprido, e deixar o dia balançar suave e languidamente em direção à noite.

Um telescópio estava ao lado do parapeito, junto a um apoio de pedra, que ainda estava por ser instalado.

— Acertou. — Ela foi até o parapeito, debruçou-se e respirou profundamente. — Eu realmente gostei daqui.

— Se olhar para o oeste, poderá enxergar a linha do continente, se o dia estiver bem claro.

— Mas você não está com o telescópio apontado para o oeste.

— Não... acho que não. — E no mesmo instante toda a sua atenção estava concentrada naquele maravilhoso par de pernas.

— O que é que você vê com ele?

— Qualquer coisa que me pareça interessante no momento.

Nell olhava para fora, enquanto caminhava sobre o deque de madeira. Ele estava olhando fixamente para ela, agora. Um olhar longo, especulativo, e ambos sabiam disso.

— Seria tentador ficar aqui o dia inteiro — disse ela, enquanto virava a curva e olhava para os lados da cidade. — Ficar vendo as pessoas que chegam, as que passam e as que saem.

— Eu observei você daqui esta manhã, dando de comer às gaivotas. — Ele se debruçou no parapeito, como um homem que parecia se sentir realmente em casa ali, e bebeu um pouco de chá. — Acordei hoje de manhã pensando: *Sabe, acho que vou procurar um pretexto para dar outra passada no chalé amarelo agora antes do almoço e dar mais uma olhada em Nell Channing*, então vim até aqui fora com o meu café e lá estava você. Assim, não foi necessário inventar nenhuma desculpa para tornar a vê-la.

— Xerife...

— Ei, xerife não! É o meu dia de folga — lembrou a ela. Começou a levantar a mão para tocar em seu cabelo, mas, quando ela deu um passo para trás, ele simplesmente enfiou a mão no bolso. — E já que estamos de folga, por que não passarmos algumas horas na praia, dando uns mergulhos? Ou poderíamos sair para velejar.

— Não posso. Eu tenho que...

— Não precisa arrumar desculpas. Fica para outra vez.

— Sim. — O nó que se formara em sua barriga afrouxara um pouco. — Uma outra hora, talvez... Agora eu tenho mesmo que ir embora. Obrigada pelo chá e pela vista.

— Nell... — Ele pegou na mão dela novamente, mantendo os seus dedos em um contato suave, enquanto os dela se retesavam. — Existe uma linha entre deixar uma mulher nervosa e deixá-la apavorada. Essa é uma linha que eu jamais vou querer cruzar. Quando você tiver a chance de me conhecer melhor, conseguirá acreditar nisso — acrescentou.

— No momento, eu estou tentando conhecer a mim mesma um pouco melhor.

— Isso me parece bastante justo. Vou pegar uma sacola para as suas conchas e pedras.

Ele fazia questão de passar na cafeteria todas as manhãs. Era uma xícara de café, um bolinho e uma pequena troca de palavras. Em sua maneira de pensar, Zack achava que se ela se acostumasse a vê-lo sempre, a falar com ele, talvez na próxima vez que conseguissem ficar a sós, ela não sentiria aquela compulsão de procurar o lugar mais próximo para uma fuga.

Ele sabia perfeitamente que Nell não era a única que notara a sua mudança de hábitos matinais. Zack, porém, não se incomodava com os comentários e as indiretas que ouvia, as piscadelas manhosas e os risos abafados. A vida na ilha tinha um ritmo próprio, e a cada vez que alguma coisa ou alguém adicionava um compasso diferente nesse ritmo, todos sentiam.

Tomando o excelente café de Nell, que era realmente maravilhoso, ele estava parado à beira do cais escutando pacientemente os resmungos do rabugento Carl Macey, a respeito dos pescadores ilegais de lagostas.

— Todo santo dia, desde o início da semana, as armadilhas para lagostas estão subindo vazias. Já faz três dias. E os ladrões nem se dão ao trabalho de fechar as armadilhas de volta depois que pegam os bichos. Tenho fortes suspeitas de que são aqueles garotos que estão alugando a casa dos Boeing. Tenho certeza mesmo. — Cuspiu. — São eles que estão fazendo isso. Se eu pegar aqueles pirralhos ricos e mimados com a boca na botija, vou lhes dar algo para levar como recordação da ilha.

— Bem, Carl, parece mesmo coisa de veranistas, e garotos, ainda por cima. Por que você primeiro não me deixa bater um papo com eles?

— Não é certo interferir desse jeito com o meio de vida de um homem.

— Não, claro que não, mas eles nem estão pensando no que estão fazendo sob esse ângulo.

— Então é melhor começarem a pensar. — O rosto castigado ficou sombrio de repente. — Fui procurar Mia Devlin e pedi para que ela pusesse um feitiço nas minhas armadilhas.

— Ora, Carl... — Zack recuou.

— É melhor do que mandar chumbo naquelas bundinhas brancas com a minha espingarda, não é? Juro que é o que eu vou acabar fazendo.

— Deixe que eu tomo conta disso.

— Estou avisando, certo? — Olhando com cara feia, Carl balançou a cabeça. — Tenho que me garantir por todos os lados. Agora, mudando de assunto, eu dei uma olhada na nova moradora que veio do continente, quando fui procurar Mia na livraria. — E a sua cara, com nariz achatado e cheia de rugas, se dobrou em uma espécie de sorriso maroto. — Já entendi por que é que você se tornou um cliente assíduo da cafeteria, esses dias. E... Uns olhos azuis grandes e bonitos como aqueles podem muito bem fazer o dia de folga de um homem começar com o pé direito.

— Olhe, Carl, os garotos são inofensivos. Deixe sua espingarda guardada no armário, ouviu? Eu cuido de tudo.

E foi direto para a delegacia antes de procurar os garotos para pegar a lista de veranistas. Dali até a casa dos Boeing era uma caminhada curta, mas Zack resolveu levar o carro da polícia para parecer mais oficial e intimidador.

A casa para alugar ficava a um quarteirão da praia e tinha uma grande varanda em um dos lados. Toalhas de banho, bermudas e sungas estavam penduradas em uma corda de *nylon,* esticada no interior da varanda. A mesa de piquenique da varanda tinha uma pilha de latas de cerveja e restos de refeição da noite anterior.

Os rapazes não tinham tido sequer o cuidado de se livrar da prova. Carcaças de lagostas estavam espalhadas sobre a mesa, algumas ainda abertas como insetos gigantes. Zack pegou o distintivo da polícia no bolso e o espetou no uniforme. Poderia, pelo menos, deixá-los impressionados com aquilo.

Bateu na porta e continuou batendo até a porta se abrir. O garoto que veio atendê-lo tinha em torno de vinte anos. Apertando os olhos por causa do sol, com os cabelos em completo desalinho, estava usando um calção com listras berrantes e exibia um bronzeado quase dourado na pele.

— Ugh... — resmungou ele.

— Sou o xerife Todd, do Departamento de Polícia da ilha. Importa-se se eu entrar um pouco?

— Pra quê? Quióras zão? — perguntou, com voz de bêbado.

Ressaca. Parecia ter sido uma festa boa, avaliou Zack, traduzindo as perguntas para poder responder.

— Para falar com vocês. E são dez e meia da manhã. Seus amigos estão em casa?

— Devem estar por aí. Algum problema? Nossa! — O garoto engoliu, recuou e foi cambaleando pelo meio da sala, passando pelo balcão da cozinha e chegando até a pia, onde girou a torneira, abrindo-a totalmente. Enfiou a cabeça embaixo do jorro de água.

— Festa boa, hein? — disse Zack quando ele voltou à superfície, pingando.

— Acho que sim. — Ele pegou um monte de papéis-toalha para enxugar o rosto. — Fizemos muito barulho?

— Não, não tivemos reclamações do barulho. Qual é o seu nome, filho?

— Josh. Josh Tanner.

— Bem, Josh, por que não acorda seus amigos? Não vou tomar muito do tempo de vocês.

— Legal. Bem, está certo.

Zack esperou; ficou escutando. Alguns xingamentos, umas pancadas com a cabeça, água correndo. O som da descarga do banheiro.

Os três jovens rapazes que chegaram de volta com Josh pareciam estar usando o que tinham de pior sobre o corpo. Ficaram ali parados, em diversos estágios de seminudez, até que um deles deixou-se cair pesadamente sobre uma cadeira e deu um sorriso forçado.

— Qual é o lance?

Cheio de atitude, calculou Zack.

— E você, como se chama? — perguntou ao jovem.

— Steve Hickman.

Sotaque de Boston, concluiu Zack. Sotaque de classe alta, com um som assim meio de "Kennedy".

— Olhe, Steve, o lance é o seguinte: pesca ilegal de lagosta resulta em uma multa de mil dólares. O motivo disso é que, embora seja divertido roubar e esvaziar as armadilhas para cozinhar algumas e comer, pessoas dependem delas para ganhar a vida. Uma noite de diversão para vocês é um punhado de dinheiro que deixa de entrar no bolso deles.

Enquanto Zack dava a sua pequena palestra, viu os garotos se movimentarem de um jeito desconfortável. Aquele que atendera à porta estava vermelho de vergonha, mantendo os olhos baixos.

— Só a quantidade que está na varanda e que foi consumida na noite passada, iria render uns quarenta dólares no mercado. Portanto, procurem por um sujeito chamado Carl Macey no cais, deem quarenta dólares a ele, e deixamos tudo por isso mesmo.

— Não sei do que você está falando. Esse tal de... Macey colocou alguma etiqueta de propriedade nas lagostas? — Steve sorriu com deboche de novo, coçando a barriga. — Você não pode provar que nós roubamos!

— É verdade! — Zack deu um olhar em torno da sala, analisando os rostos. Alguns deles pareciam nervosos, outros apenas envergonhados. — Vocês alugaram este lugar por quanto? Mais ou menos mil e duzentos dólares por semana em alta temporada, e o barco que alugaram foi mais uns duzentos e cinquenta dólares. Coloquem em cima disso tudo o custo da diversão, transporte, comida, cerveja. Vocês, rapazes, estão torrando uns mil dólares cada um, por uma semana aqui.

— E bombeando esse dinheiro na economia da ilha — respondeu Steve, com um sorriso fino. — É muita burrice vir até aqui nos aborrecer por causa de umas lagostas supostamente roubadas.

— Talvez. Só que é mais burrice ainda cada um de vocês não tirar dez dólares do bolso para acertar as coisas de uma vez. Pensem nisso. É uma ilha pequena. — Zack foi se encaminhando para a porta. — Coisas como essas se espalham depressa por aqui.

— Isso é uma ameaça? Ameaçar civis sem provas pode resultar em uma ação litigiosa.

— Aposto que você acabou de entrar para a Faculdade de Direito, não é? — disse Zack, olhando para trás e balançando a cabeça. Saiu sem dizer mais nada, de volta à viatura. Não ia precisar gastar muito tempo para apertar os botões certos na ilha e provar que estava certo.

Ripley desceu a Rua Alta e se encontrou com Zack em frente à Pousada Mágica.

— O cartão de crédito do garoto da lagosta deu problema na pizzaria — começou ela. — Parece que o sistema estava fora do ar, ou algo assim, e ele teve que enfiar a mão no bolso para pagar, em dinheiro, pelo almoço.

— Só isso?

— Sim. Ah... E todos os filmes que eles queriam alugar já estavam alugados, coitados.

— Que azar, hein?

— Ouvi dizer também que todos os *jet skis* já estavam reservados ou então enguiçados, hoje de manhã.

— É uma pena.

— E continuando essa série de bizarras coincidências, o aparelho de ar-condicionado central da casa que eles estão alugando acabou de pifar.

— E, ainda por cima, hoje está um dia danado de quente. Hoje à noite vai estar muito úmido e mais quente ainda. Vai ser difícil dormir.

— Acho que você é um filho da mãe muito mau, Zachariah. — Ripley ficou na ponta dos pés para dar-lhe um beijo rápido e estalado na boca.

— É por isso que eu amo você.

— E eu vou ter que ficar ainda mais malvado. Aquele garoto, Hickman, é um osso duro de roer. Os outros três são fáceis de dobrar, mas com ele vai ser preciso um pouco mais de persuasão. — Zack colocou o braço em volta do ombro de Ripley. — E você, mana, está indo até a cafeteria para almoçar?

— Pode ser que sim. Por quê?

— Pensei que talvez você pudesse me fazer um pequeno favor, já que me ama tanto e tudo o mais.

A ponta longa como um chicote do rabo de cavalo de Ripley pulou quando ela levantou a cabeça para olhar para o irmão.

— Se você quer que eu convença a Nell a ter um encontro com você, pode esquecer.

— Não; eu consigo marcar meus próprios encontros, obrigado.

— Mas não arranjou nada, até agora.

— É... Ainda não decolei — ele reagiu. — Mas não é isso, não. É que eu estava com a leve esperança de que você pudesse avisar a Mia de que nós estamos cuidando do caso dos rapazes e das lagostas, e pedir para que ela... Bem, para que ela não faça nada.

— O que quer dizer com "não faça nada"? O que é que Mia tem a ver com essa história? — Ripley parou de falar, com o sangue fervendo. — Ah... Droga!

— Também não precisa ficar irritada. É que o Carl me disse que já tinha conversado com ela. E para ninguém espalhar por aí que a nossa bruxa de plantão está preparando um feitiço... ou algo desse tipo.

Para manter a atenção de Ripley, Zack apertou um pouco mais os dedos que estavam pousados sobre o seu ombro.

— Eu mesmo iria até lá falar com ela pessoalmente, mas os garotos das lagostas devem passar por aqui a qualquer momento, e eu quero estar presente, parecendo orgulhoso e autoritário.

— Então deixe que eu converso com ela.

— Fale com jeito, Ripley. E lembre-se de que foi Carl quem a procurou.

— Sei, sei, sei! — Ela se desvencilhou de seu braço e marchou em frente, atravessando a rua.

Bruxas e feitiços. Tudo aquilo era um punhado de besteiras idiotas e sem sentido, pensou, enquanto seguia apressada pela calçada. Um homem como Carl Macey deveria saber muito bem disso. Incentivando essas tolices. Tudo bem que os turistas engolissem toda aquela história da sabedoria e das tradições da Ilha das Três Irmãs. Afinal, esse era um dos chamarizes que os faziam vir até ali, do continente. Mas ela ficava fula de raiva quando isso acontecia com um dos próprios moradores do local.

E, para piorar as coisas, Mia os incentivava ao simplesmente ser do jeito que era.

Ripley entrou na livraria e olhou com cara feia para Lulu, que estava atendendo a um cliente.

— Onde é que ela está? — perguntou Ripley.

— Lá em cima. Estamos com muito movimento hoje.

— Sim, ela é uma abelhinha atarefada — resmungou, enquanto subia as escadas.

Assim que chegou ao segundo andar, avistou Mia com um cliente na seção de culinária, nos fundos da livraria. Exibiu um sorriso forçado. Mia balançou as pestanas para cima e para baixo bem depressa, em deboche. Fervendo de impaciência, Ripley foi até o balcão, esperou pela sua vez e então pediu um café, com os dentes rangendo.

— Não quer almoçar hoje? — Com o rosto vermelho devido à correria do movimento do meio-dia, Nell serviu um café recém-preparado.

— Perdi o apetite.

— Ah... é uma pena! — Mia cochichou por trás dos ouvidos de Ripley. — A salada de lagostas está ótima.

Ripley apenas entortou o polegar, chamando Mia, e depois entrou, quase marchando, para trás do balcão e foi até a cozinha. Colocou as mãos na cintura quando Mia entrou, logo atrás dela.

— Zack e eu já estamos resolvendo o problema das lagostas. Quero que fique fora disso.

Uma tigela com creme batido e aerado não seria tão leve e suave quanto a voz de Mia.

— Mas eu nem sonharia em interferir com a força policial da ilha — replicou.

— Desculpem... — Nell hesitou, e pigarreou para limpar a garganta. — É que eu preciso preparar alguns sanduíches.

— Vá em frente — gesticulou Mia. — Creio que a simpática delegada e eu já estamos terminando a conversa.

— Guarde seus comentários engraçadinhos para você, Mia.

— Eu guardo. Economizo-os todos para você.

— Não quero que você faça coisa alguma a respeito, Mia, e quero também que diga a Carl que você não preparou nada.

— Tarde demais! — Quase se divertindo com aquilo, Mia sorriu de forma brilhante e vitoriosa. —Já preparei! Um feitiço bem simples, daqueles que até mesmo você, com seus poderes vacilantes, conseguiria realizar.

— Pois cancele-o!

— Não. E por que está preocupada? Você vive dizendo que não acredita na Arte da Magia.

— E não acredito mesmo! Acontece que eu sei como é que esses boatos se espalham por aqui. Se alguma coisa acontecer com aqueles garotos...

— Não me insulte, por favor! — Todo o humor desapareceu da voz de Mia. — Você sabe muito bem que eu jamais faria algo para feri-los, ou a qualquer pessoa! Você sabe, e esse é o ponto principal da questão... É disso que você tem medo. Se tornar a abrir a porta para o que está dentro de você, não vai mais conseguir controlar essa força.

— Não tenho medo de nada. E você não tem o direito de me empurrar nessa direção. — Apontou para Nell, que estava tentando se manter totalmente ocupada com os sanduíches. — E não tem o direito de forçar a barra com ela, também.

— Não sou eu quem cria os padrões, Ripley. Apenas reconheço quando eles surgem. E você também.

— É uma perda total de tempo conversar com você — retrucou Ripley, então saiu ventando da cozinha.

— Ahhh... — Mia deixou escapar um pequeno suspiro, seu único sinal de perturbação. — Parece que essas conversas com Ripley nunca são muito produtivas. Não deixe que isso a preocupe, Nell.

— Isso não me diz respeito.

— Eu notei sua ansiedade o tempo todo, pelo que aconteceu aqui. As pessoas discutem, Nell, às vezes com agressividade. Nem todos, porém, resolvem os conflitos com os punhos. Agora, escute aqui... — Aproximou-se de Nell, esfregando seus ombros carinhosamente. — Deixe as preocupações irem embora. Essa tensão não faz bem para a digestão.

Ao toque de Mia, Nell sentiu um filete de calor começar a derreter o bloco de gelo que se formara em sua barriga.

— Acho que eu gosto de vocês duas, Mia. E detesto ver que vocês não se suportam.

— Mas eu não desgosto de Ripley. Ela me irrita, me deixa muito frustrada, mas eu gosto dela. Você deve estar pensando sobre o que estávamos falando, mas jamais perguntaria não é, irmãzinha?

— Não. Não gosto de perguntas.

— Pois eu sou fascinada por elas. Precisamos conversar, você e eu. — Mia deu um passo para trás, esperou até que Nell acabasse de completar o pedido e depois se voltou na direção dela. — Tenho algumas coisas para fazer esta noite. Podemos nos encontrar amanhã; vou lhe pagar um drinque. Vamos nos encontrar cedo, digamos, às cinco horas, na Pousada Mágica, no bar do salão principal. O nome do bar é "Convenção das Bruxas". Pode deixar as perguntas em casa se preferir, Nell. — E completou enquanto saía: — Eu, porém, vou levar as respostas mesmo assim.

Capítulo Cinco

Tudo correu exatamente como Zack previra. O garoto da família Hickman estava disposto a colocar as manguinhas de fora. Os outros três recuaram, e Zack esperava que Carl recebesse seu dinheiro das mãos deles já na manhã seguinte. Hickman, porém, precisava provar que era mais esperto, mais corajoso e, enfim, superior a um insignificante xerife de uma pequena ilha.

Da sua localização na doca, Zack observou quando o barco alugado avançou suavemente em direção às armadilhas para lagostas. O rapaz já estava infringindo a lei, pensou Zack enquanto mordiscava sementes de girassol, porque navegar após o anoitecer com as luzes apagadas era uma falta sujeita a multa, e ele pagaria por isso também.

Mas essa multa não era nada, perto dos mil dólares, aproximadamente, que aquele pequeno desacato custaria ao pai do filhinho universitário.

Ele já esperava por problemas quando fosse dar o flagrante e prender o rapaz, o que significava que os dois acabariam perdendo algumas horas na delegacia naquela noite. E um deles atrás das grades.

Bem, era o preço por aprender novas lições, decidiu Zack, abaixando o binóculo e apanhando sua lanterna no exato momento em que o rapaz tentava levantar da água uma das armadilhas, com um gancho.

O grito foi muito alto e agudo, quase feminino, e acabou dando um susto no próprio Zack. Acendendo a lanterna, apontou o facho luminoso através da água. Uma névoa suave se espalhava um pouco acima da superfície, de modo que o barco parecia estar preso na fumaça. O rapaz estava de pé com a armadilha agarrada com firmeza às duas mãos imóveis, e exibia um olhar de puro terror ao olhar para aquilo.

Antes mesmo que Zack pudesse chamar por ele, o jovem forçou com dificuldade a abertura da armadilha. Enquanto ela caía de volta na água, ele era arrastado logo atrás.

— Ora, diabos! — Zack murmurou, irritando-se com a perspectiva de acabar o dia de trabalho totalmente encharcado. Correndo até a ponta da doca, pegou uma boia salva-vidas e a levou consigo. O garoto estava berrando mais do que nadando, mas ainda assim fazia algum progresso ao se arrastar, lentamente, em direção à praia.

— Pegue a boia, Steve! — Zack atirou o salva-vidas. — Venha por aqui. Não quero ter que ir atrás de você.

— Socorro! — O garoto se debatia em desespero. Engoliu um pouco de água e se engasgou, mas apesar disso, conseguiu alcançar a boia. — Venha me ajudar, elas estão me atacando, comendo o meu rosto.

— Estou quase chegando... — Zack se ajoelhou e estendeu-lhe a mão. — Venha, suba aqui. Você está inteiro, rapaz!

— Minha cabeça! Minha cabeça! — Steve escorregou e veio se arrastando e deslizando sobre a doca, até que ficou deitado ali, de barriga para baixo, tremendo. — Eu vi a minha cabeça ficar presa na armadilha. Aqueles bichos estavam comendo o meu rosto!

— Sua cabeça continua sobre os ombros, filho. — Zack se inclinou para baixo. —Tente se acalmar e recupere o fôlego. Você teve uma alucinação, foi isso. Andou bebendo um pouco, não é? Deve ter sido isso, aliado a um complexo de culpa.

— Mas eu vi!... Eu vi! — Conseguiu se sentar, com as mãos tremendo e apalpando o rosto, para ter certeza de que todas as suas partes ainda estavam no lugar. Então, começou a tremer novamente, mas com grande alívio.

— Nevoeiro, escuridão, a água do mar... É normal ter alucinações em uma situação como essa, especialmente depois de umas garrafas de cerveja. Você vai se sentir bem melhor quando entregar a Carl aqueles quarenta dólares. Por falar nisso, por que não vai tomar um banho, pega a sua carteira e vai até a casa dele agora mesmo? Vai até dormir melhor depois disso.

— Sim... Claro... Certo... Tudo bem.

— Legal! — Zack o ajudou a ficar de pé. — Pode deixar que eu trago o barco de volta, não se preocupe.

Aquela Mia..., pensou Zack enquanto ajudava a carregar o rapaz cambaleante para fora da água, sem resistência nem protestos. *Aquela Mia merece um prêmio por sua criatividade...*

Levou mais algum tempo até Steve se acalmar de todo, e depois ainda foi preciso acalmar os outros rapazes, quando Zack chegou com ele de volta à casa alugada. Depois de ir embora, ainda havia o problema de Carl para resolver, e o barco. Por causa de tudo isso, Zack acabou chegando à delegacia um pouco antes das três da madrugada.

Acordou duas horas depois, sentindo-se rígido como uma tábua e chateado consigo mesmo. Ripley, ele decidiu enquanto cambaleava até o carro, ia ter que pegar o primeiro turno.

Saiu com a ideia de ir direto para casa, mas adquirira o hábito de dar uma passadinha rápida pelo chalé amarelo ao final de cada turno, só para se assegurar de que tudo estava bem.

Fez a curva sem perceber que já estava chegando e notou então as luzes acesas em uma das janelas da casa. Parou o carro e saltou, um pouco por preocupação, um pouco por curiosidade.

Como era a luz da cozinha que estava acesa, ele circundou a casa e foi para a porta dos fundos. Estava se preparando para bater quando a viu parada, de pé, do lado de dentro da porta de tela, segurando uma faca comprida e afiada com ambas as mãos.

— Se eu falar que estava só passando pelas redondezas, você não vai me espetar com isso, vai?

As mãos dela começaram a tremer, e sua expiração saiu forte como uma explosão enquanto colocava a faca de volta sobre a mesa com um barulho forte.

— Desculpe tê-la assustado. Eu vi a luz da cozinha acesa e, como estava passando por perto... Ei, ei... — Quando a viu cambalear, ele se lançou porta adentro, segurando-lhe os dois braços e acomodando-a em uma cadeira. — Sente-se aqui. Respire bem fundo. Nossa, Nell, me desculpe. — Afagou o cabelo dela carinhosamente, deu-lhe uma palmadinha nas costas e ficou imaginando se ela iria emborcar no chão se ele se levantasse para apanhar um copo com água para ela.

— Está tudo bem. Eu estou bem. É que ouvi passos lá fora. Na escuridão. É tão silencioso aqui que você ouve tudo, e eu senti que havia alguém vindo em direção à casa.

Ela tivera vontade de sair correndo como um coelho assustado, na direção oposta, e continuar correndo. Não se lembrava de ter apanhado a faca nem que seria capaz disso.

— Vou pegar um pouco de água para você.

— Não precisa, estou bem. — Sentia-se um pouco envergonhada pela cena, mas estava bem. — Não estava esperando que alguém fosse aparecer pela porta da cozinha a essa hora.

— Imagino que não. Ainda não são nem cinco e meia da madrugada. — Ele se agachou de cócoras ao lado dela. Quando ela levantou a cabeça novamente, Zack notou, aliviado, que a cor estava voltando ao seu rosto. — O que você está fazendo já de pé tão cedo?

— Eu normalmente acordo às... — Ela pulou como uma mola, de susto, quando o *timer* do forno apitou. — Meu Deus! — Com um riso apertado, colocou a mão no peito. — Vou ter sorte se conseguir sobreviver até o sol nascer, me assustando assim à toa. Meus brioches! — Levantou-se correndo para tirá-los do forno, colocando um novo tabuleiro cheio deles lá dentro.

— Nunca imaginei que você se levantasse tão cedo.

Zack notava agora, olhando em volta, que ela já estava trabalhando havia muito tempo. Havia alguma coisa fervendo no fogão com um aroma divino e glorioso. Uma imensa tigela de manteiga estava sobre a bancada. Outra tigela, coberta por um pano, estava ao lado do fogão. Mais uma estava sobre a mesa, onde ela estivera obviamente misturando alguma coisa antes que ele a tivesse feito envelhecer dez anos com o susto.

Os ingredientes estavam todos enfileirados e organizados como num desfile militar.

— E eu não imaginava que você trabalhasse até tão tarde, Zack. — Ela começou a se acalmar, polvilhando um pouco de farinha na massa e jogando-a sobre a mesa.

— Normalmente não trabalho. É que eu tive um pequeno problema para resolver na noite passada e, quando estava tudo encerrado, caí sobre a cadeira da delegacia, morto de cansaço. Nell, se você não me oferecer uma xícara desse café com cheiro maravilhoso, vou começar a chorar de desespero. Vai ser muito embaraçoso para nós dois.

— Ah, desculpe... Ahn...

— Olhe, volte para o que estava preparando e deixe tudo comigo. Onde estão as xícaras?

— No armário ao lado da pia.

— Vai querer uma xícara também?

— Acho que sim.

Ele colocou café até a borda, para si, e serviu outra xícara para ela.

— Sabe, Nell... Tenho a impressão de que esses bolinhos não estão com a cara muito boa, não.

— Como assim? — Ela se virou de repente, com a tigela aninhada no braço esquerdo, enquanto preparava a massa com a mão direita. Parecia insultada, mas também preocupada.

— Não estão me parecendo com bom aspecto. Por que não me deixa provar um deles? — Deu um sorriso rápido de menino pidão, que fez os lábios dela tremerem em um semi-sorriso.

— Ora, pelo amor de Deus. Por que não pediu logo para experimentar um?

— É mais divertido desse jeito. Não, não se preocupe, deixe que eu mesmo pego. — Despregou um bolinho ainda fumegante do tabuleiro, queimando a ponta dos dedos. Enquanto ficava jogando o bolinho de uma mão para a outra bem depressa, para esfriá-lo, o cheiro lhe disse que a experiência ia valer a pena. — Sabe, descobri que eu tenho um fraco por seus bolinhos de mirtilo, Nell.

— Como o senhor Bigelow... Lancefort Bigelow. O fraco dele são os recheados com creme. Outro dia, me disse que, se eu prometesse prepará-los para ele todos os dias, ele se casaria comigo na mesma hora e me levaria para morar nas Bahamas.

— Ah... competir com isso é páreo duro! — Ainda rindo, Zack abriu cuidadosamente o bolinho ao meio e inspirou profundamente o vapor perfumado. Sabia que Bigelow era um solteirão convicto e já passara dos noventa.

Ficou ali, observando-a preparar a massa e formar uma bola com ela. A seguir, esvaziou o tabuleiro dos bolinhos e os deixou esfriando sobre uma prateleira enquanto enchia novamente as xícaras com café. Quando o *timer* apitou de novo, ela mais uma vez trocou os tabuleiros e voltou para continuar a amassar a bola macia.

— Você sabe se organizar na cozinha — comentou ele. — Onde aprendeu a cozinhar?

— Minha mãe, ela... — Parou de falar de repente, como se estivesse reorganizando os pensamentos. Era perigoso falar, porque naquele ambiente da cozinha, cercada pelos aromas domésticos tão familiares, ela poderia se sentir muito à vontade e revelar algo que não devia. — É que a minha mãe gostava de cozinhar e preparar bolos, pães e tortas. Fui pegando as receitas e aprendendo as técnicas, aqui e ali.

Ele não quis pressioná-la a dizer mais, deixando o assunto morrer.

— Escute, Nell... Você faz aqueles enroladinhos de canela? Sabe, aqueles compridos, com uma cobertura de creme branco, meio durinhos por cima.

— Sei quais são.

— Pois eu sei prepará-los.

— Sério? — Ela começou a cortar a massa para as tortinhas de fruta, enquanto lhe lançava um olhar admirado. Ele parecia tão... masculino, pensou, encostando-se na pia com os tornozelos cruzados e uma caneca de café na mão. — Não imaginava que você soubesse cozinhar.

— Bem, só de vez em quando. Compro os rolinhos de massa já preparada no mercado. Levo para casa, amasso e bato com eles na bancada da cozinha com toda a força, para amaciá-los. Então, arranco os pedaços da massa que ficaram embolotados e jogo tudo no forno. Depois, é só despejar a cobertura gelada e deixar secar. É muito fácil.

Ela começou a rir.

— Acho que vou tentar seu método um dia desses, Zack — disse, indo até a geladeira pegar sua própria tigela de cobertura gelada.

— Depois vou dar mais algumas dicas sobre isso. — Acabou de tomar o café e colocou a xícara dentro da pia. — Agora, acho que é melhor ir para casa e deixar você trabalhar em paz. Obrigado pelo café.

— De nada.

— E pelo bolinho... Estava muito gostoso.

— Ora, isso é um alívio. — E ficou de pé ao lado da mesa, colocando, metodicamente, com uma colher, a cobertura branca sobre a nova fornada de bolinhos. Quando ele veio em direção a ela, sentiu seu corpo ficar tenso, mas continuou a trabalhar.

— Nell...

Ela olhou para cima, e a cobertura começou a escorrer pelo cabo da colher quando ele levantou a mão e acariciou suavemente o seu rosto.

— Espero que isso não vá atrasar o seu trabalho — e, dizendo isso, se curvou e encostou seus lábios nos dela.

Ela não moveu um músculo. Não conseguiu. Seus olhos ficaram arregalados, olhando para ele, observando, como uma corça assustada quando se sente na mira de uma espingarda.

Seus lábios eram quentes, isso ela conseguiu sentir. Eram também mais macios do que pareciam. Ele não chegou a tocar nela. Nell achou que não conseguiria evitar um pulo para trás, caso ele tivesse encostado as mãos nela naquele momento.

Mas era apenas a sua boca leve e suave contra a dela.

Ele havia se preparado para que ela ficasse aborrecida, ofendida ou até mesmo desinteressada. Não esperava, porém, que fosse ficar apavorada. Foi isso que sentiu nela, naquele instante. Uma ansiedade rígida que facilmente se transformara em medo. Assim, evitou tocá-la, como queria, e não fez sequer um carinho leve, com os dedos, em seus braços.

Se ela tivesse dado um passo para trás, ele não teria feito nada para impedi-la. A total rigidez, porém, era a sua defesa. Foi ele quem recuou, e procurou manter o clima leve, apesar de um aperto na barriga que era mais do que um simples desejo por ela. Era na verdade um ódio gélido pelo homem que a machucara daquela forma.

— Acho que eu tenho um fraco por algo mais, além dos seus bolinhos de mirtilo — Enfiou os polegares nos bolsos da frente das calças. — Até mais tarde, Nell.

Saiu sem dizer mais nada, com a esperança de que o beijo e a descontração da sua saída dessem a ela algo em que pensar.

Zack sabia que não ia mais conseguir pegar no sono. Resignado, resolveu agradar Lucy levando-a para um mergulho matinal na pequena enseada. Seus modos alegres e seu comportamento tolo ajudaram a tirar uma boa porção da rigidez e frustração que estava sentindo.

Observou Ripley, que estava acabando de dar a sua corrida matinal pela praia e partia naquele momento para um mergulho refrescante. A corrida ao amanhecer e o mergulho final eram tão certos quanto o próprio nascer do sol, pensou ele, enquanto a via furando as ondas. Talvez ele nem sempre soubesse o que corria pela cabeça da irmã, ou o que se passava em seus pensamentos e planos, mas raramente tinha motivos de preocupação com a firme Ripley Todd.

Ela sabia cuidar de si própria.

Lucy pulou para recebê-la, ainda na água, e as duas, molhadas, travaram uma pequena luta e depois apostaram uma corrida na areia. Chegaram ao mesmo tempo e se juntaram a Zack no terraço superior da varanda, onde Lucy se atirou ao chão, exausta e feliz, enquanto Ripley sorria toda a água de uma garrafa.

— Mamãe telefonou ontem à noite — falou ela, atirando-se em uma das cadeiras do terraço. — Conseguiram chegar ao Grand Canyon e estão enviando por e-mail seis milhões de fotos que papai tirou com sua nova câmera digital. Tenho até medo do trabalho que vou ter para conseguir baixar todas essas imagens.

— Pena que eu tenha perdido a ligação.

— Eu contei que você estava fazendo uma tocaia para pegar um dos veranistas — disse, passando a língua pelos lados da boca. — Eles quase botaram para fora o empadão de lagostas que haviam comido. E então, alguma novidade?

— Ah, sim, tem novidades.

Sentando-se no braço da poltrona da varanda, contou-lhe com detalhes como tudo acontecera.

— Eu *sabia* que deveria ter ficado com você — rugiu ela, soltando um assobio. — Bêbado idiota... O garoto da lagosta, não você.

— Eu entendi. Só que ele não estava tão bêbado assim, Ripley.

— Não comece com isso. — E levantou a mão, abanando-a para ele. — Eu acordei com muito bom humor hoje para chegar você agora e estragar tudo, mencionando a velha história do "hocus-pocus" da Mia.

— Tudo bem, fique à vontade.

— Eu geralmente *me sinto* à vontade. Agora, vou tomar uma chuveirada. Pode deixar que eu pego o primeiro turno. Você deve estar pregado.

— Estou bem, mas... Escute... — Estacou, tentando pensar melhor em como poderia expressar o que estava querendo dizer.

— Estou escutando.

— É que eu passei pelo chalé amarelo no caminho de volta para casa. As luzes da cozinha de Nell já estavam acesas, então dei uma parada lá.

— A-ha!... — brincou Ripley.

— Mente suja! Apenas tomei uma xícara de café com ela e comi um bolinho.

— Puxa, Zack, pena que foi só isso!

Normalmente, ele teria rido. Em vez disso, porém, se levantou e caminhou até o gradil da varanda.

— Ripley, você... Você passa por lá e a vê quase todo dia. Vocês são assim meio... amigas, não são?

— Bem, acho que somos bastante amigas. É difícil não gostar dela.

— E as mulheres têm tendência para confiar mais nas amizades femininas para trocar confidências, não é assim?

— Provavelmente sim. Por quê? Você quer que eu pergunte a Nell se ela está interessada em você o bastante para aceitar ir ao baile do colégio em sua companhia? — Começou a rir com deboche, mas parou na mesma hora quando Zack se virou para trás e a irmã viu o seu rosto. — Puxa, desculpe... Eu não sabia que era alguma coisa séria. O que aconteceu?

— Eu acho que ela sofreu algum tipo de abuso sexual.

— Caramba! — Ripley ficou olhando para a garrafa de água em suas mãos. — Isso é barra pesada.

— Algum filho da mãe safado aprontou alguma sujeira com ela, tenho certeza. Não sei se ela conseguiu algum tipo de orientação psicológica ou sequer tentou pedir ajuda, mas me parece que ela precisa de uma... você sabe, uma amiga de confiança. Alguém com quem possa se abrir.

— Zack, você sabe que eu não sou muito boa nesse tipo de coisa. Quem é bom nisso é você.

— Sim, o problema é que eu tenho o equipamento anatômico errado para ser a amiguinha de Nell, Rip. Olhe, tente... Tente pelo menos passar algum tempo a mais com ela. Vocês podem dar um passeio com o barco... Podem ir fazer compras juntas... — Gesticulou vagamente. — Ou pintar as unhas dos pés uma da outra...

— Como é que é?

— Ah, Rip, me dá um tempo. Eu sei lá o que as mulheres fazem dentro dos seus esconderijos misteriosos quando os homens não estão por perto.

— Fazemos brigas de travesseiros, só de calcinha e sutiã.

— Sério? — Então ele começou a rir, pois sabia que era isso que ela queria. — E eu que achava que isso era apenas uma lenda! Então, seja uma irmã legal para mim, certo?

— Por quê? Você está começando a se amarrar nela?

— Estou. E aí?

— Aí... Acho que vou ser uma irmã legal.

Nell entrou no "Caldeirão das Bruxas" às cinco em ponto. Não era, como chegara a temer, um lugar escuro e assustador. Pelo contrário, era até aconchegante. A luz tinha um tom ligeiramente azulado e contribuía para dar um ar agradável ao ambiente, combinando com as flores brancas que ficavam no centro de cada mesa.

As mesas eram todas redondas, com poltronas macias e pequenos sofás em volta. Ao fundo, no bar, os reflexos dos copos cintilavam. Nell mal tinha acabado de escolher um lugar e logo apareceu uma jovem garçonete vestindo um impecável uniforme preto. Trazia nas mãos uma pequena tigela de prata com aperitivos e tira-gostos, que colocou com cuidado diante dela.

— Vai beber alguma coisa?

— Estou esperando uma pessoa. Vou querer apenas uma água mineral sem gás, por enquanto. Obrigada.

Os únicos outros clientes do lugar eram duas pessoas, um casal, que se debruçavam sobre um folheto turístico da ilha enquanto bebiam vinho branco e mordiscavam pequenos cubos de queijo de um prato. A música estava baixa, muito parecida com o tipo de música que Mia costumava colocar na loja. Nell se recostou na poltrona e tentou ficar relaxada, pensando se não teria sido uma boa ideia ter trazido um livro.

Dez minutos depois, Mia entrou apressada, com a saia longa dançando em volta de suas pernas compridas. Trazia um livro em uma das mãos e levantou a outra mão, acenando para o bar.

— Um cálice de Cabernet para mim, por favor, Betsy.

— A primeira dose é por conta de Carl Macey. — Betsy deu uma piscadela para Mia. — Ele já me deu ordens para isso.

— Agradeça então a ele por mim. — Ela se sentou em frente a Nell. — E você, veio de carro?

— Não, vim caminhando.

— Você toma bebidas alcoólicas?

— Muito raramente. Só de vez em quando.

— Então tome um drinque agora, comigo. Do que é que gosta?

— Um Cabernet está bom para acompanhar você. Obrigada.

— Traga dois, Betsy — berrou Mia. — Olhe, eu adoro essas coisinhas para petiscar — e começou a procurar com a ponta dos dedos, circulando agilmente através da tigela de tira-gostos. — Especialmente estes salgadinhos de queijo que parecem ideogramas chineses. Olhe só, eu lhe trouxe um livro. Um presente. — Ela esticou o livro para Nell pegar. — Achei que gostaria muito de saber algumas coisas a respeito do lugar para onde resolveu se mudar.

— Sim, já estive pensando nisso. *As Três Irmãs: Lendas e Tradições* — disse, lendo as letras desenhadas na capa. — Obrigada, Mia.

— Agora que já está mais acostumada e bem-acomodada na cidade, você vai começar a sentir o chão mais firme debaixo dos pés. Antes de qualquer coisa, queria lhe dizer que eu não poderia estar mais feliz com o seu trabalho na loja.

— Fico feliz de ouvir isso. Estou adorando trabalhar na cafeteria e na loja. Não encontraria um emprego melhor para mim nem por encomenda.

— Ah, você é que é a Nell!... — Era Betsy quem comentava isso, sorrindo, enquanto servia o vinho. — Você já tinha ido embora para casa em todas as vezes que eu fui até a loja, ultimamente. Quase sempre dou uma passada lá antes de abrir o bar, aqui. Os *cookies* que você faz são fantásticos.

— Obrigada.

— E você, Mia, teve notícias de Jane?

— Tive, hoje. Tim conseguiu fazer o teste e parece que se saiu bem. Estão com muita esperança. No momento, estão trabalhando em uma padaria em Chelsea, para pagar o aluguel.

— Espero que estejam felizes.

— Eu também.

— Vou deixá-las sozinhas, agora. Avisem se precisarem de alguma coisa.

— Então... — Mia levantou o cálice de vinho e brindou com o de Nell. — "*Slainte!*"

— Como disse?

— É um antigo brinde galês. Significa "Saúde!" — Mia levou o copo aos lábios, observando Nell por sobre a borda. — O que você conhece sobre bruxas, Nell?

— Bruxas de que tipo? Do tipo da Elizabeth Montgomery, a Samantha do antigo seriado de TV, "A Feiticeira", ou daquelas outras que usam cristais, queimam velas e vendem pequenos frascos com poções de amor?

— Na verdade, eu não estava pensando naquelas figuras de Hollywood, nem nas pseudobruxas de butique — respondeu Mia, rindo e cruzando as pernas.

— Não quis ser desrespeitosa. Sei que há pessoas que levam esse assunto muito a sério. É um tipo de religião, e isso deve ser respeitado.

— Mesmo quando elas são piradas — completou Mia, com a insinuação de um sorriso.

— Não. Você não é pirada. Eu compreendo... Bem, você mencionou isso naquele primeiro dia, e depois houve aquela conversa com Ripley, ontem.

— Muito bem. Então já ficou estabelecido que eu sou uma bruxa. — Mia sorveu um pouco mais de vinho. — Você é uma pessoa doce, Nell. Aí está, tentando discutir isso de modo adequado, inteligente e sóbrio, quando no fundo está me achando, digamos assim... *excêntrica*. Vamos deixar as coisas desse modo por enquanto e voltar atrás no tempo, nos registros históricos deste lugar, para que você possa ter algo em que se basear. Você sabe alguma coisa a respeito dos julgamentos das bruxas em Salem, não?

— Claro. Um punhado de jovens histéricas, um bando de puritanos fanáticos. Mentalidade atrasada do povo. Acabaram queimando as bruxas.

— Na realidade, elas foram enforcadas — corrigiu Mia. — Dezenove pessoas ao todo, todas inocentes, foram enforcadas em 1692. Uma delas foi pressionada até a morte quando se recusou a se declarar inocente ou culpada. Outras morreram na prisão. Sempre houve caças às bruxas através dos tempos. Aqui, na Europa e em todos os cantos do mundo. Mesmo depois que a maioria já tinha deixado de acreditar ou de admitir que acreditava em bruxaria, as caçadas continuaram, sob outras formas. Houve o nazismo, o Macarthismo, a Ku-Klux-Klan e assim por diante. Todos eram fanáticos com poder, forçavam a aceitação de suas próprias crendices e sempre encontravam mentes fracas o suficiente para fazer o trabalho sujo.

E é melhor..., pensou Mia, respirando fundo, *nem começar a falar sobre isso*. — Hoje, porém, Nell, o que interessa é o microcosmo de toda essa história.

Mia se recostou na poltrona e tamborilou levemente com os dedos sobre o livro, antes de continuar.

— Os puritanos vieram para cá fugindo da perseguição na Inglaterra, Nell, em busca de liberdade religiosa, segundo afirmavam. É claro que muitos deles estavam simplesmente procurando um lugar onde pudessem forçar suas crenças e medos sobre outros. E em Salem, eles perseguiram e assassinaram cegamente e a sangue-frio; tão cegamente que, na realidade, nem uma sequer das dezenove pessoas que eles eliminaram tinha a alma de bruxa.

— O preconceito e o medo sempre provocam uma visão deturpada das coisas.

— Muito bem dito, Nell. Havia três mulheres entre elas, naquela época. Mulheres fortes, que haviam escolhido aquele lugar para viver suas vidas em paz e desempenhar a sua arte. Eram mulheres poderosas que ajudavam os doentes e consolavam os aflitos. Elas sabiam, aquelas três, que não poderiam continuar no lugar onde estavam por mais tempo, e que mais cedo ou mais tarde seriam também acusadas e condenadas. Foi então que a Ilha das Três Irmãs foi criada.

— Criada?

— Sim. Conta a história que elas se encontraram em segredo, certa noite, e prepararam um encantamento. Parte da terra foi recortada e carregada pelos céus para fora do continente. Nós estamos morando agora na porção de terra que foi retirada, naquele momento e naquele lugar. Isto é um santuário. Um refúgio. Não é o que você procurava, Nell?

— Eu vim para procurar trabalho.

— E encontrou. As três mulheres eram conhecidas pelos nomes de Ar, Terra e Fogo. Por alguns anos, viveram tranquilamente e em paz... E sozinhas. Foi a solidão que as enfraqueceu. A que se chamava Ar ansiava por amor.

— Todos nós ansiamos por isso — replicou Nell, baixinho.

— Talvez. Mas ela sonhava com um príncipe encantado dourado e lindo que a carregaria para algum lugar distante e maravilhoso, onde viveriam felizes para sempre e teriam muitos filhos para fazer-lhes companhia e servir-lhes de conforto. Foi descuidada com seu desejo, como as mulheres às vezes são quando anseiam demais por alguma coisa. E ele acabou chegando. Tudo o que ela viu foi que ele era dourado e belo. Foi embora com ele, abandonou seu refúgio. Tentou ser uma esposa boa e dedicada, cuidou de seus filhos, criou cada um deles e os amou. Mas isso não era o suficiente para ele. Sob a capa de ouro, ele era sombrio. Ela começou a temê-lo, e ele se alimentava desse medo. Uma noite, louco de desejo, ele a matou, apenas por ser o que ela era.

— Que história triste! — A garganta de Nell estava seca, mas ela não levantou o seu copo para beber.

— Há outros detalhes, mas por agora isso é o bastante. Cada uma das três teve uma história triste e um fim trágico. E cada uma delas deixou um legado. Uma criança, que gerou outra criança, que teve outra, e assim por diante. Dizia-se que haveria um momento, no futuro, em que a descendente de cada uma das três irmãs originais estaria na ilha, todas ao mesmo tempo. Cada uma delas teria que encontrar um meio de se redimir e quebrar a maldição estabelecida há trezentos anos. Caso isso não acontecesse, a ilha afundaria de vez no oceano. Ficaria perdida para sempre, como aconteceu com Atlântida.

— Mas as ilhas não afundam assim, no oceano!

— Também não são criadas por três mulheres, normalmente — argumentou Mia. — Se você acredita na primeira parte da história, a segunda não parece assim tão absurda.

— Você acredita em tudo isso... — Nell balançou a cabeça. — E acha que é uma das três descendentes.

— Sim. Da mesma forma que você também é.

— Mas eu não sou ninguém.

— Isso é o que *ele dizia*, não você. Desculpe, não devia ter me intrometido. — Na mesma hora, Mia esticou o braço e enlaçou as mãos de Nell, antes que ela tivesse a chance de se levantar da mesa. — Prometi que não tentaria me meter na sua vida e não vou. Só que me incomoda ouvir você dizer que não é ninguém. Fico aborrecida por saber que você pensa isso de si mesma. Esqueça tudo o que eu lhe contei, se quiser, por agora, mas nunca renegue o que você é. Você, Nell, é uma mulher inteligente, com garra suficiente para ganhar a vida por si mesma. E ainda por cima tem um dom maravilhoso. O que você faz na cozinha é uma espécie de magia. Eu a admiro muito.

— Desculpe... — Lutando para se recompor, Nell pegou o copo de vinho. — Você me deixou sem fala. Não sei o que dizer.

— Você teve a coragem de ir à luta. Chegou em um lugar completamente estranho, conseguiu se adaptar e se tornar parte dele.

— Mas coragem não tem nada a ver com isso.

— Você está errada ao pensar assim. Ele não conseguiu destruí-la.

— Conseguiu, sim. — Mesmo tentando, Nell não conseguiu evitar que seus olhos se enchessem de lágrimas. — Eu apenas recolhi os pedaços e fugi.

— Recolheu os pedaços, fugiu e se reconstruiu. Você não consegue ter orgulho de si mesma por isso?

— Eu não consigo explicar como era antes.

— E não precisa. Só que você vai ter que, eventualmente, reconhecer o seu próprio poder interior. Jamais conseguirá ser uma mulher completa até fazer isso.

— Estou apenas em busca de uma vida normal.

— Mas não pode se esquecer das possibilidades. — Mia estendeu a mão com a palma virada para cima e aguardou

Incapaz de resistir, Nell esticou o braço e colocou a palma de sua mão sobre a de Mia. Sentiu de imediato um calor de poder, que não era doloroso.

— Isso está dentro de você. Vou ajudá-la a encontrá-lo. Vou ensinar tudo a você. — Mia falava isso enquanto Nell olhava, atônita, para os raios de luz que brilhavam entre as duas palmas unidas. — Quando você estiver pronta.

Ripley olhou por toda a extensão da praia e não notou nada de extraordinário. O filho pequeno de algum veranista estava fazendo um escândalo, ao longe, e seus sons de irritação, acompanhados de gritos de *"Não! Não!"*, eram trazidos pelo ar.

Alguém ali perto da criança seria acordado de sua soneca pelos berros, pensou ela.

As pessoas estavam espalhadas pela areia, delimitando seu território com toalhas, cobertores, guarda-sóis, imensas sacolas, caixas térmicas para bebidas e aparelhos de som portáteis. Ninguém mais vinha à praia simplesmente por vir, avaliou. As pessoas se preparavam para um dia na praia como se estivessem fazendo as malas para ir à Europa.

Isso sempre a divertia. Todos os dias, casais e grupos saíam dos seus quartos de hotel ou das casas alugadas carregando verdadeiras mudanças, apenas para preparar seus ninhos temporários na areia. E todos os dias, no final da tarde, empacotavam tudo novamente, cansados, apenas para arrastar a sua mudança de volta, por uma grande extensão de areia, até o local de origem.

Eram os nômades das férias. Os beduínos do verão.

Deixando-os aos seus próprios conceitos de diversão, Ripley seguiu para o centro. Não levava nada além do seu distintivo, um canivete suíço e alguns dólares. A vida era muito mais simples assim.

Virando na Rua Alta, pensou em gastar aqueles poucos dólares em uma refeição rápida. Estava fora do horário de serviço, na medida em que ela ou Zack conseguiam estar em algum momento fora de serviço, e estava pensando em tomar uma cerveja bem gelada acompanhada por uma pizza bem quente.

Ao avistar Nell parada em frente ao hotel, parecendo confusa, hesitou. Afinal, decidiu, aquela era uma hora tão boa quanto qualquer outra para tentar dar início a algum tipo de amizade.

— Olá, Nell.

— O quê? Ah, oi, Ripley.

— Você parece meio perdida.

— Não. — Ela sabia onde estava, pensou Nell. Pelo menos naquele momento, isso era a única coisa da qual estava absolutamente certa. — Estava só um pouco distraída.

— Dia difícil, hein? Olhe, eu estou querendo jantar. Sei que é um pouco cedo, mas estou morrendo de fome. Que tal dividirmos uma pizza, por minha conta?

— Ahn?... — Nell continuava a piscar os olhos muito depressa, como alguém que estivesse acabando de sair de um sonho.

— A pizzaria "Na Crista da Onda" prepara a melhor pizza da ilha. Bem, na verdade, é a única pizzaria da cidade, mas mesmo assim é muito gostosa. Como vão as coisas na cafeteria?

— Vão bem. — Não havia muita coisa a fazer a não ser acompanhar os passos de Ripley. Nell não conseguia pensar direito, e seria capaz de jurar que seus dedos ainda estavam formigando. — Eu adoro trabalhar lá.

— Você trouxe classe para o lugar — comentou Ripley, esticando a cabeça para dar uma olhada no título do livro que Nell carregava. — Está lendo a respeito das histórias de vodu da ilha?

— Vodu?... Ah! — Com um riso nervoso, Nell enfiou o livro embaixo do braço. — Bem, já que eu estou morando aqui, achei que deveria conhecer mais a respeito das... coisas.

— Claro. — Ripley empurrou a porta da pizzaria. — Os turistas adoram todas essas histórias malucas e místicas sobre a ilha. Quando chegar o solstício de verão, vamos ser invadidos pelos esotéricos da Nova Era, você vai ver. Oi, Bart, tudo bem?

Ripley acenou com naturalidade para o homem atrás do balcão e entrou em uma das cabines com mesa que estava vazia.

Apesar de ainda ser cedo, o lugar estava lotado. O toca-discos automático trabalhava a todo volume, e as duas máquinas de fliperama instaladas em um pequeno reservado nos fundos da loja lançavam ruídos e luzes coloridas.

— Bart e a mulher, Terry, são os donos do lugar. — Ripley trocou de posição e esticou as pernas sobre o banco. — Eles oferecem *calzone*, uma grande variedade de massas etc. etc. — e continuou, lançando na direção de Nell o cardápio plastificado. — Só que, no fundo, o melhor mesmo é a pizza. Então, você está a fim de uma?

— Claro.

— Ótimo! Há algum ingrediente que você não queira que eles coloquem na pizza?

— Não. — Nell olhava o cardápio sem ver nada. Por que ela não conseguia nem pensar direito.

— Melhor ainda. Vamos pedir uma gigante, com tudo a que temos direito. O que não conseguirmos comer, eu levo para Zack. Ele vai retirar todos os cogumelos e pedaços de cebola, mas mesmo assim vai agradecer. Quer uma cerveja? — e Ripley fez o corpo escorregar até a ponta do banco.

— Não, não. Obrigada. Vou tomar só água.

— Então, já está vindo.

Sem paciência para esperar pelo serviço, Ripley foi até o balcão e fez o pedido. Nell ficou observando o jeito brincalhão com que ela conversava com o rapaz alto e magro atrás do balcão. A maneira peculiar que usava para enganchar os óculos na gola da camiseta. O modo como esticava os braços bem-torneados, longos e dourados para pegar as bebidas. A ondulação leve que fazia seu cabelo subir e descer com ritmo enquanto ela fazia o caminho de volta até a mesa.

Os ruídos foram diminuindo, como ecos de um sonho, até se transformarem em uma espécie de som suave sob um rugido que aumentava de volume lentamente, ao fundo. Como ondas que se quebravam. Quando Ripley se sentou ao seu lado novamente, Nell via que sua boca se movia, mas não conseguia ouvir nada. Não ouvia coisa alguma.

Então, de repente, como uma porta que se abria e deixava os sons entrarem, todos os ruídos voltaram, como um enxame.

— ... e fica assim até o feriado do Dia do Trabalho. — Ripley estava completando uma frase e pegava sua cerveja.

— Você é a terceira! — Nell agarrou com força a ponta da mesa, com os dedos trêmulos.

— O quê?

— A terceira. Você é a terceira irmã.

Ripley abriu a boca, mas logo em seguida tornou a fechá-la, formando uma linha reta e fina.

— Mia... — Soltou as duas sílabas da palavra como se fossem uma só, e depois tomou quase metade da cerveja de um gole só. — Não comece com essa história para cima de mim.

— Eu não entendo, Ripley.

— Não há o que entender. Simplesmente deixe isso para lá. — Colocou o copo de volta sobre a mesa, com força, inclinando-se em direção a Nell. — Escute, o negócio é o seguinte. Mia tem o direito de achar, pensar e acreditar no que ela quiser. Pode se comportar da maneira que bem entender, desde que não descumpra a lei. Eu é que não sou obrigada a engolir essa história. Se você quer entrar nessa, é problema seu. Só sei que vim aqui para comer uma pizza e beber uma cerveja.

— Mas eu nem sei direito qual é a história que devo ou não engolir. Isso a deixa zangada, Ripley, mas a mim deixa apenas confusa.

— Olhe, você me parece uma mulher sensata. Mulheres sensatas não saem por aí se dizendo feiticeiras, descendentes de um trio de bruxas antigas que recortaram um pedaço de terra do litoral de Massachusetts e o trouxeram pelo ar para formar uma ilha, longe da costa.

— Sim, mas...

— Não tem "mas" nem meio "mas". Existe a realidade e existe a fantasia. Vamos ficar com a realidade, porque qualquer outra coisa vai estragar a minha pizza. E então, você vai resolver sair com meu irmão ou não?

— Sair?... — Confusa, Nell passou a mão por sobre os cabelos. — Dá para você repetir essa pergunta?

— Zack está pensando em convidá-la para sair. Você está interessada? Antes de responder, deixe-me dizer que ele tomou todas as vacinas, cuida da higiene pessoal muito bem, e, embora tenha alguns hábitos irritantes, é razoavelmente bem-ajustado. Portanto, pense bem em tudo isso. Vou até o balcão pegar a nossa pizza.

Nell soltou um suspiro e se recostou na parede da pequena cabine que estava ocupando. Pensou e decidiu, afinal, que, definitivamente, tinha muitos assuntos em que pensar para uma única noite.

Capítulo Seis

Ripley estava certa quanto ao solstício. A "Livros e Quitutes" estava com tanto movimento que Mia foi obrigada a empregar mais duas atendentes em meio-expediente para cuidar da livraria e ainda colocar mais uma atrás do balcão da cafeteria.

O aumento da procura pelos pratos vegetarianos em um período de tempo tão curto, de apenas dois dias, deixou Nell em estado de perpétuo pânico.

— Estamos com estoque muito baixo de berinjela e ervas — disse, apavorada, para Peg, quando esta chegou para o turno da tarde. — Pensei que tivesse calculado com alguma folga. Droga! — Ela arrancou o avental.

– Vou correndo até o mercado para tentar pegar o que conseguir. Acho que vou ter que substituir o cardápio para o resto do dia.

— Ei, está tudo bem. Não esquente a cabeça.

Fácil para você falar isso, pensou Nell enquanto descia correndo pelas escadas. Os bolinhos de avelã tinham acabado antes do meio-dia, e não havia a mínima chance de que o estoque de *cookies* crocantes de chocolate fosse durar até o fim da tarde, pela velocidade com que estavam desaparecendo. Era responsabilidade dela certificar-se de que tudo na cafeteria funcionasse exatamente como Mia esperava. Se ela cometesse algum erro...

Na correria em direção à porta dos fundos, quase atropelou Lulu, que ia passando.

— Desculpe, Lulu, desculpe. Sou uma idiota desajeitada. Você está bem?

— Vou sobreviver. — Lulu estava passando a mão cuidadosamente sobre a blusa. Aquela garota já estava com umas três semanas de casa, e vinha trabalhando muito bem, mas isso não significava que Lulu já estava pronta para confiar nela. — Calma, menina. Não é porque o seu turno acabou que você precisa sair voando e ir correndo para casa, como se o prédio estivesse em chamas.

— Não, eu sei... Sinto muito. Será que a Mia... Será que você poderia dizer a Mia que eu sinto muito e que vou voltar logo, logo?

E disparou porta afora, sem parar de correr, até chegar à seção dos ingredientes de que precisava, no Mercado da Ilha. Uma mistura de pânico e nervosismo agitava o seu estômago. Como é que ela pôde ser tão *burra*? Comprar os suprimentos para a loja era uma parte essencial do seu trabalho. E ela não tinha sido avisada de que a afluência de turistas no fim de semana do solstício seria muito maior? Uma retardada teria feito um planejamento melhor do que o dela.

A pressão em seu peito estava tornando a cabeça mais leve, mas ela tentava se forçar o tempo todo a pensar, estudar todas as possibilidades e escolhas, selecionar os produtos e decidir os pratos a preparar. Encheu sua cesta rapidamente, esperando em agonia na fila do caixa, enquanto os minutos se escoavam rapidamente.

Dorcas, a atendente, estava puxando assunto com ela, mas Nell mal conseguiu dar algumas respostas às suas perguntas, enquanto o seu cérebro ficava gritando: *Vamos logo!*

Após finalmente ser atendida, agarrou as três pesadas sacolas e, xingando-se por não ter pensado em trazer o carro, começou a carregá-las tão depressa quanto conseguia, de volta à loja.

— Nell! Nell, espere um minuto! — Balançando a cabeça ao ver que ela não lhe respondeu, Zack atravessou a rua correndo. — Deixe que eu lhe dê uma ajuda com esses pacotes.

Foi surpreendente que ela não tivesse dado um pulo, pois o susto foi imenso. Zack já estava esticando o braço e pegando duas das sacolas.

— Não se preocupe, Zack, dá para carregar sozinha. Estou morrendo de pressa.

— Vamos chegar mais rápido se você não estiver com tanto peso. Suprimentos para a cafeteria?

— É. — Ela estava quase correndo novamente. Poderia preparar rapidamente mais uma salada. Levaria dez minutos, quinze, no máximo. E poderia preparar os ingredientes para mais sanduíches também. Depois, pensaria no estoque de doces. Se começasse a trabalhar agora mesmo, podia ser que não houvesse nenhuma falta no cardápio.

— Estou vendo que está muito atolada de trabalho. — Ele não estava gostando do olhar no rosto dela. Era tão amargo, tão fechado! Como o de alguém que estivesse de partida para a guerra.

— Eu deveria ter me preparado melhor para atender a tantos clientes. Não há desculpas para essa falha.

Com o ombro empurrou a porta dos fundos da loja, subindo em disparada pelas escadas. Quando Zack chegou atrás dela e entrou na cozinha, Nell já estava desembalando os produtos.

— Obrigada, Zack. Posso assumir tudo daqui para frente. Já planejei o que vou preparar.

Movia-se como um dínamo, com os olhos vidrados e o rosto pálido.

— Mas eu pensei que você largasse às duas horas, Nell.

— Duas? — Ela nem se preocupou em olhar para ele, continuando a picar, ralar e misturar coisas. — Não... Cometi um erro e agora tenho que consertá-lo. Ninguém vai ficar aborrecido ou prejudicado. Simplesmente deveria ter me planejado melhor. Da próxima vez isso não vai acontecer, prometo.

— Preciso de dois sanduíches especiais e outro de pão árabe com pasta de ervas. Nossa, Nell! — murmurou Peg da porta, assustada com o movimento na cozinha.

— Vá chamar Mia — disse-lhe Zack, baixinho, colocando a mão em seu ombro.

— Dois especiais e um com pão árabe e pasta de ervas. Tudo bem, tudo bem. — Nell colocou a salada de feijão-branco com pepinos fatiados de lado e foi apanhar os ingredientes para os sanduíches. — Comprei mais berinjela, então acho que vai dar... Tudo bem, tudo bem — murmurou para si mesma.

— Ninguém lá fora está reclamando, Nell. Você não precisa correr tanto. Por que não se senta e descansa por um minuto?

— Preciso só de meia hora. Vinte minutos. Nenhum dos clientes vai ser mal-atendido. — Pegou os pedidos, girou o corpo cento e oitenta graus e quase deu de encontro com Mia, que vinha entrando. — Está tudo em ordem. Sério, está tudo bem. Estamos com ingredientes suficientes para tudo.

— Vou levar isso! — Peg entrou e pegou os pratos com os sanduíches já prontos das mãos de Nell. — Parecem ótimos!

— Estou aprontando uma nova salada. — Estava começando a sentir como se imensos elásticos estivessem apertando o seu peito e a sua cabeça. Apertando, apertando. — Vai levar só mais um segundo. Depois, vou tomar conta do resto. Vou dar conta de tudo. Não fique zangada, Mia.

— Ninguém está zangado, Nell! Acho que você deveria dar uma parada, agora.

— Não precisa, não, estou quase acabando! — Em desespero, ela pegou com rapidez um saco cheio de nozes. — Eu sei que deveria ter planejado melhor e sinto muitíssimo, mas estou ajeitando tudo. Vou conseguir com que tudo saia direito.

Zack não podia mais aguentar isso; não podia mais suportar vê-la em pé, agitada, tremendo toda e com o rosto completamente sem cor.

— Pare com isso, agora! — gritou ele, dando um passo em sua direção.

— Não! — Ao dar um passo para trás, tropeçou, deixando o saco cair no chão e levantando os braços como se para proteger o rosto de uma bofetada. No momento em que fez isso ela parou, e a vergonha tomou o lugar do pânico.

— Puxa, querida!... — A voz solidária de Zack era suave e estava cheia de carinho. Ela não conseguiu fazer nada a não ser virar o rosto para não ser obrigada a encará-lo.

— Quero que você venha comigo agora mesmo! — Mia foi em sua direção e levou-a pela mão. — Certo? Venha comigo agora.

Com muita vergonha e tremendo incontrolavelmente, Nell se deixou levar. Zack enfiou as mãos nos bolsos, sentindo-se inútil

— Não sei o que deu em mim, Mia. —A verdade é que a última hora era um borrão indistinto em sua memória.

— Eu diria que você foi acometida por um colossal ataque de pânico. Agora, sente-se aqui. — Mia atravessou o escritório e abriu o que Nell achava que fosse uma gaveta funda para arquivos. Em vez disso, viu um pequeno frigobar, lotado com pequenas garrafas de água e suco.

— Você não precisa contar para mim o motivo nem falar sobre isso — disse Mia enquanto voltava e entregava a Nell uma garrafa de água já aberta. — Mas acho que deveria procurar se consultar com alguém.

— Eu sei. — Em vez de beber, Nell esfregou o exterior da garrafa quase congelada sobre o rosto. Aquilo tudo tinha ido muito além do ridículo, compreendia agora. Descontrolar-se por causa de berinjelas? — Eu pensei que isso tudo tivesse acabado. Não acontecia há muito tempo. Vários meses, na verdade. Só que nós estávamos tão atoladas, e os estoques que preparei estavam acabando. O problema foi ficando cada vez maior dentro da minha cabeça, até o ponto em que me pareceu que, se eu não conseguisse uma berinjela imediatamente, o mundo iria acabar. — Bebeu então a água, lentamente. — Comportamento idiota!

— Não me parece idiota, se no passado você estava acostumada a ser punida por coisas tão insignificantes.

— Ele não está mais aqui. — Nell abaixou a garrafa. — Ele não pode mais me machucar.

— Tem certeza?... Irmãzinha, ele jamais deixou de machucar você, nem por um dia.

— Se é mesmo verdade, é um problema que vou ter que superar. Não sou um saco de pancadas nem um pano de prato usado. Não sou um capacho!

— Que bom ouvir isso!

Nell apertou os dedos sobre as têmporas. Compreendeu que precisava desabafar, soltar alguma coisa. Aliviar um pouco daquele peso, senão teria outra crise num momento qualquer.

— Uma vez, nós demos uma grande festa e ficamos sem azeitonas para os martinis — explicou Nell. — Essa foi a primeira vez em que ele me bateu.

— Por quanto tempo você ficou com esse homem? — O rosto de Mia não registrava nenhum traço de choque ou julgamento.

Não havia nenhum tipo de censura na pergunta, nenhum tom de astúcia ou presunção indireta. Talvez pelo fato de a pergunta ter sido feita de forma tão rápida, objetiva e prática, Nell respondeu sem constrangimento.

— Três anos. Se ele me encontrar, me mata. Eu sabia disso quando fugi. Ele é um homem importante, bem-relacionado e influente. É rico e tem conexões com gente graúda.

— E ele está à sua procura?

— Não, pensa que eu estou morta. Já se passaram quase nove meses. Eu preferia mesmo estar morta a viver da maneira que estava vivendo. Sei que isso soa melodramático, mas...

— Não, não... Não me parece melodramático. E os dados dos formulários de emprego que você preencheu quando se empregou aqui? São seguros?

— Sim. Eu usei o sobrenome de solteira da minha avó. Infringi algumas leis. Acesso ilegal a dados de computador, falsidade ideológica, documentos forjados para conseguir uma identidade diferente, uma carteira de motorista nova e um CPF novo.

— Acesso ilegal a computadores? — Levantando uma sobrancelha, Mia deu um sorriso. — Nell, você vive me surpreendendo.

— Sou boa com computadores. Eu costumava...

— Você não precisa contar nada, se não quiser.

— Está tudo bem. Eu ajudei a administrar uma firma. Era uma empresa que oferecia serviços de bufês, refeições prontas e organização de festas. Trabalhava com minha mãe, há muitos anos. Usava o computador para registros, arquivos, controle de faturas, fazia de tudo. Já que era a responsável pela manutenção do material, dos estoques e da contabilidade no computador, frequentei alguns cursos nessa área. Quando comecei a planejar minha fuga, fiz muitas pesquisas. Eu sabia que só teria uma chance. Meu Deus!... Jamais consegui falar a respeito disso com alguém, Mia. Nunca pensei que conseguiria.

— E agora, quer mesmo me contar o resto da história?

— Não estou certa. Chega a um ponto em que a história fica presa, bem aqui. — Bateu com o punho fechado sobre o peito.

— Se quiser me contar, venha até minha casa, logo mais à noite. Vou lhe mostrar meus jardins, meus penhascos sobre o mar... Enquanto isso, vá tomar um pouco de ar, vá dar uma volta, com calma. Tire um cochilo para descansar.

— Obrigada, Mia, mas eu preferia acabar de ajudar na cafeteria. Não que eu esteja chateada ou preocupada; é que vai me fazer bem. Quero terminar o trabalho.

— Tudo bem.

A viagem de carro pela costa, rumo ao norte, era de tirar o fôlego. A estrada era cheia de ziguezagues, com curvas súbitas e inesperadas. Ouviam-se o rugir constante das ondas e o assobio suave do vento. As memórias que uma estrada como aquela lhe traziam deveriam tê-la perturbado, poderiam mesmo tê-la deixado abalada. Em vez disso, porém, Nell pisou um pouco mais fundo no acelerador de seu velho carro enferrujado e se sentiu revigorada. Era como se estivesse deixando todo o excesso de peso da sua vida na estrada sinuosa que ficava para trás.

Talvez fosse a visão da torre branca e alta em contraste com o céu de verão, e a solene casa de pedra que ficava ao seu lado. Pareciam saídas de um antigo livro de histórias. Uma imagem sólida, robusta, e maravilhosamente secreta.

O quadro que ela vira no continente não lhes fizera justiça. Telas e tintas não haviam conseguido traduzir o varrer suave do vento, a textura das rochas, os galhos retorcidos das árvores.

Além do mais, pensou, ao fazer a última curva antes de chegar, a pintura não mostrara Mia, que estava de pé agora, entre dois coloridos canteiros de flores, usando um vestido azul, com quilômetros de cabelo vermelho soltos e revoltos ao vento.

Nell estacionou o seu lamentável veículo ao lado do conversível prateado e brilhante de Mia.

— Espero que você não leve a mal o que vou dizer — disse Nell, assim que saltou do carro.

— Eu jamais levo a mal as coisas que me falam.

— É que eu estava pensando. Se eu fosse um homem, lhe prometeria qualquer coisa por isto aqui.

Enquanto Mia simplesmente ria da afirmação, Nell jogou a cabeça para trás e tentou absorver tudo o que havia na casa e seus arredores, de uma só vez. A porta principal circunspecta, as cumeeiras triangulares cheias de estilo, o aspecto romântico da varanda superior que emoldurava boa parte da residência.

— É maravilhoso. Combina com você.

— Certamente que sim.

— Mas fica tão longe de tudo e de todos. Você não se sente solitária aqui?

— Eu curto muito a minha própria companhia. Você tem medo de altura?

— Não —, respondeu Nell.

— Dê uma olhada na ponta do penhasco. A vista é espetacular.

Nell caminhou com ela, no caminho entre a casa e a torre, até a ponta das saliências irregulares que se projetavam sobre o oceano. Até mesmo ali havia muitas flores, pequenas e valentes florescências que forçavam seu caminho e brotavam através das rachaduras das pedras ou se abriam ao longo dos pedaços descuidados de relva selvagem.

Abaixo, as ondas se agitavam e espancavam a encosta, soltando vapores, arremessando-se de encontro à base do penhasco e depois se afastando, tomando distância para novamente esbofetear a pedra. Ao longe, a água assumia a tonalidade mais escura de um azul muito profundo e se estendia, para sempre, atrás do horizonte.

— Quando eu era pequena, ficava sentada bem aqui e me maravilhava com toda esta beleza. Às vezes ainda faço isso.

— Você foi criada neste lugar? — Nell virou o rosto em direção a Mia, surpresa, e estudou o seu perfil.

— Sim. Nesta casa. Ela sempre foi minha. Meus pais eram do mar; agora eles velejam. No momento, estão em algum ponto do Pacífico Sul, eu acho. Na verdade nós sempre fomos mais um casal com uma filha do que propriamente uma família. Para falar a verdade, eles jamais se ajustaram completamente a mim, nem eu a eles. Apesar disso, sempre nos demos muito bem.

Com uma pequena contração dos ombros, ela olhou para o outro lado.

— O farol no alto da torre está neste mesmo lugar há quase trezentos anos, enviando seu facho para guiar os navios e os homens do mar. Mesmo assim, já houve naufrágios, e dizem, como sempre é de esperar nesses casos, que, quando o vento sopra da direção certa, ainda é possível ouvir os gritos desesperados dos que se afogaram.

— Não é uma história muito reconfortante para se escutar na hora de dormir.

— Não, não é... O mar nem sempre é suave e gentil. — Apesar disso, ela sempre fora fascinada e atraída por ele, compelida a ficar ali e observar seus caprichos, seus charmes e a sua violência. Era o Fogo, sempre atraído, como um ímã, pela Água. — A casa foi construída antes do farol. Foi a primeira construção erguida na ilha.

— Conjurada por magia, em uma noite de lua cheia — acrescentou Nell. — Eu já li o livro.

— Bem, por magia ou por argamassa, a verdade é que a casa ainda está de pé. Os jardins são a minha alegria, e eu me concedo esse prazer junto deles. — Ela fez um gesto que abraçou tudo em volta.

Nell olhou para trás, viu a casa e piscou. A parte dos fundos era uma fantasia de flores, formas, árvores e trilhas. A justaposição dos penhascos nus e do jardim encantado quase a deixa tonta.

— Meu Deus, Mia! É surpreendente, espetacular. É como uma pintura. Você faz todo esse trabalho sem a ajuda de ninguém?

— Hum, hum — acenou Mia, com a cabeça. —De vez em quando sinto um pouco de dor nas costas, mas na maior parte do tempo dá para aguentar. Isso me relaxa. — Enquanto falava, andavam em direção ao primeiro emaranhado de sebes. — E é também algo que me gratifica muito.

Parecia haver dezenas de pequenos recessos secretos, curvas inesperadas. Uma grade de ferro coberta de glicínias, uma súbita fileira de flores brancas se entrelaçando como se fosse uma fita de seda. Um pequeno lago onde lírios-d'água e juncos apontavam para cima em torno da estátua de uma deusa.

Havia fadas de pedra e fragrância de alfazema no ar, dragões de mármore e uma trilha de brotos de nastúrcio, uma pequena erva com aroma penetrante e folhas miúdas, parecidas com as de agrião. Outras ervas floresciam animadamente e se lançavam através de um pequeno jardim com pedras, convergindo na direção de uma almofada de musgo totalmente coberta com flores em forma de estrela.

— Não é de admirar que você não se sinta solitária aqui.

— Exato. — Mia foi seguindo à frente de Nell, levando-a por um caminho tortuoso até chegarem a uma pequena clareira de pedra. A mesa que havia ali era também de pedra e tinha uma gárgula alada e sorridente agarrada à sua base. — Vamos tomar um pouco de champanhe para celebrarmos o solstício.

— Jamais conheci alguém como você.

— Espero que não. — Mia levantou a garrafa que estava submersa em um imenso balde de cobre brilhante e cheio de gelo. — Faço absoluta questão de ser *única*. — Ela serviu duas taças, sentou-se e estendeu as pernas, mexendo para cima e para baixo os dedos dos pés, que estavam descalços. — Conte-me como foi que você morreu, Nell.

— Eu despenquei com o carro do alto de um penhasco. — Ela pegou a taça, bebendo quase tudo. — Morávamos na Califórnia. Tínhamos uma casa em Beverly Hills e outra em Monterey. No princípio, levava uma vida de princesa em seu castelo. Ele me fez andar nas nuvens.

Nell não conseguiu se sentar, então ficou vagando pela pequena ilha de pedra, inclinando-se eventualmente para aspirar o perfume das flores. Ouviu o tilintar de pequenos sinos e notou que Mia tinha, pendendo de um galho, o mesmo móbile de vento com pequenas estrelas que ela comprara para si mesma, logo no primeiro dia em que chegara à ilha.

— Meu pai era do Exército. Nós nos mudávamos muito de uma cidade para outra, e isso era difícil para mim. Ele, porém, era maravilhoso. Tão bonito, valente e forte. Acho que era um pouco severo, mas jamais indelicado. Adorava quando estava com ele. O problema é que nem sempre ele podia estar conosco, e tanto eu como minha mãe sentíamos muito a sua falta. Adorava vê-lo voltar das missões, belíssimo em seu uniforme impecável, e gostava da maneira como seu rosto se iluminava quando minha mãe e eu corríamos para encontrá-lo. Foi morto na Guerra do Golfo, e eu ainda sinto muita saudade dele.

Nell parou para tomar fôlego antes de continuar.

— Não foi nada fácil para minha mãe, mas ela aguentou firme. Foi então que começou com o negócio de bufês e festas. O nome da firma era "Paris é uma festa". Ela pegou o nome emprestado de um livro de Hemingway.

— Esperta — comentou Mia. — O nome tem classe.

— Ela tinha as duas qualidades, tanto esperteza quanto classe. Tinha sido uma cozinheira de mão cheia a vida inteira, e adorava receber pessoas. Era uma excelente anfitriã. Foi ela quem me ensinou tudo. Trabalhar nisso era uma coisa que adorávamos fazer juntas.

— Um laço que unia as duas — completou Mia. — Um laço forte e adorável.

— Sim. Mudamo-nos para Chicago e conquistamos uma reputação muito boa na cidade. Enquanto isso, eu fazia faculdade, cuidava dos livros da empresa e acabava me infiltrando nas altas rodas, devido ao trabalho. Quando completei vinte e um anos, passei a trabalhar com ela em horário integral. Acabamos nos expandindo e formamos uma lista de clientes da alta elite. Foi assim que conheci Evan, em uma festa em Chicago que estávamos organizando. Uma festa totalmente VIP, para pessoas muito importantes. Eu já estava com vinte e quatro anos, então. Ele era dez anos mais velho que eu, e também era tudo o que eu não era. Sofisticado, brilhante, culto.

— Por que diz isso de si mesma? — reclamou Mia, levantando um dedo. — Você é uma mulher viajada, tem ótima instrução, é bem-informada e possui uma habilidade invejável, um verdadeiro dom.

— Não me sentia nem um pouco assim na época. Não via nenhuma dessas coisas quando estava com ele. — Nell deu um longo suspiro. — De qualquer modo, não frequentávamos os mesmos círculos. Eu apenas cozinhava para os ricos, os poderosos, os glamourosos; não me sentava à mesa com eles. Evan fez-me sentir de certa forma... grata, simplesmente por prestar atenção em mim. Como se isso fosse uma espécie de elogio. Só agora eu entendo isso.

Balançou a cabeça para os lados e continuou.

— Ele começou a flertar comigo, e era tudo muito empolgante. Recebi duas dúzias de rosas no dia seguinte, então mais dúzias depois. Rosas vermelhas. Eram sempre rosas vermelhas. Ele me convidou para sair e me levou a peças, recitais, festas, restaurantes fabulosos. Ficou em Chicago por mais duas semanas e tornou claro para mim que estava ficando na cidade, reorganizando a sua agenda, adiando encontros com clientes importantes, todo o seu trabalho, toda a sua vida, apenas por mim. Eu estava destinada a ele.

Nell sussurrou, então, esfregando os braços com as mãos, como se de repente estivesse sentindo frio. Em seguida, prosseguiu:

— Tínhamos sido feitos um para o outro. Ele me disse isso, e foi emocionante. Mais tarde, não muito mais tarde, tornou-se aterrador. No início, porém, ele me dizia coisas que pareciam românticas. Ficaríamos sempre juntos, jamais nos separaríamos, e ele jamais me deixaria ir embora. Evan me fascinava por completo. Quando pediu para que eu me casasse com ele, não pensei duas vezes. Minha mãe tinha certas reservas e sugeriu que eu esperasse um pouco mais, mas não dei ouvidos a ela. Um dia, nós fugimos, e eu voltei para a Califórnia com ele. A imprensa toda chamava aquele de "o romance da década".

— Ah, sim... — Mia balançou a cabeça quando Nell se virou. — Agora me veio essa lembrança. Mas você parecia muito diferente nessa época. Era como uma gatinha paparicada e embonecada.

— Eu tinha a aparência que ele queria e me comportava do jeito que ele queria. No início, foi tudo bem. Ele era mais velho, mais experiente e sábio, e eu era nova em seu mundo. Ele fazia parecer razoável, da mesma forma que fazia parecer assim... instrutivo, quando me dizia que eu estava com a aparência um pouco pesada ou apagada. Ele *sabia* das coisas. Por isso, sempre que me mandava trocar de vestido antes que me fosse permitido colocar os pés fora de casa, estava apenas procurando proteger meus interesses e a nossa imagem pública. Tudo era muito sutil no início, aquelas indiretas, aquelas exigências. E sempre que o deixava satisfeito, ganhava um presente. Como uma cadelinha que estava sendo treinada. *Olhe, isto é para você, meu amor, por ter sido uma boa companhia, na noite passada. É apenas um bracelete de diamantes.* Ah, Deus, fico enojada de ver agora com que facilidade eu era manipulada.

— Você estava apaixonada, Nell.

— Sim, eu realmente o amava. Amava o homem que imaginei que fosse. E era tão inteligente, esperto, tão incansável para me agradar. Na primeira vez em que me bateu, foi um choque horrível, mas jamais me ocorreu que eu não tivesse merecido aquilo. Tinha sido muito bem-adestrada. E tudo foi piorando, mas muito devagar, pouco a pouco. Minha mãe foi morta, pouco mais de um ano depois que eu parti, por um motorista bêbado... — A voz de Nell começou aos poucos a ficar mais tensa.

— De repente, você ficou sozinha no mundo. Isso é horrível.

— Mas ele foi tão gentil, me apoiou tanto! Fez todos os arranjos, cuidou dos detalhes, cancelou todos os compromissos por uma semana para me levar a Chicago. Fez tudo o que um marido amoroso poderia fazer. No dia em que voltamos para casa, porém, ele se mostrou selvagem. Esperou até que estivéssemos sozinhos e dispensou todos os empregados. Então, me bateu, enfurecido, e me esbofeteou. Nunca usou os punhos para me atingir, batia o tempo todo com a mão aberta. Acho que, de certa forma, assim era ainda mais degradante. Acusou-me de estar tendo um caso com um dos amigos que haviam comparecido ao enterro. Um homem que havia sido um grande amigo de meus pais, por muitos anos. Um homem gentil e decente, a quem eu sempre considerara como uma espécie de tio.

Ao ver com surpresa que sua taça estava vazia, Nell caminhou de volta até a mesa, e se serviu de mais um pouco. Havia pássaros cantando em volta delas, e uma linda sinfonia de grilos entre as flores.

— Bem, Mia... Nós não precisamos de um relatório golpe por golpe. Ele simplesmente abusou de mim, de todas as maneiras. E eu aceitei.

Levantou a taça, bebeu, e endireitou as costas.

— Fui até a polícia, uma vez, dar queixa. Ele tinha um monte de amigos em toda a força policial, exercia muita influência. Eles nem me levaram muito a sério. É claro que eu tinha algumas marcas roxas para exibir, mas nada que pudesse caracterizar uma ameaça à minha vida. Ele descobriu tudo, e me explicou calmamente, de uma forma que eu pudesse compreender com total clareza, que, se eu tornasse a humilhá-lo daquela forma novamente, ele me mataria. Eu cheguei a fugir uma vez, mas ele me encontrou. Falou que eu pertencia a ele, e que jamais me deixaria ir embora. E me falou isso com as mãos em volta da minha garganta. Completou dizendo que, se alguma vez eu tentasse deixá-lo novamente, ele me encontraria, nem que fosse no fim do mundo, e me mataria. Ninguém jamais ficaria sabendo. E eu acreditei nele.

— Mas mesmo assim você o abandonou.

— Planejei tudo por seis meses, passo a passo, sempre com toda a calma, para não aborrecê-lo nem levantar suspeitas. Nós recebíamos, dávamos festas, viajávamos, dormíamos juntos. Éramos o quadro perfeito de um casal bem-sucedido e feliz. Mesmo assim, ele ainda me batia. Havia sempre alguma coisa que eu não fazia exatamente como ele queria, mas sempre me desculpava. Comecei a desviar algum dinheiro, sempre que podia, e o guardei em uma caixa de absorventes. Tinha certeza de que jamais ele olharia ali. Consegui uma carteira de motorista falsa, também, e a escondi no mesmo lugar. E então, finalmente, estava pronta.

Nell levantou a cabeça e olhou para Mia.

— Evan tinha uma irmã que morava em Big Sur, a alguns quilômetros de Monterey. Ela tinha preparado um chá beneficente, muito elegante, só para mulheres. Eu, evidentemente, estava sendo esperada na festa. Naquela manhã, porém, comecei a reclamar de uma forte dor de cabeça, o que, é claro, o deixou muito aborrecido. Reclamou que eu estava apenas inventando desculpas para não ir ao chá. Disse que mulheres que eram clientes de sua firma estariam lá e que eu estava planejando apenas embaraçá-lo, não aparecendo assim, na última hora. Então eu concordei que iria. *É claro* que eu iria. Era só tomar uma ou duas aspirinas e ficaria bem. Sabia perfeitamente que a minha relutância em ir à festa ia fazer com que ele me obrigasse a sair de casa.

Acho que eu tinha ficado mais esperta também, pensou Nell consigo mesma, enquanto relatava a história. *Mais falsa, mais dissimulada.*

— Eu nem mesmo estava assustada — continuou. — Ele saiu para jogar golfe, e eu coloquei tudo de que ia precisar no porta-malas do carro. Parei no caminho e comprei uma peruca preta. Apanhei uma bicicleta de segunda mão que comprara, uma semana antes, e a coloquei também no porta-malas. Parei mais uma vez antes de chegar à festa e escondi a bicicleta atrás de umas folhagens, em um ponto deserto da estrada que havia escolhido com antecedência. Segui, então, pela Rodovia Um, em direção ao sul, e fui para o chá.

Nell se sentou, afinal, e continuou a contar sua aventura, enquanto Mia ouvia tudo em silêncio.

— Fiz questão de mostrar ao maior número possível de convidadas que eu não estava me sentindo bem. Minha cunhada Bárbara, a irmã de Evan, chegou a sugerir que eu fosse me deitar um pouco, para descansar e ver se melhorava. Esperei até que a maioria dos convidados tivesse ido embora, e então agradeci a ela pelo chá e pela tarde tão adorável. Ela parecia muito preocupada comigo. Eu estava abatida, muito pálida. Consegui me desvencilhar dela e chegar ao carro.

A voz de Nell estava muito calma, quase monocórdica. Era como se estivesse contando uma história ligeiramente desagradável, mas que havia acontecido com outra pessoa.

Era isso que sentia; era isso que dizia a si mesma.

— Já havia anoitecido. Era preciso que estivesse bem escuro, para tudo dar certo. Liguei para Evan pelo celular e avisei que já estava a caminho. Ele sempre fazia questão disso, para me controlar. Ao chegar à reta onde havia escondido a bicicleta, vi que não havia mais nenhum carro, em ambas as direções. Soube então que o plano ia funcionar. *Tinha* que funcionar. Soltei o cinto de segurança. Não cheguei a pensar direito. Já havia praticado aquilo milhares de vezes em minha mente, portanto, não me dei ao luxo de pensar. Abri a porta do carro, com o veículo em movimento, ainda dirigindo, desviando, acelerando cada vez mais. Mirei a ponta do abismo. Se não conseguisse pular fora... Bem, não poderia ser muito pior para mim. Pulei na hora H. Era como estar voando. O carro foi arremessado por sobre a amurada e planou como um pássaro, antes de se arrebentar de encontro às rochas, fazendo um estrondo horrível. Depois, capotou, foi rolando e afundou nas águas. Saí correndo até o lugar onde escondera a sacola e a bicicleta. Despi minha linda roupa de festa, coloquei um jeans velho, uma camiseta e a peruca preta. Continuava calma e fria, sem medo.

Não, pensou Nell. Naquele momento ela não tivera medo, não naquela hora. Agora, porém, ao reviver toda a cena, a sua voz estava começando a tremer. Tudo aquilo não havia acontecido com outra pessoa, afinal.

— Desci pelas montanhas, subindo e descendo as ladeiras, até chegar a Carmel. Lá, fui direto para a rodoviária e paguei em dinheiro vivo por uma passagem até Las Vegas. Quando entrei no ônibus, e ele começou a andar, saindo da estação, fiquei com medo. Com medo de que ele fosse aparecer a qualquer momento e fazer o ônibus parar. Então, eu teria perdido tudo. Só que ele não apareceu. Ao chegar em Las Vegas, peguei outro ônibus para Albuquerque. Atravessei os estados de Nevada e Arizona, e cheguei até Albuquerque, no Novo México. Foi aí que eu comprei um jornal e li a respeito da morte trágica de Helen Remington.

— Nell... — Mia esticou o braço e apertou a mão da amiga, cobrindo-a com a sua de modo carinhoso. Tinha a impressão de que ela não estava consciente de que já estava em prantos há quase dez minutos. — Eu jamais encontrei alguém assim como você também, minha amiga.

— Obrigada. — Nell levantou sua taça, deixando as lágrimas escorrerem pelo rosto, fazendo um brinde.

Por insistência de Mia, ela passou a noite lá. Parecia o melhor a fazer. Depois de todas aquelas taças de champanhe e da purificação emocional que experimentara, ela se deixou ser levada até uma imensa cama com quatro pés altos e trabalhados. Sem protestar, vestiu a camisola de seda emprestada, aninhou-se entre os macios lençóis de linho e caiu instantaneamente em um sono profundo.

Acordou no meio da noite, com o quarto escuro, mas o céu completamente iluminado pela lua.

Levou alguns instantes até conseguir se orientar, lembrar-se de onde estava e do que a havia acordado. Aquele era o quarto de hóspedes de Mia, lembrou-se então, ainda sonolenta. E havia pessoas cantando.

Não, não apenas cantando... Estavam entoando hinos, ao longe. Eram sons adoráveis e melodiosos, porém distantes, quase inaudíveis. Atraída por eles, Nell se levantou e, ainda tonta de sono, se encaminhou para as portas que davam para o terraço.

Abrindo-as, sentiu o vento morno e penetrante e saiu pisando no chão iluminado pela luz perolada de uma lua que estava entrando em quarto minguante. O aroma das flores parecia subir até ali e envolvê-la, até que sua cabeça começou a girar, como se estivesse dentro do vento.

O som da batida do coração do mar era rápido, quase furioso, e o seu próprio coração começou a bater mais acelerado, como se estivesse tentando acompanhar-lhe o ritmo.

Foi então que viu Mia, vestida com um longo manto que tinha o brilho de prata sob a luz do luar. Estava saindo do bosque, onde as árvores oscilavam de um lado para o outro, como bailarinas.

Mia foi caminhando devagar até a ponta do penhasco. A prata de seu manto e as chamas do seu cabelo se agitavam ao vento. Ao chegar lá, acima das rochas mais altas, encarou o mar e levantou os braços bem para o alto, em direção às estrelas e à lua.

O ar se encheu de vozes e sussurros, e as vozes pareciam estar cheias de alegria. Com os olhos extasiados e maravilhados, enchendo-se de lágrimas repentinas que não conseguia compreender, Nell viu quando a luz, dividindo-se em raios cintilantes, desceu do céu e alcançou as extremidades dos dedos de Mia e as pontas de seus cabelos esvoaçantes.

Por um momento parecia que ela era uma vela, reta, fina, incandescente, iluminando a borda do mundo.

Então, de repente, tudo cessou e havia apenas o som das ondas, a luz branco-pérola da lua minguante, e uma mulher que estava sozinha na beira do penhasco.

Mia se virou e caminhou lentamente de volta, em direção à casa. Levantou a cabeça, e seus olhos se encontraram com os de Nell. E se mantiveram ali, unidos... Completamente unidos.

Sorrindo suavemente, ela se encaminhou para as sombras da casa. E desapareceu.

Capítulo Sete

Ainda estava escuro quando Nell desceu, pé ante pé, até a cozinha de Mia. A casa era imensa, e levou algum tempo até que ela conseguisse se encontrar. Embora não estivesse certa da hora em que Mia geralmente se punha de pé, preparou uma jarra de café para sua anfitriã e escreveu um pequeno bilhete de agradecimento, antes de sair.

Elas teriam que conversar, pensou Nell enquanto dirigia de volta para sua casa na suave luz do pré-alvorecer. Precisavam conversar sobre várias coisas. E iriam fazer isso, decidiu, assim que ela conseguisse descobrir por onde começar a abordar os assuntos.

Estava quase convencida de que o que vira sob a luz da lua não tinha sido nada além de um sonho induzido pela ingestão exagerada de champanhe. Quase convencida... o problema é que tudo estava muito claro em sua mente para ter sido apenas um sonho.

A luz que escorria das estrelas como prata líquida. Um rumor envolvente no vento que parecia cheio de música. Uma mulher que brilhava como uma tocha à beira de um penhasco.

Tais coisas só poderiam ser fruto de fantasia. Mas não pareciam ser... E se tudo o que presenciara era real e ela era parte disso, precisava saber o que tudo aquilo significava.

Pela primeira vez em quase quatro anos ela se sentiu absolutamente firme e completamente calma. Por agora, isso era o suficiente.

* * *

Por volta de meio-dia estava ocupada demais para pensar em algo mais além do trabalho à sua frente. No bolso, o cheque do pagamento de seu primeiro salário, e um dia de folga logo a seguir.

— Um *cappuccino* gelado com creme de avelãs, por favor, tamanho grande. — O homem que fizera esse pedido se inclinou sobre o balcão assim que Nell começou a preparar a máquina. Parecia ter trinta e poucos anos, possuía um porte atlético de quem frequentava alguma academia, e vinha do continente.

Ela se sentia de certa forma orgulhosa por já conseguir, com bastante precisão, reconhecer alguém do continente. E sentir a reação ligeiramente presunçosa de uma moradora permanente da ilha.

— Diga-me... Quanto de afrodisíaco você coloca nesses *cookies* maravilhosos? — perguntou o cliente.

— Como disse? — Ela franziu as sobrancelhas, olhando para ele.

— Desde que provei seu bolinho de aveia com passas, não consegui mais tirá-la da minha cabeça.

— É mesmo? E eu que jurava que tinha colocado toda a poção afrodisíaca no recheio de nozes.

— Nesse caso, vou levar três desses também — replicou ele. — Meu nome é Jim, e você me seduziu completamente com seus dotes culinários.

— Então, é melhor você ficar longe da minha salada de três feijões, senão ela vai afastá-lo de todas as outras mulheres.

— Se eu comprar toda a salada de três feijões que você preparar, você casa comigo e me dá um monte de filhos?

— Bem, eu poderia me casar com você, Jim. O problema é que eu fiz um juramento sagrado para permanecer solteira e cozinhar por toda a eternidade para todo o mundo. — Colocou a tampa no café, ensacando-o em seguida e entregando-o para o cliente. — Você ainda vai querer aqueles *cookies*, assim mesmo?

— Pode crer que sim, com certeza. E que tal apenas um piquenique na praia hoje à noite? Eu e alguns amigos estamos alugando uma casa para o fim de semana. Vamos preparar alguns moluscos e comidinhas na praia, hoje à noite, uma espécie de luau.

— Humm... Hoje é só um piquenique, amanhã uma casa bonita em um condomínio fechado e um *cocker spaniel*. — Abriu o caixa, pegando o dinheiro com um sorriso. — Não, o seguro morreu de velho. Mesmo assim, obrigada pelo convite.

— Assim você está partindo meu coração! — respondeu ele, e, dando um suspiro profundo de resignação, foi embora.

— Ai, meu Deus, ele é tão lindo! — Peg esticou o pescoço para mantê-lo ao alcance da vista, até que descesse as escadas. — Você não está mesmo nem um pouco interessada, Nell?

— Não. — Nell arrancou o avental e fez um sinal de pouco caso com os ombros.

— Então não vai se incomodar se eu der uma paquerada nele?

— Fique à vontade. Olhe, tem bastante salada de feijões no *freezer*. E... Peg... Obrigada por ter sido tão compreensiva comigo, ontem.

— Ora, todo mundo fica meio esquisito de vez em quando. Até segunda!

Até segunda..., pensou Nell. Era simples assim. Ela era um membro da equipe, e elas eram amigas. E conseguira naquela manhã dispensar o interesse e a insistência de um homem atraente sem ficar nervosa.

Para falar a verdade, ela até gostara daquilo, do mesmo jeito que costumava gostar de coisas desse tipo. Chegaria o dia em que não sentiria mais aquela necessidade compulsiva de se afastar de um homem que se mostrasse interessado nela.

Um dia, quem sabe, ela seria capaz de ir a um piquenique noturno na praia com um homem e alguns amigos. Conversar, rir, curtir esses momentos e a companhia de outras pessoas. Amizades casuais e leves. Jamais poderia haver qualquer relacionamento sério no futuro, mesmo que ela conseguisse reaprender a lidar emocionalmente com isso.

Afinal de contas, ela era uma mulher legalmente casada... Ainda.

No momento, porém, isso era mais uma rede protetora, e deixara de ser o pesadelo que tinha sido. Ela estava livre para ser quem bem quisesse, apenas não estava livre o suficiente para ter laços com outro homem — pelo menos não qualquer um.

Decidiu que merecia um sorvete de casquinha e uma volta pela praia. As pessoas a chamavam pelo nome enquanto passava, e esse fato simples era, por si só, uma pequena emoção.

Ao descer na praia e começar a caminhar pela areia, avistou Pete Stahr e seu cachorro infame. Ambos pareciam envergonhados, e Zack estava ao lado deles, com as mãos nos quadris.

Ele jamais usava chapéu, conforme a aconselhara a fazer quando estivesse trabalhando no jardim. Como resultado disso, seus cabelos estavam mais claros nas pontas e quase sempre se mostravam em desalinho, revoando na brisa que vinha do oceano. Raramente usava o distintivo também, ela já reparara nisso, mas a sua arma ficava dentro do coldre ao seu lado, quase casualmente.

De repente lhe ocorreu que, se fosse ele o homem que tivesse passado na cafeteria e a chamasse para um piquenique noturno na praia, ela não teria recusado.

Quando o cão estendeu a pata, em uma atitude esperançosa, Zack abanou a cabeça e apontou para a coleira que Pete segurava. Depois de presa, o homem e o cão se afastaram, andando devagar e com a cabeça baixa.

Zack se virou, e o sol refletiu em seus óculos escuros. Nell, porém, sabia instintivamente que ele estava olhando para ela. Cruzou os braços e foi andando em direção a ele.

— Olá, xerife.

— Oi, Nell. Pete deixou o cão fora da coleira, outra vez. Mutt fede mais que uma peixaria inteira. Cuidado, seu sorvete está escorrendo!

— Está quente. — Nell lambeu as laterais do cone e resolveu continuar a comer o resto. — A respeito de ontem...

— Você está se sentindo melhor?

— Sim.

— Que bom! Posso pegar um pouquinho? — e apontou o sorvete.

— O quê? Ah, claro. — Segurando a ponta da casquinha, sentiu uma espécie de formigamento no sangue quando ele aproximou a boca e lambeu um pouco, alguns centímetros acima das pontas de seus dedos. Engraçado, pensou, não tinha tido nenhum formigamento desse tipo diante do sujeito bonito que a convidara para o luau. — E então, Zack, você não vai perguntar o que queria saber?

— Não enquanto você não quiser. — Sim, ele reparara a rigidez dos seus ombros enquanto ela andava em sua direção. — Por que você não caminha um pouco comigo? Está vindo um ventinho gostoso do mar.

— Estava pensando no outro dia... O que é que a Lucy fica fazendo o dia inteiro, enquanto vocês estão fora, mantendo a lei e a ordem?

— Ah, uma porção de coisas. Tarefas caninas.

— Tarefas caninas?... — Essa resposta a fez soltar uma gargalhada.

— Claro. Em certos dias, um cachorro deve ficar andando em volta da casa, cheirando tudo, rolando na grama e tendo profundos pensamentos.

Outras vezes, ela vem comigo até a delegacia, quando está com vontade. Ela também nada e mastiga as pontas dos meus sapatos. Estou até pensando em comprar um irmão ou uma irmã para ela.

— Pois eu estou pensando em arranjar um gato. Acho que não vou conseguir adestrar um cachorrinho. Com um gato é mais fácil. Vi um anúncio, no quadro de avisos do mercado, de uma pessoa que está doando gatinhos.

— É a gata da filhinha dos Stuben. Eles ainda estavam com um ou dois, da última vez que eu soube. A casa deles fica na outra ponta da praia. É uma casa toda branca, com janelas e cortinas azuis.

Nell balançou a cabeça para a frente e depois parou, pensativa. O impulso, ela se lembrava naquele momento, lhe tinha feito bem até agora. Por que parar de segui-lo?

— Olhe, Zack, vou testar uma nova receita hoje à noite. Salada de atum com macarrão *linguini*, daquele bem fininho, tomates secos e queijo grego, do tipo "feta". Estou precisando de uma cobaia para experimentar.

— Bem... — Levantando a mão de novo, ele deu outra lambida no sorvete dela, que continuava escorrendo. — Acontece que, por acaso, eu não tenho nada de urgente para resolver hoje à noite e, como xerife, devo fazer tudo o que estiver ao meu alcance pelo bem da comunidade. Para que horas você está planejando esse teste?

— Às sete está bom para você?

— Para mim está ótimo.

— Muito bem. Vejo você lá em casa, então. Pode vir com bastante fome. — Tendo dito isso, saiu correndo.

— Pode ter certeza! — respondeu ele, e baixou os óculos até a ponta do nariz para olhá-la melhor enquanto ela corria de volta, em direção à cidade.

Às sete em ponto, os aperitivos já estavam prontos, e o vinho estava gelando. Nell comprara uma mesa de segunda mão e planejara passar parte do seu próximo dia de folga raspando a tinta velha e repintando a mesa. Por enquanto, cobriu, com uma toalha bonita, a madeira arranhada e a tinta verde original que estava descascando.

Colocou-a no gramado dos fundos, junto com duas cadeiras antigas que conseguira por uma pechincha. Não estavam exatamente bonitas, mas eram trabalhadas e tinham um grande potencial. Mais do que isso... Eram totalmente dela.

Preparara a mesa para duas pessoas. Havia dois pratos, duas tigelas e duas taças de vinho, tudo isso comprado em uma loja de produtos baratos que havia na ilha. Nada combinava com nada, mas ela achou que o resultado final estava informal, alegre e até charmoso.

Principalmente tão distante do seu passado de porcelanas finas e pratarias pesadas quanto seria possível.

O jardim estava se desenvolvendo muito bem, e as mudas dos tomateiros, dos pés de pimenta, de abóbora-moranga e abobrinha já estavam prontas para serem plantadas na manhã seguinte.

Ela já estava ficando quase sem dinheiro, mais uma vez, e se sentia muito contente com isso.

— Ora, ora, isso não está lindo?

Nell se virou em direção à voz feminina que ouvira e viu Gladys Macey parada bem na ponta do gramado, segurando uma gigantesca bolsa branca.

— Isso está tão bonito que parece uma pintura — repetiu a visitante.

— Sra. Macey! Olá.

— Espero que você não se incomode por me ver aqui, aparecendo assim de repente, sem avisar. Na verdade, eu teria telefonado, mas sei que você não tem telefone.

— Não, realmente não tenho. Ahn... A senhora quer alguma coisa para beber?

— Não, não, não se preocupe com isso. Vim aqui para tratar de negócios.

— Negócios?...

— Sim, na verdade, sim. — Seu penteado duro, que mais parecia um capacete de cabelo preto, quase não se moveu quando ela balançou a cabeça para frente vigorosamente. — É que Carl e eu vamos fazer trinta anos de casados no final de julho.

— Puxa, meus parabéns!

— É para receber parabéns, mesmo. Duas pessoas ficarem juntas por três décadas, não é fácil. E já que é assim, eu gostaria de dar uma festa, e acabei de dizer para Carl que ele não vai escapar de colocar um terno decente para a ocasião. Estive pensando se você não poderia organizar tudo para mim, inclusive a parte das bebidas.

— Eu?... Bem...

— Quero um serviço de bufê — disse Gladys, com decisão. — E quero que seja tudo muito bem preparado e apresentado. Quando minha filha se casou, fez dois anos agora em abril, nós contratamos uma empresa de bufê lá do continente. Ficou tudo formal demais para o meu gosto e caro demais para o gosto de Carl, mas a verdade é que não tínhamos outra opção na época. Tenho certeza de que você não seria tão formal assim, nem cobraria os olhos da cara por algumas tigelas de canapês de camarão.

— Olhe, Sra. Macey, eu agradeço muitíssimo que a senhora tenha pensado em mim para o serviço, mas eu não estou preparada para pegar um trabalho completo de bufê.

— Bem, mas você tem bastante tempo ainda para se preparar, não tem? Eu trouxe uma lista de quantas pessoas vou convidar e o tipo de festa em que estou pensando. — Tirando uma pasta da imensa bolsa, empurrou-a para as mãos de Nell. — Quero que a recepção seja na minha casa mesmo. Tenho o conjunto completo de porcelana fina que pertenceu à minha mãe e tudo o mais de que podemos precisar. Veja apenas o que você pode fazer, com os dados que estou lhe entregando. Pense com calma hoje à noite, e podemos combinar tudo amanhã. Apareça lá em casa depois do almoço.

— Olhe, eu realmente gostaria muito de ajudá-la. Talvez eu possa indicar... — Ela olhou para a pasta sem saber como continuar. Viu que Gladys havia escrito nela "Trigésimo Aniversário" com todo o cuidado, e colocara um coração com as duas iniciais, dela e de Carl, entrelaçadas no centro. Emocionada, enfiou a pasta debaixo do braço. — Tudo bem. Vou ver o que consigo fazer.

— Você é uma boa menina, Nell. — Gladys olhou para trás por cima dos ombros ao ouvir o som de um carro e levantou uma das sobrancelhas ao reconhecer a viatura de Zack. — E tem bom gosto também. Apareça então amanhã, para conversarmos e combinarmos tudo. Tenham um jantar e uma noite agradáveis.

E saiu caminhando em direção a seu carro, parando apenas para trocar algumas palavras com Zack. Deu-lhe um beliscão carinhoso na bochecha e reparou nas flores que trazia. Quando acabou de se instalar atrás do volante, começou imediatamente a imaginar para quem telefonaria primeiro para começar a espalhar a novidade de que Zachariah Todd estava cortejando a pequena Nell Channing.

— Desculpe, eu me atrasei um pouco. Tive uma pequena batida entre dois carros para registrar. Acabei passando da hora.

— Está tudo bem.

— Achei que você gostaria disto aqui para colocar no jardim.

Nell sorriu ao ver o vaso com minúsculas margaridas do tipo Shasta.

— São lindas! — Ela as pegou da mão dele, colocando-as no canto de um dos degraus da cozinha. — Obrigada, Zack. Vou pegar o vinho e os aperitivos.

— Humm... Tem alguma coisa por aqui cheirando maravilhosamente bem. — Entrou na cozinha logo atrás dela.

— Quando eu começo, acabo me animando e vou testando várias receitas diferentes. Você já está com a sua parte do trabalho preparada.

— E mal posso esperar. O que é isto aqui? — Agachou-se e fez carinho na cabeça de um gatinho cinza-claro que estava enroscado sobre uma almofada, no canto da cozinha.

— Ah, esse é o Diego. Estamos morando juntos.

O gatinho deu um pequeno miado, espreguiçou-se todo e começou então a brincar com o laço do sapato de Zack

— Estou vendo que tem andado ocupada. Cozinhando, comprando mobília nova, arranjando um companheiro de quarto. — Pegando Diego com as mãos, virou-se para ela. — Você é o tipo de pessoa que não consegue ficar parada, Nell.

Ele ficou ali, grande e bonitão, com um gatinho cinzento tentando escalar seus ombros. E ainda lhe trouxera margaridas brancas em um vasinho de plástico.

— Ah, droga! — Ela colocou a bandeja com os aperitivos de novo sobre a mesa e tomou fôlego. — É melhor eu resolver logo isso. Não quero que você fique com uma impressão errada a respeito desse convite, do jantar e de... outras coisas. Eu me sinto muito atraída por você, mas não estou em posição de agir de acordo apenas com meus sentimentos. Acho justo colocar logo tudo em pratos limpos. Tenho boas razões para manter essa distância, mas também não estou a fim de comentá-las com você. Então, se você preferir ir embora, tudo bem. Continuamos sendo amigos.

Ele ouviu tudo com atenção e atitude sóbria, esfregando o dedo entre as orelhas do gato.

— Bem, Nell, eu agradeço que você tenha dito tudo isso para mim, só que me parece uma pena desperdiçar toda essa comida. — Ele pegou uma azeitona recheada na bandeja, atirando-a certeiramente na boca. — Sendo assim, vou ficar por aqui, se dá no mesmo para você. Por que eu mesmo não levo o vinho lá para o jardim? — Apanhou a garrafa, ainda carregando Diego, e empurrou com o ombro a porta de tela que dava para fora. — Ah... E já que você quer jogo aberto, vou lhe dizer que pretendo continuar cutucando e tentando tirar você da toca. — Dizendo isso, manteve a porta aberta. — Quer trazer o resto das coisas aqui para fora?

— Eu não sou tão fácil assim de se tirar da toca como pode parecer.

— Querida, não há nada fácil em você.

— Bem, vou considerar isso como um elogio. — Ela pegou a bandeja, passando pela frente dele.

— Foi dito como elogio. Agora, que tal tomarmos um pouco de vinho, relaxarmos, e então você vai poder me contar o que é que Gladys Macey estava querendo?

Eles se sentaram. Ela serviu o vinho para ambos enquanto ele acomodava o gato no colo.

— Ora, eu pensei que você, sendo xerife, deveria saber tudo o que há para saber sobre o que está acontecendo na cidade.

— Bem... — Ele se curvou sobre a bandeja e se serviu de um nhoque. — Posso tentar deduzir, considerando-se que sou um observador treinado. Vejamos, há uma pasta sobre a bancada da cozinha, sobrescrita com a caligrafia de Gladys, o que me leva a crer que ela está planejando uma festa para o aniversário de casamento. E enquanto estou aqui sentado, diante das portas do céu por causa da maravilha que acabei de colocar na boca, e sabendo ainda que Gladys é uma mulher muito esperta, concluiria que ela está querendo que você prepare a festa dela. Que tal me saí?

— Bem na mosca!

— E você vai aceitar?

— Vou pensar a respeito.

— Você faria um grande trabalho. — Pegou outro salgadinho da bandeja, examinando-o com suspeita. — Tem algum cogumelo nisto aqui? Eu detesto cogumelos.

— Não; esta noite estamos a salvo dos terríveis cogumelos. Por que você acha que eu poderia fazer um bom trabalho?

— Eu não disse "um bom trabalho", falei "grande" trabalho. — E colocou o salgadinho na boca. Era uma espécie de massa folhada muito fina, com recheio de queijo cremoso e algumas ervas. — Porque você faz mágicas na cozinha, parece um anjo, e é organizada como um computador.

Consegue fazer as coisas bem-feitas e ainda por cima tem muito estilo. Por que não está comendo nada?

— Primeiro eu queria ver se você ia sobreviver. — Quando ele simplesmente riu e continuou comendo, ela se recostou na cadeira, mais relaxada, e provou o vinho. — Sou uma boa cozinheira. Coloque-me na cozinha e eu posso dominar o mundo! Sou apresentável, concordo, mas não pareço um anjo.

— Sou eu que estou olhando para você e sei o que estou falando.

— E, por fim, sou organizada — continuou — porque assim minha vida fica mais simples.

— O que é uma outra forma de me dizer que não está a fim de complicá-la envolvendo-se comigo.

— Na mosca, de novo! Vou pegar a salada.

Zack esperou até que ela saísse de vista antes de deixar o seu ar de contentamento aparecer.

— É muito fácil mexer com ela — disse, olhando para o gato. — Quando a gente sabe onde acariciar. Deixe-me contar para você uma coisa que aprendi, através dos anos, com as mulheres, Diego. Fique sempre trocando de ritmo, e elas jamais vão saber o que virá a seguir.

Quando Nell voltou da cozinha, Zack começou a contar a história do pediatra de Washington e do corretor financeiro de Nova York que haviam amassado os para-choques em uma batida leve na porta da farmácia, na Rua Alta.

Ele a fez rir, e isso a colocou à vontade novamente. Sem perceber, ela de repente já estava lhe contando a respeito de várias brigas a que assistira em restaurantes onde havia trabalhado.

— Temperamentos acirrados e instrumentos afiados... — dizia ela. — Essa é uma combinação muito perigosa. Certa vez, um chefe de cozinha me ameaçou com uma batedeira elétrica.

Como a noite estava caindo, ela acendeu a vela vermelha baixa e larga que havia colocado sobre a mesa.

— Nunca imaginei — começou Zack — que poderia haver tanto perigo e intriga por trás daquelas inocentes portas de vaivém.

— E tensão sexual também — acrescentou Nell, enroscando um pouco do *linguini* em volta do garfo, bem devagar. — Olhares furtivos ardendo em fogo brando por sobre panelas de caldo de galinha que fervem lentamente; corações despedaçados dentro da tigela de creme batido. É um foco de dor e violência.

— A comida possui mesmo toda essa sensualidade, sabia? O sabor, a textura, o perfume... Esta pasta de atum, por exemplo, está começando a me deixar excitado.

— Bem, então o prato passou no teste.

— É fantástico!

A luz da vela combinava com ela, pensou ele. Colocava pequenos pontos dourados e cintilantes dentro daquelas profundas águas azuis que eram os olhos de Nell.

— Você, quando prepara estes pratos, inventa tudo na hora, coleciona receitas e as segue à risca, como é que funciona?

— Funciona dos dois jeitos, porque eu gosto muito de experimentar. Quando a minha mãe... — Ela parou de falar bruscamente. Zack, porém, simplesmente pegou a garrafa de vinho e completou as duas taças deles. — Minha mãe gostava de cozinhar — continuou Nell, sem se estender no assunto — e de receber amigos, também.

— Pois a minha mãe... bem, vamos dizer apenas que a cozinha não era o seu ponto forte. Eu tinha doze anos quando descobri que uma costeleta de porco não devia quicar no chão, caso você a deixasse cair. Embora tenha vivido a vida inteira em uma ilha, no que lhe dizia respeito atum era algo que você retirava de dentro de uma lata. Apesar disso, ela é ótima com números.

— Números? Como assim?

— Estudou Contabilidade. É Contadora pública registrada, embora já esteja aposentada. Ela e meu pai compraram um daqueles *trailers* enormes que parecem uma mansão de metal sobre rodas e caíram na estrada, conhecendo todos os grandes lugares dos Estados Unidos. Já faz quase um ano, e estão se divertindo como nunca.

— Que legal! — Era muito agradável também sentir o inconfundível tom de afeição em sua voz. — Você sente saudade deles?

— Sinto. Não posso dizer que sinto saudade dos dotes culinários de minha mãe, mas me faz falta a sua companhia. Meu pai costumava se sentar na varanda de trás e ficar ali, tocando banjo. Sinto falta disso, também.

— Banjo...? — Soava bem charmoso. — Você sabe tocar?

— Não. Jamais consegui fazer com que meus dedos cooperassem.

— Meu pai tocava piano. Ele costumava... — Nell parou de falar de repente, mais uma vez tentando realinhar os pensamentos enquanto se levantava. — Eu nunca consegui que meus dedos cooperassem no piano, também. Bem, agora temos torta de morango como sobremesa. Seu estômago ainda consegue aguentar?

— Posso tentar engolir um pouco, só para parecer bem-educado. Deixe que eu lhe dou uma mãozinha.

— Não. — E fez sinal para Zack permanecer sentado antes mesmo de ele tentar se levantar. — Eu consigo me ajeitar. Vai levar apenas alguns minutos para... — Ela olhou para baixo enquanto acabava de limpar os restos de seu prato. Foi quando viu Diego esparramado de barriga para cima no colo de Zack, com uma expressão de êxtase. — Você não andou pegando comida e dando para este gato às escondidas, andou?

— Eu?... — Zack fez cara de completa inocência, enquanto pegava o copo de vinho. — Não sei de onde você tirou essa ideia.

— Você vai acabar mimando-o demais e ainda por cima vai deixá-lo doente. — Ela se inclinou para acariciar a barriga do gato. De repente, notou que, devido à localização de Diego, esse movimento poderia ser considerado íntimo demais. — Coloque-o no chão um pouco para que ele possa circular por aí e consiga digerir todo aquele atum, antes que eu o leve para dentro de casa.

— Sim, senhora!

Nell já havia acabado de preparar o café e estava começando a cortar duas fatias da torta, quando ele veio lá de fora trazendo a tigela de comida vazia.

— Obrigada, mas meus convidados não ajudam a tirar a mesa.

— Na minha casa, ajudam. — Zack olhou para a torta, que tinha aparência de estar macia, com uma massa branca e fofa por dentro e um recheio generoso, vermelho e suculento. Depois, olhou lentamente de volta para ela. — Meu bem, esta torta parece uma obra de arte.

— A boa apresentação já é meio caminho andado — replicou ela, satisfeita. Ficou completamente estática quando ele colocou a mão sobre a sua. Quase conseguiu relaxar novamente quando ele simplesmente movimentou-lhe a mão para que cortasse a fatia da torta um pouco mais larga.

— Sou um grande apreciador de obras de arte.

— Se continuar assim, Diego não vai ser o único a ficar doente por aqui. — Mesmo assim, cortou para ele uma fatia que tinha mais do dobro do tamanho da sua. — Vou servir o café.

— Eu deveria lhe contar algo mais — começou Zack, enquanto recolhia os pratos e segurava a porta aberta mais uma vez, para ela passar. — Estou planejando tocar em você. Muito. Acho que é melhor você começar a se acostumar com isso.

— Não gosto de ser tocada.

— Mas eu não pensei em começar desse jeito... — Ele foi até a mesa, onde colocou os pratos de torta e se sentou. — Embora ache que o ato de tocar um no outro pode trazer resultados muito satisfatórios. E eu não deixo marcas quando toco em mulheres, Nell. Não uso as minhas mãos dessa maneira.

— Não quero falar sobre isso — respondeu ela, cortando o assunto.

— Não estou pedindo para você falar. Estou apenas conversando a meu respeito, a respeito de você e sobre como as coisas estão agora.

— As coisas *não estão* de modo algum, agora... Pelo menos, não desse jeito.

— Mas vão ficar. — Ele colocou uma colherada da torta na boca, saboreando-a lentamente. — Meu Deus, garota, se você colocar esta maravilha à venda em grande escala no mercado, vira milionária em seis meses.

— Não preciso ser rica.

— Deixei você irritada novamente, hein? — observou ele, e continuou comendo com a maior calma. — Não me importo. Alguns homens procuram por uma mulher que possam trazer na coleira, manter sob as rédeas ou sei lá o que mais. — Fez um gesto de descaso com os ombros e espetou um morango grande e gordo. — Eu fico aqui pensando, comigo mesmo, por quê? Acho que isso faz o relacionamento perder a graça bem depressa, para ambos os lados. Aquela chama, aquela fagulha inicial acaba sumindo, se é que entende o que estou querendo dizer.

— Só que eu também não preciso de fagulhas.

— Todo mundo precisa. E pessoas que jogam a outra para o alto a cada vez que ela vira as costas e não a respeitam, bem... acho que isso acaba cansando.

Algo dizia a Nell que ele jamais se cansava ou desistia facilmente.

— E, se você não faz essa fagulha explodir de vez em quando — continuou ele —, acaba perdendo o chiado gostoso de ouvir, que vem com a explosão. Deve ser como cozinhar sem especiarias ou temperos. Acaba produzindo algo que dá para comer, mas não satisfaz plenamente.

— Todo esse papo é muito esperto, mas acontece que há muitos de nós que permanecem mais saudáveis seguindo uma dieta leve.

— É, pode ser... Meu tio-avô Frank, por exemplo. — Zack fez um gesto com a colher antes de pegar mais um pedaço da torta. — Tinha úlcera. Alguns diziam que aquilo veio por causa da avareza dele, e é difícil argumentar contra isso. O fato é que ele era um ianque de cabeça dura e também muito mesquinho. Jamais se casou. Preferia se enroscar na cama com seus livros-caixa a deitar-se com uma mulher. Conseguiu chegar aos noventa e oito anos.

— E qual é a moral dessa história?

— Bem, não estava pensando em moral, nem nada do tipo. Estava só me lembrando do meu velho tio Frank. Costumávamos ir jantar na casa da minha avó todo terceiro domingo do mês, quando eu era menino. Ela preparava a melhor carne assada do mundo, sabe, aquela rodeada com batatinhas e cenouras cozidas? Minha mãe não herdou o talento de minha avó para fazer carne assada... Mas, enfim, continuando, o velho tio Frank chegava na mesa e comia só arroz-doce, enquanto o resto de nós se empanturrava. O sujeito me deixava apavorado de tão esquisito. Não consigo olhar para um prato de arroz-doce até hoje sem sentir calafrios.

Deveria haver uma espécie de magia, pensou Nell, que tornava tão impossível não ficar completamente à vontade e relaxada ao lado de Zack.

— Acho que você está inventando metade dessas histórias do tio Frank.

— Nem uma palavra sequer. Pode ir lá olhar nos registros da Igreja Metodista da Ilha. Francis Morris Bigelow. Vovó se casou com um Todd, mas seu nome de solteira era Bigelow, e era a irmã mais velha de Frank. Ela mesma viveu até um pouco além dos cem anos. Existe uma tendência em minha família que nos faz viver até idades avançadas. Talvez seja por isso que a maioria de nós não se estabelece, nem casa e cria família, até bem depois dos trinta.

— Entendo... — Vendo que ele já tinha acabado de comer toda a fatia da torta, Nell empurrou a dela em sua direção e não ficou nem um pouco surpresa ao ver que ele avançou com a colher sobre o prato. — Eu sempre imaginei que os ianques da Nova Inglaterra fossem tipos mal-humorados, carrancudos e calados. Você sabe, "Sim... Não... Talvez...".

— Pois nós gostamos muito de tagarelar, em minha família. A Ripley pode ser de falar pouco, mas também ela não gosta muito de gente. Puxa...

Esta foi a melhor refeição que eu já comi desde os jantares de domingo na casa da minha avó.

— Ora, isso é o máximo como elogio!

— Podíamos encerrar a noite com chave de ouro se fôssemos dar uma volta pela praia.

Ela não conseguiu pensar em um motivo para dizer não. Na verdade, talvez nem quisesse.

A luz estava desaparecendo completamente, e as pontas do horizonte já se achavam mergulhadas na escuridão. Uma luz tênue ainda tentava penetrar sobre a linha do mar ao fundo, com um tom rosado que ainda brilhava um pouco no oeste. A maré estava baixa e deixara uma larga passarela de areia escura, dura e úmida, que parecia fria sob os pés. A borda das ondas vinha implicar com ela, espumando em faixas que chegavam e voltavam, enquanto pássaros magros com pernas finas como gravetos ainda bicavam o solo em busca do jantar.

Havia outras pessoas passeando pela praia. Quase todos eram casais, Nell reparou. Caminhavam de mãos dadas, ou abraçados. Como precaução, ela enfiou as mãos nos bolsos, depois de arrancar os sapatos, e dobrou as pernas da calça até as canelas.

Aqui e ali havia pilhas de madeira que se transformariam em fogueiras assim que a noite caísse totalmente. Ela tentou imaginar como seria ficar ali sentada em volta do fogo com um grupo de amigos. Apenas para rir e conversar sobre coisas sem importância.

— Ainda não vi você cair — disse Zack.

— Cair?

— Na água — explicou ele.

Ela nem sequer tinha roupa de banho, mas não viu motivos para confessar tal coisa.

— Já andei molhando os pés algumas vezes.

— Você não sabe nadar?

— Ora, é claro que sei!

— Então, vamos lá.

Ele a pegou no colo tão rápido que seu coração ficou espremido entre o peito e a garganta. Mal conseguia respirar, muito menos gritar. Antes de entrar totalmente em pânico, já estava dentro d'água.

Zack ria, girando-a ao seu redor e ficando de costas para as ondas de modo a protegê-la. Ela escorregava, rolando, lutando para conseguir firmar os pés no fundo, quando de repente ele simplesmente a apertou pela cintura, colocando-a em equilíbrio.

— Você não pode morar na Ilha das Três Irmãs sem ser batizada — Ajeitando o próprio cabelo para trás, ele a empurrou para o fundo.

— Está congelando — reclamou ela.

— Que nada, a água está uma delícia — corrigiu ele. — Seu sangue é que ainda está muito fino. Cuidado; lá vem outra onda grande. É melhor se segurar em mim.

— Não, eu não quero... — Quisesse ela ou não, o mar tinha suas próprias ideias. A onda a atingiu, ela perdeu o pé e viu suas pernas se embaralharem nas dele. — Seu bobão! — gritou. Mas já estava rindo muito quando voltou à superfície. Ao sentir o ar que atingia sua pele, rapidamente se abaixou até ficar com a água na altura do pescoço. — O xerife da cidade deveria ter mais juízo, em vez de ficar se atirando no mar totalmente vestido.

— É verdade. Eu podia tirar a roupa, mas a gente ainda não se conhece o suficiente para isso. — Ele jogou-se para trás, boiando preguiçosamente. — Olhe, as primeiras estrelas já estão aparecendo. Não há nada mais belo do que isso. Vamos lá, concorde comigo.

O mar a agitou de novo e a fez se sentir sem peso, enquanto ela olhava para cima e apreciava o céu que mudava de cor. Conforme a escuridão se intensificava, as estrelas começavam a brilhar e ganhar vida.

— Tudo bem, eu concordo. Isso é lindo, só que eu continuo congelando.

— Tudo de que você precisa é de um inverno na ilha para fazer o seu sangue ficar um pouco mais grosso. — Ele a pegou pela mão, fazendo uma conexão tranquila enquanto voltavam lentamente, a um braço de distância um do outro. — Sabe, eu nunca passei mais de três anos longe desta ilha, e isso porque estava fazendo faculdade. Aguentei três anos, mas não dava para aguentar mais. De qualquer modo, sempre soube o que queria fazer na vida. E acabei fazendo.

O ritmo das ondas, a extensão do céu... e o fluir calmo das palavras dele vindo da escuridão ao lado dela.

— É uma coisa mágica, não é? — disse Nell, suspirando profundamente enquanto a brisa fria e úmida sussurrava em seu rosto. — Saber o que você quer, simplesmente ter certeza. E conseguir alcançar.

— Bem, a magia não faz mal, mas o trabalho ajuda. E também a paciência, a perseverança e tudo mais.

— Eu sei o que eu quero, agora, e estou sentindo que vou conseguir. Isso é mágico para mim.

— Bem, Nell, nesta ilha jamais faltou esse ingrediente. Acho que é por ter sido fundada por bruxas, talvez.

— Você acredita nesse tipo de coisas?—A surpresa tingiu-lhe a voz.

— E por que não deveria acreditar? As coisas são o que são, não importa se as pessoas acreditam ou não. Havia luzes na noite passada no céu e não eram as estrelas. Uma pessoa pode até fingir que não vê e ficar olhando para o outro lado, mas mesmo assim as luzes vão continuar lá.

Ele parou, com os pés firmes no fundo novamente, levantou-a, até que ela se viu olhando direto para ele, com a água emitindo um suave vapor entre os dois, no nível do peito. A noite chegara de vez, e as luzes das estrelas salpicavam e cintilavam sobre a superfície da água.

— Você pode tentar fugir de uma coisa como esta. — Ele afastou algumas pontas de cabelo molhado que estavam grudadas no rosto dela e deixou as mãos ficarem ali, levemente encostadas. — Mas mesmo assim, ela ainda vai continuar no mesmo lugar.

Ela apoiou uma das mãos sobre seu ombro, e a boca dele inclinou-se lentamente em direção à dela. Nell tentou desviar o rosto, ordenou a si própria que desviasse, que voltasse para onde tudo era seguro, organizado e simples.

Mas a fagulha sobre a qual ele havia falado estalou bruscamente dentro dela, quente e brilhante. Ela apertou os dedos sobre a camisa molhada de Zack e se entregou ao sentimento.

Sentia-se viva. Gelada na superfície do corpo, onde o ar escovava-lhe a pele com suavidade. Quente por dentro, na barriga, onde o desejo começou a crescer. Testando a si própria, inclinou-se em direção a ele e deixou os lábios se separarem para receber os dele.

Zack demorou muito tempo, aproveitando aquele momento, tanto por si mesmo quanto por ela. Experimentando, saboreando. Ela estava com aquele gostinho de mar. Com um cheiro de praia. Por um momento, ali na superfície encharcada de estrelas, ele se deixou afogar.

Lentamente foi, afinal, se afastando, deixando as mãos descerem devagar pelos braços dela, até que seus dedos se entrelaçaram.

— Não é assim tão complicado — disse antes de beijá-la de novo, devagar, levemente, embora manter essa leveza fosse difícil para ele. — Vou levá-la para casa.

Capítulo Oito

— Mia, será que eu poderia falar com você?
Faltavam dez minutos para a loja abrir, e Nell estava descendo às pressas as escadas que vinham para o andar de baixo. Lulu já estava recebendo os pedidos que haviam chegado pelo correio e lançou-lhe um daqueles olhares tipicamente desconfiados. Mia estava dando os toques finais na arrumação de uma nova vitrine.

— Claro, Nell. O que foi?

— Bem, eu... —A loja era relativamente pequena e estava vazia, de modo que Lulu iria ouvir cada palavra do que Nell queria dizer. — É que eu pensei que talvez fosse melhor irmos até o seu escritório, por alguns minutos.

— Pode falar aqui mesmo, está tudo bem. Não deixe essa cara azeda da Lulu desanimar você. — Mia estava dando o toque final em uma torre de livros, formada pelos lançamentos daquele verão. — Provavelmente ela está muito preocupada, achando que você vai me pedir algum dinheiro emprestado e que, como eu tenho um coração mole, além de um miolo mole, vou acabar deixando que você me tire cada centavo sem enxergar nada, até que finalmente, um belo dia, vou estar falida e acabarei morrendo pobre, solitária e abandonada em alguma sarjeta imunda. Não estou certa, Lulu?

Lulu simplesmente fungou e enfiou com violência a chave da caixa registradora na fechadura da gaveta.

— Não, não... — Nell apressou-se em responder. — Não é a respeito de dinheiro. Eu jamais pediria dinheiro, ainda mais depois de você ter sido tão... Ah, droga! — Nell enfiou os dedos entre os cabelos e os puxou para trás com tanta força que a dor chegou a repuxar-lhe a espinha. Deliberadamente, ela se virou e se dirigiu a Lulu.

— Olhe eu compreendo que você se preocupe com Mia e tente protegê-la, Lulu. Sei também que você não tem nenhum motivo para confiar em mim. Eu surgi do nada, com as mãos abanando, e estou aqui há menos de um mês. Mas não sou ladra e jamais uso as pessoas em meu benefício. Estou trabalhando com muita disposição e garra e vou continuar agindo assim. Se por acaso a Mia me pedisse para tentar servir sanduíches dançando em um pé só em volta das mesas e cantando a música da "Noviça Rebelde", eu atenderia o pedido dela e tentaria fazer o melhor possível. Porque eu surgi do nada, como disse, e ela me deu uma oportunidade.

— Eu bem que gostaria de assistir a essa cena da dança — respondeu Lulu, fungando de novo. — Provavelmente a freguesia iria aumentar ainda mais. E eu jamais disse que você não trabalha duro — acrescentou ela. — Mas isso não quer dizer que eu não vá continuar de olho, observando você.

— Tudo bem, para mim está certo. Eu compreendo.

— Oooohhhh!... Esta cena tão sentimental está borrando todo o meu rímel — disse Mia, fingindo que secava as pestanas com a ponta de um lenço. Deu um passo para trás, saindo do espaço reservado à vitrine, balançou a cabeça em sinal de aprovação e se voltou para Nell. — E agora me diga... Sobre o que você queria falar comigo?

— A Sra. Macey vai dar uma festa para comemorar seu aniversário de casamento. Ela quer um serviço de bufê de primeira classe.

— Sim, já sei disso — e se voltou para arrumar alguns livros nas prateleiras. — Ela vai deixar você louca com mudanças de planos, sugestões de última hora e mil perguntas, mas eu acho que você consegue se ajeitar com ela.

— Eu ainda não acertei com a proposta. Nós discutimos a ideia ontem à noite, e nem imaginei que você já soubesse do convite. Gostaria de ter contado a você primeiro.

— Esta é uma cidade pequena em uma ilha pequena; as novidades rolam. E você não me deve satisfações a respeito de um trabalho de bufê externo, Nell. — Mia lembrou que não podia se esquecer de fazer um pedido extra à distribuidora, para aumentar o estoque de velas rituais. A procura por elas durante o solstício tinha sido maior do que a esperada, e a loja estava ficando com um estoque muito baixo de velas de Paixão e

Prosperidade, também, e isso era inaceitável. Enfim, servia apenas para mostrar quais eram as principais prioridades das pessoas em geral. — O que você faz no seu tempo livre, Nell, cabe apenas a você decidir — acrescentou, tornando a olhar para ela.

— Eu só queria que você soubesse que, caso eu resolva aceitar o serviço para a senhora Macey, isso não vai interferir no meu trabalho aqui na loja.

— Espero que não, especialmente agora que resolvi aumentar o seu salário. — Olhou para o relógio de pulso. — Hora de abrir a loja, Lulu!

— Você vai me dar um aumento de salário?

— Você fez por merecer. Quando eu empreguei você, ofereci um salário de experiência. Agora, você já está oficialmente fora do período de experiência. — Destravou a porta da loja, caminhando logo em seguida para o balcão, onde ligou o sistema de som. — E como foi o seu jantar de ontem à noite, com Zack? — perguntou, com ar divertido. — Já soube disso, também. Aqui é um lugar muito pequeno, como eu disse.

— Foi bom! Apenas um jantar entre amigos.

— Um rapaz bonito, aquele... — disse Lulu. — Com muitas qualidades, também.

— Eu não estou tentando levá-lo para o mau caminho, Lulu.

— Então, há algo de errado com você. — Lulu pegou os óculos e os colocou na ponta do nariz, olhando por cima deles para Nell. Era um gesto forte, do qual tinha um orgulho especial. — Se eu fosse alguns anos mais nova, já estaria tentando seduzi-lo. Ele tem um imenso par de mãos. E, por falar em mãos, ele tem cara de quem sabe muito bem como usá-las.

— Sem dúvida! — completou Mia, baixinho. — Mas você está deixando Nell sem graça, sua assanhada. E agora, sobre o que falávamos mesmo?... Festa da Gladys, esse assunto já resolvemos... Jantar com Zack, também já resolvemos... — Parou, batendo com a ponta do dedo indicador sobre o lábio, de modo pensativo. —Ah, sim!... Nell, eu queria perguntar... Você tem alguma objeção política ou religiosa com relação ao uso de cosméticos ou jóias?

— Não — respondeu, sem nada mais construtivo a acrescentar, a não ser um longo suspiro.

— Isso é um alívio para mim. Tome. — Ela tirou os compridos brincos de prata das orelhas, entregando-os a Nell. — Use-os hoje, o dia inteiro. Se alguém perguntar onde os comprou, diga que vieram da loja "Tudo que

Rebrilha", logo adiante, aqui na rua. Temos o hábito de promover produtos de outros comerciantes locais. No final do seu turno, antes de ir embora, você me devolve os brincos. Amanhã, podemos tentar algum pó compacto, quem sabe um batom e um pouco de delineador.

— Eu não tenho nada disso.

— Ah, desculpe, fiquei tonta!... — Mia levou a mão teatralmente até a testa, colocou a outra sobre o coração e cambaleou como se fosse desmaiar, até alcançar o balcão para se apoiar nele. — Parece até que vou desmaiar depois de ouvir isso. Você está querendo me dizer que não tem *nem* um batom?

— Receio que não... —As pontas dos lábios de Nell se levantaram levemente, fazendo surgir um par de covinhas em seu rosto.

— Lulu, nós precisamos ajudar esta mulher, com urgência! É nosso dever! Vá pegar o equipamento de emergência! Corra!

Com a boca tremendo com o que pareceu a Nell ser a leve sombra de um sorriso, Lulu foi depressa apanhar atrás do balcão uma imensa caixa de maquiagem.

— Ela tem a pele muito boa.

— Uma tela em branco, Lu, pronta para ser pintada. Uma tela em branco! Vamos, venha comigo! — ordenou a Nell.

— Mas... A cafeteria... Os clientes vão começar a chegar a qualquer instante.

— Eu sou rápida nisso... e sou boa também. Vamos nos mexer. — Agarrando Nell pela mão, rebocou-a para o andar de cima e levou-a até o banheiro.

Dez minutos depois, Nell já estava servindo os primeiros clientes do dia. Usava os brincos de prata, um batom com tonalidade de pêssego, delineador e sombra que pareciam ter sido aplicados profissionalmente.

Era uma sensação muito gostosa, concordou, aquela de se sentir feminina novamente.

Ela aceitou preparar o serviço de bufê, finalmente, e cruzou os dedos. Quando Zack lhe perguntou se ela gostaria de dar um passeio de veleiro à noite, disse que sim e se sentiu poderosa.

Quando um cliente da loja lhe perguntou se ela saberia preparar um bolo com o formato de uma bailarina para a festa de aniversário da filha, ela respondeu *Claro que sim!*, na mesma hora. E gastou cada centavo do que ganhou por esse trabalho artesanal em um novo par de brincos.

À medida que a notícia foi se espalhando aos poucos, Nell se viu aceitando preparar comidas leves, em estilo de piquenique, para uma festa de comemoração no feriado do Dia da Independência, e ainda dez pequenas caixas com refeições individuais para um passeio de veleiro.

Sobre a mesa da cozinha, em sua casa, Nell espalhou diversos avisos, pastas de papelão e alguns cardápios. De certa forma, estava começando uma pequena indústria dentro do chalé, que, apesar de pequeno — pensou enquanto olhava em volta —, estava perfeitamente preparado para aquilo.

Levantou a cabeça quando ouviu a batida curta na porta da cozinha e foi até lá para receber Ripley, com alegria.

— Nell, você tem um minuto?

— Claro. Sente-se. Quer tomar alguma coisa?

— Não, não quero beber nada. Estou bem, obrigada. — Ripley se sentou e a seguir pegou Diego no colo quando este começou a cheirar o bico de seus sapatos. — Planejando as refeições?

— Estou tentando organizar todos estes pedidos de preparação de bufês. Se eu tivesse um computador... Bem, com o tempo posso conseguir um. Mas daria minha alma por um liquidificador profissional... E os dois pés por um multiprocessador de comida comercial. Mas, por enquanto, dá para trabalhar com o que tenho.

— Por que não usa o computador da loja?

— Não, Mia já está fazendo muita coisa por mim. Não quero abusar.

— Bem, como quiser... Escute, eu tenho um encontro marcado para o Feriado da Independência. Um encontro que tem um certo potencial — acrescentou. — Tem que ser algo assim, bem casual, porque Zack e eu vamos estar mais ou menos de plantão durante toda a noite. A mistura de fogos de artifício com bebidas sempre acaba deixando as pessoas um pouco empolgadas demais.

— Eu mal posso esperar para ver a queima de fogos. Todos dizem que é espetacular.

— É... Aqui na ilha fazemos um bom trabalho nessa área, todos os anos. O problema é que esse cara... Bem, é um consultor na área de segurança, no continente... Ele vem insistindo comigo para sair com ele, já faz algum tempo. Finalmente decidi dar-lhe uma chance.

— Ripley, mas isso é tão romântico! Fiquei até sem fôlego.

— Bem, ele é um sujeito do tipo fortão. — Ripley continuava a esfregar as orelhas de Diego. — Enfim, depois dos fogos de artifício, a gente fica meio com fogo por dentro também, você entende o que quero dizer... E eu estou meio no atraso em relação a essas atividades com o sexo oposto. Enfim, nós planejamos essa espécie de piquenique, bem no clima do dia, e eu acabei ficando com a parte de preparar a comida. Já que eu sei que talvez acabe transando com o sujeito, não gostaria de envenená-lo antes.

— Muito bem... — Nell fazia anotações. — Cardápio de um piquenique romântico para dois. Vegetariano ou carnívoro?

— Carnívoro! Nada muito sofisticado, certo? — Ripley pegou uma uva da fruteira sobre a mesa e a jogou na boca. — Não quero que ele acabe ficando mais interessado na comida do que em mim.

— Anotado. Você vem pegar ou quer que eu entregue?

— Puxa, isso está muito bom! — Com cara animada, pegou outra uva. — Pode deixar que eu passo aqui para apanhar. Será que dá para preparar algo interessante e que fique na faixa de cinquenta dólares?

— Cinquenta dólares?... Anotado. Peça para ele levar um vinho branco seco. Você tem uma cesta grande de piquenique?

— Temos uma lá em casa, em algum lugar.

— Perfeito! Traga-a quando vier buscar a encomenda, que eu ajudo a arrumá-la de modo profissional. Você vai estar bem preparada em relação à parte da comida. Em relação àquela outra parte da noitada, vai depender de você.

— Deixe comigo, que nessa parte eu consigo me ajeitar. E, se você quiser, eu posso perguntar por aí para ver se alguém tem um computador usado que esteja à venda.

— Puxa, seria o máximo! Fiquei feliz por ter vindo até aqui. — Ela se levantou, tirando dois copos da prateleira. — Estava com medo de que você estivesse chateada comigo.

— Não, com você, não. É que aquele assunto de magia, particularmente, me aborrece. É tudo um monte de mentiras e besteiras, feito... — Ela olhou de cara feia para a porta telada. — Olha lá!... Falando no diabo, ele aparece!

— E por isso que eu sempre tento não falar nele. Por que procurar problemas? — Mia entrou deslizando com altivez na cozinha e colocou papel com uma anotação sobre a bancada. — Deixaram um recado para você no telefone da loja, Nell. Foi a Gladys, provavelmente com mais uma daquelas ideias inovadoras e espetaculares para a festa.

— Desculpe, Mia. Você é muito ocupada para ficar vindo até aqui só para trazer recados para mim. Vou conversar com ela novamente e prometo começar a procurar um telefone para mim.

— Ora, deixe para lá; não se preocupe com isso. Eu queria mesmo dar uma caminhada, ou teria deixado para dar o recado amanhã. E agora, vou querer um copo dessa limonada.

— Ela precisa de um computador, Mia — disse Ripley, com um tom de voz monótono. — Jamais usaria o da loja, por não querer ser abusada.

— Ripley... Mia... Olhem, eu estou perfeitamente bem, trabalhando assim, desse jeito mesmo.

— Mas ela certamente poderá usar o computador do escritório da loja, sempre que ele estiver disponível... ou desligado — disse Mia a Ripley. — O que ela *não precisa* é de você fazendo intermediações, Ripley, ou tentando interferir nos assuntos entre nós duas.

— Ela não *precisaria*, é claro, se pelo menos você não estivesse por perto, tentando empurrar besteirol paranormal para cima dela o tempo todo.

— Besteirol paranormal... Isso mais parece o nome de uma banda de *rock* quinta categoria; não tem nada a ver com o que eu sou. Mesmo assim, até isso é melhor do que a negação cega e teimosa que você insiste em exibir. Afinal, o conhecimento é sempre melhor do que a ignorância.

— Quer ver o que é ignorância? Eu sei partir para a ignorância! — Ripley se levantou, ficando bem ereta e encarando Mia.

— Parem! Parem agora mesmo com isso! — Tremendo por dentro, Nell se colocou entre as duas. — Isso é ridículo, gente. Vocês sempre se tratam assim?

— Sim, sempre! — Mia pegou o copo e começou a sorver a limonada delicadamente. — Nós até curtimos isso, não é, delegada?

— Eu ia curtir um pouco mais se pudesse dar uns socos em você, mas aí teria que prender a mim mesma.

— Pois tente! — Mia esticou e levantou o queixo em direção a Ripley. — Prometo que não dou queixa na delegacia.

— Ninguém vai bater em ninguém. Não aqui, dentro da minha casa!

Mostrando um imediato arrependimento, Mia pousou o copo na mesa e esfregou a mão carinhosamente ao longo do braço de Nell, que estava rígido como aço.

— Sinto muito, irmãzinha. Ripley e eu vivemos para irritar uma à outra, é um hábito antigo. Só que não devíamos colocar você no meio dessa briga. Não devíamos colocá-la no meio de nossas diferenças — disse Mia, elevando a voz e se dirigindo para Ripley — Não é justo!

— Pelo menos, nisso eu concordo plenamente com você. Que tal fazermos assim? Se por acaso voltarmos a nos encontrar aqui, esta será uma zona neutra. Você sabe, como o Espaço dos Romulanos, da Jornada nas Estrelas, na TV. Não vamos poder usar armas.

— A Zona Neutra dos Romulanos — repetiu Mia, pensativa. — Sabe, Ripley, eu sempre admirei esse seu conhecimento profundo de assuntos culturais. Então, está combinado! — E, em sinal de paz, pegou o segundo copo e o entregou à adversária. — Viu?... Veja só isso, Nell, você já está exercendo uma boa influência sobre nós. — E, entregando o terceiro copo à própria Nell, completou: — Vamos brindar a isso. Bebamos em homenagem às influências positivas.

— Tudo bem, está certo. — Ripley hesitou um pouco e assentiu, limpando a garganta. — Que seja, então. Às influências positivas!

As três se colocaram em um círculo e uniram os copos para fazer o brinde. Quando os vidros se tocaram, ouviu-se um som forte e límpido, como o repicar de um sino, e um jorro de luz, saindo como de uma fonte luminosa, subiu do toque daqueles copos de vidro barato e de segunda mão.

Mia sorriu suavemente, enquanto Nell soltou um riso curto e ofegante de susto.

— Droga! — Ripley murmurou, enquanto bebia a limonada. — Eu detesto quando isso acontece!

Os visitantes chegavam em grandes fluxos à ilha para as comemorações do feriado da Independência. Bandeiras americanas e fitas vermelhas, brancas e azuis drapejavam nas grades das barcas, enquanto elas se moviam ruidosamente para o continente e de volta, em viagens contínuas. Faixas largas e tiras coloridas que desciam dos prédios balançavam alegremente, presas nas calhas de todas as frentes de lojas da Rua Alta, enquanto os turistas e moradores da ilha lotavam as ruas e praias.

Para Nell era apenas um feriado, mas isso não a impedia de exibir uma disposição de alegria e celebração enquanto atendia aos pedidos. Ela agora tinha não apenas um emprego que adorava, mas também era dona de um negócio do qual podia se orgulhar.

Dia da Independência, pensou. *Vou fazer dele o símbolo da minha própria independência.*

Pela primeira vez em nove meses, ela se pegou fazendo planos para o futuro; planos que incluíam contas em bancos, entregas pelo correio e objetos de uso pessoal que não precisavam estar prontos para serem enfiados apressadamente em uma mochila, de um momento para o outro.

Uma vida normal e funcional, pensou, enquanto se via parada em frente à vitrine de roupas da loja "Praia Básica". O manequim que estava em exposição usava calças largas e leves de verão, listradas de azul e branco, e um bustiê branco fino, quase transparente, com um decote que descia bem baixo na linha do busto. Sandálias com tiras finas brancas muito charmosas, ainda que pouco práticas, adornavam-lhe os pés.

Nell mordeu os lábios. Seu salário do mês estava ainda quentinho, queimando os bolsos de sua calça jeans decrépita. Este sempre fora seu problema, lembrou-se, de repente. Se ela conseguia dez dólares, conseguia também, invariavelmente, arranjar um modo de gastar pelo menos nove em pouco tempo.

Ela agora aprendera a arte de economizar, apertar as finanças e resistir bravamente às despesas desnecessárias. Aprendera a esticar uma nota de cinco dólares como se fosse de elástico.

Por outro lado, não possuía nada de novo, nada bonito, fazia muito tempo. E Mia andava fazendo insinuações nos últimos tempos, nem sempre muito sutis, de que ela deveria se enfeitar um pouco mais para ir trabalhar.

Além disso, ela tinha mesmo que se tornar um pouco mais apresentável, por causa de seu novo negócio de bufê. Se estava pretendendo se transformar em uma mulher de negócios, era obrigada a se vestir de acordo. É claro que na ilha todas as pessoas se vestiam de forma muito descontraída e casual. Mesmo assim, o descontraído e casual poderia ser também atraente.

Por outro lado, seria mais prático e muito mais sensato economizar o dinheiro e investi-lo em equipamentos profissionais de cozinha. Ela estava precisando muito mais de um multiprocessador de alimentos do que de sandálias novas.

— E então... Vai escutar o anjo bom ou o anjo mau?

— Mia! — Ligeiramente envergonhada por ter sido pega sonhando acordada com um par de sandálias, Nell começou a rir. — Puxa, você me deu um susto!

— As sandálias são muito bonitas. E estão em liquidação...

— Estão?

— Minha palavra favorita. — Bateu de leve no vidro, apontando para o cartaz que anunciava promoção. — Pressinto possibilidades, Nell. Venha, vamos às compras.

— Não, eu realmente não deveria entrar nesta loja. Não estou precisando de nada, no momento.

— Sim, o que você precisa é só de trabalho. — Mia jogou os cabelos para trás e pegou Nell pelo cotovelo, com pulso firme, parecendo uma mãe carregando sua filha teimosa. — Comprar sapatos não tem nada a ver com necessidade, mas tudo a ver com luxúria. Sabe quantos pares de sapatos eu tenho?

— Não.

— Nem eu, só para você ver a quantidade! — disse ela, ainda levando Nell pelo braço e empurrando-a em direção à loja. — Isso não é maravilhoso? Olhe só, eles têm aquelas calças largas, moles e confortáveis, em rosa, da cor de algodão-doce! Ficariam lindas em você. Qual o seu manequim? Quarenta?

— Sim. Mas escute, Mia, eu preciso mesmo economizar algum dinheiro para comprar um bom multiprocessador de alimentos — disse, embora não tenha conseguido evitar afagar o material de que eram feitas as calças que Mia pegara da prateleira. — Nossa, o tecido é tão macio!

— Tome, experimente-as junto com isto. — Uma rápida caçada pelas araras de metal fez Mia encontrar o que considerava a blusa perfeita, branca, com um corte parecido com o de um pequeno colete, e sedutoramente colante. — E não vá me usar isso com sutiã, hein? Agora, vejamos... Você tem pés pequenos. Trinta e cinco, acertei?

— Na verdade, sim. — Nell deu uma olhada discreta nas etiquetas com os preços. Mesmo em liquidação, era muito mais do que gastara consigo mesma em muitos meses. Estava ainda tentando emitir protestos gaguejados quando Mia a empurrou para trás de uma cortina, e ela se viu dentro de um provador de roupas.

Experimentar não significa comprar, sussurrou ela para si mesma repetidas vezes enquanto se despia, até ficar só com suas confortáveis calcinhas de algodão.

Mia estava certa a respeito do tom rosa, avaliou Nell assim que entrou nas calças. A cor alegre levantava o moral de qualquer um. Quanto ao colete, bem, isso era uma outra história. Ela se sentiu... vulgar por usar uma peça tão colada no corpo sem um sutiã. E a parte de trás... e se virou para olhar sobre os ombros. Ora, basicamente não havia parte de trás.

Evan jamais teria permitido que ela usasse algo tão revelador e ao mesmo tempo casualmente sugestivo.

No mesmo instante em que o pensamento entrou em sua cabeça, ela se xingou.

Tudo bem, vamos voltar a fita e apagar isso, ordenou-se.

— Como é que você está indo aí dentro?

— Está tudo bem! Mia, a roupa é realmente linda, mas eu acho que não...

Antes de conseguir terminar a frase, Mia abriu as cortinas do provador com um movimento brusco e ficou de pé, com as sandálias em uma das mãos, enquanto batia na ponta dos lábios com o indicador da outra mão, com um ar atento e avaliador.

— Ficou perfeita! Parece a garota de boa família, mas também *sexy*, casual e chique. Calce as sandálias. Acabei de encontrar uma bolsinha perfeita para acompanhar. Volto já.

Era como ser conduzida em uma campanha de guerra sob o comando de um general veterano, pensou Nell. E ela, um simples soldado raso, parecia não conseguir fazer nada a não ser seguir as ordens.

Vinte minutos mais tarde, o seu jeans habitual, a camiseta e os tênis estavam enfiados em uma sacola da loja. O que sobrara do seu dinheiro estava enfiado dentro de uma bolsa de noite, do tamanho de uma palma de mão que ela usava pendurada no ombro e atravessada no corpo, indo até o cós de suas novas calças, que ondulavam suavemente ao redor das pernas, sob a ação da brisa agitada da tarde.

— Como é que você se sente agora?

— Sinto-me culpada... e sinto-me ótima, também! — Sem conseguir resistir, Nell balançou os dedos dos pés para cima e para baixo dentro das novas sandálias, como uma criança.

— Que bom. Agora, vamos comprar um novo par de brincos para acompanhar tudo isso.

Nell abandonou toda e qualquer resistência. Era o Dia da Independência, lembrou a si mesma. E se apaixonou pelos brincos de quartzo rosa no minuto em que os viu.

— O que acontece com estes brincos, que a gente coloca na orelha e de repente se sente tão confiante, Mia?

— Os enfeites mostram que nós temos consciência do corpo e esperamos que os outros notem isso também. Agora, vamos dar uma volta pelo calçadão da praia e testar as reações das pessoas.

— Posso lhe fazer uma pergunta? — Nell acariciou os pingentes de pedra rosada que pendiam de sua orelha.

— Vá em frente.

— Eu estou aqui há mais de um mês, e em todo esse tempo não vi você em companhia de ninguém, nem uma vez sequer. Um namorado, eu quero dizer... Um acompanhante masculino.

— É que, no momento, não estou interessada em ninguém. — Mia colocou a palma da mão sobre as sobrancelhas para se proteger do sol e conseguir dar uma olhada panorâmica na praia. — Bem, houve alguém, na verdade. Uma vez. Mas isso aconteceu em uma outra fase da minha vida.

— Você o amava?

— Sim, eu o amava. Muito.

— Desculpe, eu não devia me intrometer.

— Não é nenhum segredo — disse Mia, com suavidade. — E as feridas já fecharam há muito tempo. Agora, eu gosto de viver por conta própria, sozinha, com total controle do meu destino, resolvendo todas aquelas pequenas questões do dia-a-dia. Estar com alguém requer uma certa dose de desprendimento, e eu sou uma criatura egoísta por natureza.

— Isso não é verdade.

— A generosidade tem diversos níveis. — Mia começou a caminhar, levantando o rosto para receber o vento. — E ela não é sinônimo de altruísmo. Eu faço apenas o que me convém, e isso demonstra um certo egoísmo. E não acho que seja algo pelo qual deva me desculpar ou me envergonhar.

— Pois eu já tive contato pessoal e íntimo com o egoísmo. Pode acreditar que já o conheci bem de perto. Você pode fazer o que lhe convém, Mia, mas jamais conseguiria magoar alguém deliberadamente. Já observei a maneira como você trata as pessoas. Elas confiam em você simplesmente porque *sabem* que podem confiar, sem medo.

— O fato de não causar mal é uma responsabilidade que veio junto com o dom e o poder que eu recebi. Com você ocorre o mesmo.

— Não entendo como é possível. Eu jamais tive poder algum.

— E por causa disso criou uma espécie de empatia pelos que sofrem e pelos desesperados. Entenda bem: nada nos acontece por acaso, e nada surge em nossa vida sem um propósito, irmãzinha. O que fazemos por causa disso e a respeito disso são as chaves para descobrir *quem* e *o que* nós somos de verdade.

Nell olhou para o mar, para os barcos que velejavam nas águas com reflexos dourados, para os *jet skis* que passavam quase voando, para as pessoas que furavam as ondas alegremente. Ela poderia dar as costas, pensou, ao que estava ouvindo, ao que lhe estava sendo revelado e ao que certamente lhe seria solicitado. Poderia ter uma vida calma e normal ali.

Ou poderia ter muito mais.

— Naquela noite em que dormi na sua casa, na noite do solstício, quando eu a vi na beira do penhasco com todas aquelas luzes, disse a mim mesma que eu estava sonhando.

Mia não se virou; apenas continuou a olhar calmamente para o oceano.

— É nisso que você quer acreditar?

— Não tenho certeza. Eu sonhei com este lugar. Mesmo quando criança, tinha muitos sonhos. Por muito tempo eu os ignorei ou os bloqueei. Então, quando vi a pintura, os penhascos, a torre do farol, a sua casa... senti que *tinha que vir* até aqui. Era como se finalmente tivesse a permissão para voltar para casa. — Olhou diretamente para Mia. — Costumava acreditar em contos de fadas. Depois, descobri a verdade. Do jeito mais difícil.

E eu também, pensou Mia, nesse instante. Nenhum homem jamais ousara levantar a mão para atingi-la, mas havia outras maneiras de provocar machucados e cicatrizes.

— A vida realmente não é um conto de fadas, Nell. E o nosso dom tem um preço alto.

Nell sentiu um calafrio percorrer-lhe a espinha. Era mais fácil, pensou, dar as costas a isso. Era mais seguro fugir.

Um barco bem ao longe, no mar, soltou um rojão. O zumbido agudo transformou-se em um sibilo e acabou em uma explosão de luzes que se espalharam em cascata, como pequenas partículas de ouro que se espalhavam em todas as direções. Um rumor de alegria subiu, vindo da praia, e uma criança gritou de empolgação, maravilhada.

— Você prometeu que me ensinaria.

Mia deixou escapar um suspiro que nem sequer se dera conta de que estava prendendo. Havia muito em jogo naquele momento.

— Prometi e assim farei.

E olharam para o céu ao mesmo tempo, para ver um outro foguete espocar.

— Você vai ficar aqui para assistir à grande queima dos fogos, mais tarde? — Nell quis saber.

— Não. Eu a vejo lá de casa, dos meus penhascos. E é bem menos agitado e frenético. Além do mais, eu detesto segurar vela.

— Segurar vela?

— Minhas caras damas. — Zack estava fazendo a ronda. Era uma das raras ocasiões em que exibia o distintivo espetado na camisa. — Vou ser obrigado a pedir para que sigam em frente. Duas mulheres maravilhosas paradas aqui no calçadão podem oferecer um risco à segurança do lugar.

— Ele não é uma graça? — Mia se esticou na ponta dos pés para colocar as mãos em concha em seu rosto e deu-lhe um beijo estalado. — Quando eu estava no terceiro ano, Nell, planejei secretamente me casar com ele e ir morar em um lindo castelo de areia.

— Você podia ter me dado uma dica de que estava pensando em fazer isso, Mia.

— Ora, você estava todo derretido para o lado da Hester Burmingham.

— Não, eu simplesmente nutria sentimentos de luxúria pela linda bicicleta vermelha reluzente, da marca Schwinn, que ela tinha ganhado. No Natal em que eu completei doze anos, Papai Noel trouxe uma pra mim, e Hester subitamente deixou de existir em meu pequeno mundo.

— Os homens são uns safados.

— Pode ser, mas eu ainda estou só com a bicicleta, e a Hester agora tem duas filhinhas lindas e uma minivan. Enfim, final feliz para todos.

— É, mas ela bem que fica olhando para o seu traseiro quando você está de costas, caminhando — contou Mia, deliciada ao ver a boca de Zack se abrir de espanto. — E depois de divulgar esta pequena nota social, eu me retiro. Aproveitem os fogos.

— Essa mulher sempre consegue dar a última palavra — murmurou Zack. — Quando um homem consegue finalmente desembaraçar a língua para lhe dar uma resposta, ela já foi embora. E, por falar em deixar um homem sem fala, você está linda!

— Obrigada. — Nell esticou os braços para os lados, com as palmas para frente, em sinal de agradecimento. — Hoje resolvi gastar em ostentação.

— E gastou tudo nos lugares certos. Deixe-me carregar isso para você. — Ele tirou a sacola de compras das mãos dela.

— Eu vou ter que levar estas roupas usadas para casa e preparar algumas coisas.

— Posso ir caminhando com você na direção da sua casa, por algum tempo. Estava esperando encontrá-la hoje por aqui. Ouvi dizer que tem andado muito ocupada, entregando salada de batatas por toda a ilha.

— Devo ter preparado uns oitenta quilos de salada de batatas naquela cozinha, além de frango frito em quantidade suficiente para desfalcar a população galinácea da ilha pelos próximos três meses.

— Então acho que não deve ter sobrado nada para mim.

— Pode ser que tenha sobrado, sim... — Suas covinhas apareceram.

— Está difícil arrumar um tempinho para comer. Controle de tráfego, patrulha nas praias. Tive que dar uma dura em dois garotos que acharam muito divertido jogar cabeças de negro dentro de latas de lixo e sair correndo para ver quando elas explodiam. Já confisquei bombas, bombinhas, rojões, foguetes e cabeças de negro suficientes para começar minha própria revolução. E fiz tudo isso sustentado apenas por dois cachorros-quentes, o dia inteiro.

— Oohh, tadinho, isso não me parece justo.

— Não, não parece. Eu dei uma olhada rápida em algumas de suas caixas com refeição completa. Acho que havia até torta de maçã nelas.

— Você tem a vista muito boa, Zack. Bem, eu poderia talvez tentar salvar algumas coxas de frango, raspar o fundo de alguma panela com restos de salada de batatas. Era capaz até de conseguir uma fatia bem grossa de torta de maçã e doar tudo isso para algum servidor público que tenha trabalhado assim tão duro como você, hoje.

— Quem sabe você pode até deduzir essa doação generosa no pagamento de alguma taxa municipal? Olhe, eu vou ter que supervisionar a grande queima de fogos. — Parou quando chegaram ao fim da rua. — Normalmente começamos a queima por volta das nove horas. — Pousou a sacola com as roupas no chão e começou a acariciar os braços de Nell.

— As coisas começam a acalmar, e o pessoal vai se dispersando por volta de nove e meia, quinze para as dez. Eu perdi o cara ou coroa com a Ripley, então vou ter que fazer a última patrulha pelas ruas em toda a ilha, para ter certeza de que ninguém colocou fogo na própria casa. Quem sabe você não quer fazer essa ronda comigo?

— Quem sabe?

Os dedos dele dançavam para cima e para baixo em suas costas.

— Você me faz um favor? — pediu ele. — Coloque suas mãos nos meus ombros. Quero que você me aperte bem forte dessa vez, quando eu a beijar.

— Zack... — Ela respirou fundo duas vezes antes de falar. — E eu quero que você me abrace forte.

Ele a envolveu em seus braços, e ela se enlaçou em seu pescoço. Por um momento ficaram assim, de pé, olhando um para o outro, com os lábios a poucos centímetros, enquanto todo o corpo de Nell tremia pela antecipação do momento.

Suas bocas se esfregaram, se retraíram, se esfregaram de novo. Foi ela quem começou a gemer e também quem entreabriu os lábios para receber os dele, em uma quente explosão insaciável.

Ela não se permitira desejar que aquilo acontecesse. Mesmo quando ele revolvera as suas necessidades básicas vitais, que estiveram adormecidas, ela tinha sido cuidadosa o bastante para não desejá-lo. Até agora.

De repente, ela queria a força dele, a pressão daquele corpo másculo e firme. Queria sentir o sabor maduro do seu corpo e todo aquele calor.

A dança das línguas, as bocas lisas como seda, o sedutor beliscão dos dentes, a emoção insustentável de sentir o pulsar violento do coração dele de encontro ao dela. Ela deixou escapar um suave gemido de prazer quando ele mudou o ângulo do beijo entre eles.

E mergulhou dentro de sua boca novamente.

Ela lhe lançou sensações de dor, que faziam com que seus músculos latejassem em batidas pulsantes. Suaves sons das necessidades dela saíam cantarolados do fundo da garganta, e faziam o sangue dele ferver. A pele dela era como seda quente e a sensação dessa pele sob suas mãos enviava imagens eróticas diretamente para seu cérebro... Desejos e necessidades fortes, que pertenciam à escuridão.

Ao longe, ele ouviu mais um foguete explodir, e os gritos e aplausos de alegria vindos da praia atrás deles.

Zack seria capaz de levá-la para dentro do chalé em dois minutos e tê-la nua sob o seu corpo em menos de três.

— Nell... — Sem conseguir respirar, agitando-se em desespero, ele interrompeu o beijo.

E ela lhe sorriu com os olhos escuros, cheios de confiança nele e no prazer antecipado.

— Nell... — repetiu ele, abaixando a testa até encostar sua cabeça na dela. Havia momentos em que se devia para seguir em frente, ele sabia. E havia momentos em que era preciso esperar. — Tenho que fazer as minhas rondas.

— Tudo bem.

Ele pegou a sacola dela e a entregou.

— Você vai voltar? — perguntou ela.

— Sim. Eu vou voltar.

E ela então se sentiu flutuando no ar enquanto rodopiava em direção ao chalé.

Capítulo Nove

— O Poder — explicou Mia a Nell — traz consigo a responsabilidade e o respeito pelas tradições. Deve ser temperado com inteligência, compaixão e uma grande dose de compreensão das fraquezas humanas. Jamais deve ser usado de modo descuidado, embora sempre haja lugar para um pouco de humor. Acima de tudo, porém, jamais deve ser usado para fazer o mal a alguma coisa ou alguém.

— Como foi que você descobriu que era... Como descobriu exatamente o que era?

— Uma bruxa? — Mia levou o corpo para trás e se sentou agachada sobre os tornozelos. Ela estava arrancando ervas daninhas do jardim. Usava um vestido largo sem forma definida, com a mesma cor da grama e imensos bolsos na parte de baixo. Suas mãos estavam protegidas por luvas de padrão florido, próprias para jardinagem, e tinha a cabeça coberta por um chapéu de palha com as abas muito largas. Naquele momento, não poderia parecer mais distante daquilo que alegava ser. — Você pode pronunciar a palavra, Nell, não é ilegal. Não somos daquele tipo de bruxa que usa chapéus pontudos, voam em vassouras e dão gargalhadas assustadoras, como nas obras de ficção. Somos apenas pessoas comuns, donas de casa, operárias, mulheres de negócios. O modo como vivemos é uma questão de escolha pessoal.

— E existem os tais Congressos de Bruxas?

— Essa é outra escolha pessoal. Eu, por exemplo, nunca fui muito de frequentar essas coisas. Além do mais, a maioria dos que formam grupos ou estudam a Arte estão, na verdade, apenas em busca de um passatempo ou de uma resposta. Não há nada de errado com isso. Chamar a si mesma de bruxa e executar rituais exóticos é uma coisa. Ser uma delas, de verdade, isso é outra coisa.

— E como é possível saber a diferença?

— Humm... Como é que eu poderia responder a você, Nell? — Ela se curvou para a frente novamente, cortando os galhos ressecados. — Acontece algo dentro de você, uma sensação de queimação. Uma canção soa dentro de sua cabeça, um sussurro chega ao seu ouvido. Você sabe dessas coisas tão bem quanto eu, apenas não consegue reconhecê-las.

Os galhos desprezados e as pontas secas foram, juntamente com as ervas daninhas, para dentro de uma cesta, e Mia continuou:

— Quando você descasca uma maçã, já não aconteceu de tentar ir cortando até o fim sem quebrar a fita comprida da casca, pensando que se conseguisse fazer isso teria um desejo atendido, ou algo de bom aconteceria? Nunca quebrou aquele ossinho da sorte do frango, fazendo um pedido ao lado de alguém? Jamais cruzou os dedos, torcendo para que alguma coisa desse certo? Tudo isso são pequenos encantamentos... — completou, então, voltando a se sentar. — São antigas tradições.

— Não pode ser assim tão simples.

— Tão simples quanto um pedido ou um desejo. Tão complexo quanto o amor. Tão perigoso, potencialmente, quanto os raios e os relâmpagos. O Poder envolve risco. Mas também traz alegria.

Pegou então uma das pontas de erva daninha cheia de terra de dentro da cesta e apertou-a com delicadeza entre as duas mãos em concha. Ao abrir as mãos de novo, apareceu uma linda flor amarela, completamente desabrochada, que Mia ofereceu a Nell.

Fascinada e deliciada, Nell começou a acariciar as pétalas com os dedos.

— Mia, se você tem o poder de fazer isso, por que deixa que algumas destas flores morram?

— Existe um ciclo, uma ordem natural, que deve ser respeitada. A mudança é necessária. — Ela se levantou, agarrando a cesta de galhos e ervas arrancadas, levando-a até uma lata onde tudo aquilo seria transformado em adubo. — Sem esse ciclo, não existe progresso, não há renascimento, não existe a expectativa da mudança.

— Quer dizer que um ramo de flor se desfolha e murcha apenas para dar lugar a outro?

— Muito da Arte é filosofia pura. Você gostaria de experimentar algo mais prático?

— Eu?

— Sim, Nell, por que não? Um encantamento bem simples. Poderia ser apenas um leve movimento do ar. Além do mais, está fazendo um dia quente, e uma brisa refrescante seria bem-vinda.

— Você quer que eu... — Nell fez um movimento de círculo com as mãos — ... faça o ar se movimentar?

— É uma simples questão de técnica. Você tem que se concentrar, focar-se completamente no objetivo. Sentir o ar se movendo sobre seu rosto, em torno do seu corpo. Vê-lo na sua mente, ondulando, girando. Você consegue ouvi-lo, sentir música nele.

— Mia.

— Não. Ponha as dúvidas de lado e simplesmente pense nessas possibilidades. Foque nisso. É um objetivo simples. O ar está em toda parte, ao seu redor. Tudo o que você tem a fazer é movimentá-lo. Tomá-lo nas mãos. — Levantou as próprias mãos. — A seguir, repita as palavras:

O ar é minha Respiração, minha Respiração é o ar.
Que ele se mova, ao meu comando, daqui para acolá
E crie uma brisa, leve, fresca, que fique a circular.

Agora você, Nell, e pronta esteja
Diga três vezes, e que assim seja.

Como que hipnotizada, Nell repetiu tudo. Sentiu o ar trepidar levemente sobre seu rosto. Disse a segunda vez e viu os cabelos de Mia se levantarem à sua frente. Quando falou as palavras pela terceira vez, a voz de Mia se juntou à dela.

Uma lufada soprou fortemente em volta delas, um carrossel particular de vento, fresco, perfumado, e com um zumbido alegre, quase musical. O mesmo zumbido soava dentro da sua cabeça quando Nell se virou, dando voltas e voltas em torno de si mesma, seus cabelos curtos dançando levemente no ar.

— É maravilhoso! Você conseguiu, Mia!

— Eu apenas dei o último empurrãozinho — riu Mia, enquanto as pontas do vestido tremulavam ao vento. — Mas foi você mesma quem começou tudo. Saiu-se muito bem, para a primeira vez. Agora, aquiete o ar novamente. Use a mente. Visualize-o diminuindo o movimento e se acalmando, lentamente. Isso mesmo... Muito bem. Você mentaliza imagens muito bem.

— Sempre gostei de desenhar imagens e momentos em pensamento — disse Nell, já sem fôlego. — Você sabe, imagens boas, ou que você gosta de relembrar. É mais ou menos a mesma coisa. Puxa, fiquei tonta! — e se sentou direto no chão. — Estou ouvindo pequenos sinos na cabeça, mas não é uma sensação desagradável. É quase como quando você está pensando assim... Realmente pensando... a respeito de sexo.

— A Magia é *sexy*. — Mia deixou-se cair ao lado de Nell. — Especialmente quando se tem o Poder. Você anda pensando muito em sexo?

— Não pensava nisso há uns oito meses. — Sentindo-se mais firme agora, Nell balançou a cabeça e ajeitou o cabelo para trás. — Não estava certa sequer se gostaria de estar com um homem novamente. Desde o feriado da Independência, no entanto... Desde o Quatro de Julho, ando pensando muito sobre sexo. É o tipo da coisa que deixa você como se se sentisse comichando, com o corpo todo formigando.

— Sim, eu sei. Já passei por isso. Por que não faz algo a respeito, como... coçar o lugar onde está comichando?

— Eu pensei nisso. Tinha certeza de que, depois da queima de fogos na semana passada, Zack e eu iríamos acabar na cama. Só que, depois de fazer a última ronda, comigo a seu lado no carro da polícia, ele simplesmente me deixou na entrada de casa. Deu-me um beijo de boa-noite na porta, um daqueles beijos que parecem levantar o topo da sua cabeça e fazem o seu corpo girar, e depois... foi para casa.

— Imagino que nem passou pela sua cabeça arrastá-lo para dentro, jogá-lo no chão e arrancar as roupas dele fora.

— Eu jamais conseguiria fazer algo assim. — A simples ideia fez Nell dar uma risada.

— Um minuto atrás você não se achava capaz de conjurar o vento. Você *tem* o Poder, irmãzinha. Zachariah Todd é o tipo de homem que está disposto a colocar esse Poder em suas mãos e dar a você a escolha da hora e do lugar. Se houvesse um homem assim, em que eu estivesse interessada e que estivesse atraído por mim, faria algo a respeito desse Poder.

— Eu não saberia sequer por onde começar. — Nell sentiu a coceira de novo.

— É só visualizar, irmãzinha — replicou Mia, com um tom de voz malicioso. — É só visualizar.

Zack não conseguia imaginar um jeito melhor para passar o domingo de manhã do que dar um mergulho no mar com a figura feminina que ele amava, ainda mais quando ela estava completamente nua. A água estava gostosa, o sol quente e a pequena enseada eram privativos o suficiente para permitir tais atividades.

Pensaram em velejar mais tarde, e o ar de adoração incondicional nos maravilhosos olhos castanhos de sua companheira lhe dizia que ela o seguiria aonde quer que fosse. Ele a acariciou atrás das orelhas, provocando-lhe arrepios de prazer, e depois mergulharam em perfeita cumplicidade através das ondas encaracoladas, ainda que suaves.

Quando um homem possuía uma companhia feminina tão devotada e tão descomplicada Zack descobriu, tinha tudo que poderia esperar da vida.

De repente, Lucy deu um latido de contentamento e respingou água no rosto dele, tomando a direção da praia. Zack então viu sua companheira íntima abandoná-lo em troca da mulher que estava de pé na parte alta da areia.

Lucy foi saltando até o local, direto ao encontro de Nell, derrubando-a de costas com dois compridos pulos e encharcando-a com a água do mar, beijos e uma série de lambidas caninas.

Zack ouviu as risadas de Nell e ficou observando enquanto ela passava as mãos de forma entusiasmada sobre o pelo molhado da cadela. Talvez um homem que possuísse um lindo cão não tinha tudo na vida, afinal, descobriu naquele momento.

— Oi! Tudo bem?

— Tudo. — *Que ombros!*, ela pensou. *Ele tem ombros surpreendentemente bonitos.* — Como está a água?

— Próxima da perfeição. Venha, vamos dar uma caída, venha ver por você mesma.

— Não, obrigada; eu não trouxe roupa de banho.

— Eu também não. — E exibiu um sorriso. — Foi por isso que não segui o exemplo de Lucy.

— Ah... — Seu olhar virou para a parte de baixo do corpo de Zack, mas imediatamente subiu para cerca de vinte centímetros acima de sua cabeça, como se estivesse olhando para o céu. — Bem, é isso aí...

Visualize, Mia lhe dissera. Só que aquele não parecia ser o momento apropriado.

— Tire a roupa e caia na água. Eu prometo não olhar. Você já está toda molhada, de qualquer jeito.

— Mesmo assim, acho que prefiro ficar aqui do lado de fora.

Lucy mergulhou de novo e voltou com uma bola de borracha completamente deformada. Depois de chegar toda desengonçada, depositou-a cuidadosamente aos pés de Nell.

— Ela quer brincar — explicou Zack. E ele estava querendo também.

Prestativa, Nell pegou a bola e a atirou longe. Antes mesmo de atingir o solo, Lucy já havia disparado para buscá-la.

— Boa tacada. Nós temos um jogo de beisebol marcado para daqui a duas semanas, se estiver interessada. — E se arrastou para mais perto, na areia, enquanto falava.

Nell apanhou a bola que Lucy havia recuperado e a atirou de volta mais uma vez, com força.

— Pode ser — disse. — Escute... Eu estava pensando em experimentar outra daquelas receitas novas.

— É mesmo?

— O serviço de bufê está se transformando em uma verdadeira empresa. Se eu quiser expandi-la, vou ter que oferecer uma variedade cada vez maior de pratos.

— Sou um homem que acredita fervorosamente no capitalismo. Assim, farei qualquer coisa para ajudar.

Ela olhou para baixo. Ele tinha um rosto tão simpático, pensou. Iria tentar se concentrar apenas nisso e não pensaria a respeito do resto do corpo dele. Pelo menos, não agora.

— Eu agradeceria muito, xerife. Estou fazendo as contas meio de cabeça, até agora, mas creio que já está na hora de fazer um cálculo real dos custos e preparar uma lista de preços de todos os produtos e serviços. Se eu quiser fazer tudo isso e formalizar o negócio, vou ter que requerer uma licença para abrir legalmente a minha empresa. — *Isso não seria problema,* pensou ela. Já tinha estudado tudo a respeito e se certificado disso. Sua ficha estava limpa.

— Isso vai manter você muito ocupada.

— Eu gosto de estar ocupada. Não há nada pior do que ser incapaz de fazer algo de útil com o seu tempo ou com os seus interesses. — Ela balançou a cabeça. — Não estou meio chata e enfadonha, falando de negócios?

Não, ela não parecia chata, mas sim sombria. Zack perguntou:

— Qual é a sua opinião a respeito de recreação e momentos de lazer?

— Ora, eu sou a favor de recreação. — Suas sobrancelhas se levantaram ao ver que ele a enlaçava levemente pelos tornozelos. — E o que você está fazendo?

— Chamo isso de "os longos braços da lei".

— Não acredito. Você é uma pessoa muito legal para me prender depois de eu ter vindo até aqui só pensando em me oferecer para alimentá-lo!

— Não, não sou assim tão legal. — Ele deu uma pequena rasteira nela. — Mas estou disposto a conceder-lhe a chance de se despir primeiro.

— Ah... quanta consideração!...

— Minha mãe me educou muito bem. Venha, vamos brincar, Nell. — Ele olhou de volta para Lucy, que estava ocupada tentando enterrar a bola na areia. — Veja, temos até uma acompanhante para tomar conta de nós.

Por que não?, pensou Nell. Ela queria estar com ele. Ainda mais, queria ser o tipo de mulher que *poderia* ficar com ele. Uma mulher confiante e liberada o suficiente para fazer algo engraçado e tolo, como tirar toda a roupa ali mesmo e mergulhar.

O sorriso que ela lhe lançou foi muito rápido e descuidado. Ela tirou os sapatos, mas ele não foi em frente.

— Mudei de ideia agora, Nell. Resolvi ficar só olhando enquanto você tira a roupa — avisou, com um sorriso maroto. — Poderia dizer que não ia dar nem uma espiadinha em você, mas estaria mentindo.

— Você mente?

— Não, se conseguir evitar. — Seu olhar foi abaixando lentamente até a bainha da camiseta dela. — Portanto, eu não garanto que vá manter as mãos longe de você, Nell, assim que chegar perto de mim. Eu a quero molhada e nua, Nell. Eu, pura e simplesmente, a quero.

— Se eu quisesse que você mantivesse suas mãos longe de mim, não estaria aqui. — E, respirando fundo, cruzou as mãos sobre o peito, preparando-se para despir a camiseta.

— Xerife Todd! Xerife Todd! — gritou alguém, lá de trás.

— Deus não existe e, se existe, não tem pena de mim! — reclamou ele, resmungando, enquanto a maravilhosa e rápida visão da pele branca e macia de Nell desaparecia com o seu gesto brusco de trazer a camiseta de volta à posição inicial.

— Venha aqui! — berrou Zack. — É você, Ricky? — A Nell ele disse, entre os dentes: — Fique esperando por mim aqui mesmo. Vou levar só dois ou três minutos para afogá-lo.

— Sim senhor, xerife.

Um menino muito louro com uns dez anos veio cambaleando através da descida rochosa, seu rosto sardento completamente rosado de tanta empolgação. Ao chegar, ofereceu a Nell um leve balançar de cabeça como cumprimento.

— Olá, moça!... Xerife, minha mãe pediu para eu vir correndo até aqui para lhe contar tudo. O pessoal que está alugando a casa dos Abbott, lá na nossa rua, está armando uma briga danada. Estão gritando, quebrando coisas, se xingando e tudo o mais.

— É na casa de qual dos Abbott, do Dale ou do Buster?

— Do Buster, xerife, aquela que fica bem ao lado da nossa, no lado direito. Mamãe falou que parece que o homem está batendo na mulher dele, com muita violência.

— Estou indo. Volte agora. Vá direto para casa e fique lá dentro.

— Sim, senhor.

Nell ficou parada onde estava. Viu apenas o borrão de um corpo bronzeado e musculoso quando Zack se levantou.

— Desculpe sair assim, Nell.

— Não, você precisa ir até lá! Tem que ir lá para ajudá-la! — Pareceu-lhe sentir um fino clarão dentro do cérebro, ao vê-lo ajeitar a calça jeans, antes de ir. — Corra, Zack!

— Volto assim que puder.

Ele a deixou ali, detestando ter que deixá-la sozinha com as mãos apertadas uma contra a outra, apreensiva, e subiu os degraus para pegar uma camisa.

Chegou à casa dos Abbott em menos de quatro minutos. Muita gente já estava amontoada na rua, cheia de curiosidade, enquanto os sons de gritos e de vidro sendo quebrado explodiam do interior da casa. Um homem que

Zack não reconheceu correu em sua direção quando ele se aproximou dos degraus da entrada.

— O senhor é o xerife? Meu nome é Bob Delano, e estou alugando a casa ao lado. Tentei ver o que poderia fazer, mas as portas estão trancadas. Pensei em arrombar, mas me disseram que o senhor já estava a caminho.

— Vou cuidar do caso, Sr. Delano. Talvez o senhor possa ajudar mantendo toda essa gente afastada.

— Claro. Eu já vi o sujeito, xerife. É um filho da mãe grandalhão. O senhor vai ver por si mesmo.

— Obrigado por tudo. Agora, fique afastado. — Zack deu um murro na porta. Embora preferisse que Ripley estivesse ali com ele, não queria correr o risco de perder tempo, esperando que ela respondesse ao bip. — Aqui fala o xerife Todd! Quero que você abra esta porta, e abra agora! — Alguma coisa se espatifou lá dentro, e uma mulher começou a gemer alto. — Se esta porta não se abrir em cinco segundos, vou arrombá-la.

O homem chegou à porta. Delano estava certo. Era um filho da mãe muito grande. Tinha mais de um metro e noventa e pesava uns cento e vinte quilos. Parecia estar de ressaca e exibia um ar de louco varrido.

— Que diabos você quer?

— Quero que dê um passo para trás, senhor, e mantenha as mãos onde eu possa vê-las.

— Você não tem o direito de entrar aqui, é invasão de domicílio. Estou alugando este lugar e já paguei tudo à vista.

— Seu contrato de locação não lhe dá o direito de destruir a propriedade. Agora vamos, para trás!

— Você não pode entrar aqui dentro sem um mandado assinado por um juiz.

— Quer apostar como eu entro? — Zack falava com aparente calma. Sua mão voou para frente com a rapidez de um raio, agarrou no pulso do homem e o torceu para trás. — Agora, você está querendo me dar um soco — continuou, com o mesmo tom calmo. — Podemos adicionar resistência à prisão e também tentativa de ataque violento a um policial. É mais papelada, mas é para isso que eu sou pago.

— Quando meu advogado tiver terminado, vou ser o dono de toda esta bosta de ilha!

— Pode ligar para ele, só que lá da delegacia. — Zack o algemou e olhou para trás com alívio ao ouvir Ripley subindo as escadas.

— Desculpe a demora. Estava lá do outro lado da ilha, depois da Praia da Concha Quebrada. O que foi isso? Briga doméstica?

— Sim, e outras coisas além disso. Apresento-lhe a minha delegada — informou Zack ao prisioneiro. — Pode acreditar em mim: ela consegue lhe dar uma surra. Coloque-o no camburão, Ripley. Pegue todos os dados e leia os direitos dele.

— Qual é o seu nome?

— Foda-se!

— Muito bem, Sr. Foda-se... — Olhou para trás, para Zack, que, pisando nos cacos de vidro e pedaços de louça quebrada, já estava se encaminhando até a mulher, sentada, encolhida no canto da sala, segurando o rosto com as mãos e chorando. — O senhor está preso, sob as seguintes acusações: destruição de propriedade privada, perturbação da ordem e agressão.

Fez uma pequena pausa e olhou para ele antes de continuar.

— O senhor está entendendo o que eu estou lhe dizendo? Agora, se não quiser que eu lhe dê uns tabefes na frente de todas essas pessoas, vamos caminhar lentamente até o camburão para dar um passeio até a delegacia. O senhor tem todo o direito de permanecer em silêncio — completou, dando--lhe um violento empurrão para a frente para incentivá-lo a sair da casa.

— Senhora!... — Ela tinha trinta e tantos anos, já próxima dos quarenta, avaliou Zack. Era provavelmente bonita, apesar dos lábios ensanguentados e dos olhos castanhos completamente roxos em volta. — Preciso que a senhora venha comigo. Vou levá-la a um médico.

— Não preciso de um médico. — Ela se encolheu ainda mais. Zack reparou que ela exibia também cortes nos braços, feitos certamente pelos cacos de vidro. — O que vai acontecer agora com Joe?

— Vamos conversar sobre isso. Pode me dizer o seu nome?

— Diane. Diane McCoy.

— Permita que eu a ajude, Sra. McCoy.

Diane McCoy sentou-se em uma cadeira, ainda curvada. Segurava uma bolsa de gelo sobre o olho esquerdo e continuava a recusar assistência médica. Depois de lhe oferecer uma xícara de café, Zack pegou sua própria cadeira atrás da escrivaninha, na esperança de que este gesto pudesse colocá-la mais à vontade.

— Sra. McCoy. Tudo o que eu quero é ajudá-la.

— Mas eu estou bem! Vamos pagar pelos estragos. Tudo de que preciso é que o senhor solicite à imobiliária uma lista discriminada, e pagaremos por tudo que foi quebrado ou destruído.

— Isso é uma coisa que podemos resolver depois. Gostaria agora que a senhora me contasse tudo o que aconteceu.

— Apenas tivemos uma briga, foi tudo. Os casais brigam... O senhor não tem que manter Joe preso por causa disso. Se existe uma fiança, podemos pagar por ela.

— Sra. McCoy, a senhora está sentada aqui, diante de mim, com os lábios sangrando, o olho roxo, cortes e hematomas no corpo, por toda parte. Seu marido a agrediu fisicamente.

— Não foi bem assim.

— Então me conte como foi.

— Eu pedi por isso.

Ripley, no outro canto da sala, soltou uma bufada de revolta. Zack lançou-lhe um olhar de advertência, antes de continuar.

— A senhora pediu para que ele a atacasse e a agredisse, Sra. McCoy? Pediu para que ele a nocauteasse, que deixasse seus lábios sangrando?

— Eu o provoquei. Ele anda sofrendo muita pressão. — As palavras saíam um pouco gaguejadas e ligeiramente abafadas, por causa dos lábios incrivelmente inchados. — Era para ser um período de férias, e eu não deveria ter ficado atiçando e implicando com ele daquele jeito.

Então, sentindo o furioso olhar de reprovação de Ripley, ela continuou de modo desafiador.

— Joe dá um duro danado, trabalha cinquenta semanas por ano. O mínimo que eu deveria fazer era deixá-lo em paz, pelo menos durante suas férias.

— E me parece... — contestou Ripley, com ar de revolta — ... que o mínimo que ele deveria fazer, minha cara, era evitar dar socos no seu rosto durante as *suas* férias.

— Ripley, vá pegar um copo de água para a Sra. McCoy. — *E cale a boca!*. Essa última frase não precisou ser dita, porque a expressão do seu rosto ao olhar para ela falou por si só. — Conte-me agora, Sra. McCoy, o que foi que deu início a todo o problema?

— Acho que eu me levantei da cama com o pé esquerdo. Joe tinha ficado acordado até tarde, bebendo. Um homem tem todo o direito de ficar sentado, diante da TV, tomando umas cervejas, durante as férias. Ele deixou o lugar todo bagunçado, com latas de cerveja espalhadas, batatas fritas esmigalhadas pelo tapete e embalagens vazias no chão. Isso me irritou, e eu comecei a perturbá-lo no momento em que acordou. Se eu tivesse calado a boca quando ele mandou, nada disso teria acontecido.

— E não ter calado a boca quando ele mandou deu a ele o direito de transformá-la em um saco de pancadas, Sra. McCoy?

— O que acontece entre marido e mulher não é da conta de ninguém.
— Ela começou a ficar agressiva. — Concordo que não deveríamos ter quebrado a louça e os móveis da casa, mas vamos pagar por tudo. Eu mesma vou fazer uma faxina completa em toda a casa.

— Sra. McCoy, existem programas de aconselhamento para casais em crise lá na sua cidade, em Newark — começou Zack. — Existem também abrigos para mulheres que precisam de proteção. Eu posso dar alguns telefonemas, conseguir algumas informações sobre isso para a senhora.

— Eu não preciso de nenhuma informação. — Seus olhos estavam muito inchados, mas ainda conseguiam exprimir fúria. — O senhor não vai poder manter Joe preso a não ser que eu dê queixa dele, e eu não vou dar.

— Aí é que a senhora se engana. Eu posso mantê-lo preso, sim, por perturbar a ordem na cidade. E os donos da casa também podem dar queixa sobre o que aconteceu na casa deles.

— Isso só vai piorar as coisas. — Lágrimas começaram a cair em abundância. Ela aceitou o copo de papelão que Ripley lhe ofereceu e tomou alguns goles de água. — Vocês não percebem? Agir assim só vai servir para piorar as coisas. Ele é um homem bom. Joe é um homem muito bom, só que tem pavio curto. Eu disse que vamos pagar por todos os danos. Vou preencher um cheque. Não queremos nenhum problema além dos que já tivemos. Fui eu quem o deixou enfurecido. Atirei coisas nele, também. Vocês vão ter que me prender junto com ele. Para que vai servir tudo isso?

Para que serviu tudo aquilo?, Zack pensou mais tarde, repetidamente. Ele não conseguira atingi-la e tampouco era presunçoso a ponto de achar que tinha sido o primeiro a tentar. Não seria sequer capaz de ajudar, especialmente se esse auxílio era rejeitado. Os McCoy estavam presos em um círculo vicioso, fadado a acabar mal. Tudo o que ele poderia fazer era remover esse círculo da sua ilha.

Levou metade do dia para arrumar toda a confusão. Um cheque de dois mil dólares satisfez a agência de locação da casa. Uma equipe de limpeza já estava em atividade no momento em que os McCoy acabaram de fazer as malas. Zack esperou pacientemente, sem dizer nada, enquanto Joe McCoy carregava a traseira da sua caminhonete Grand Cherokee, último tipo, com malas e geladeiras portáteis.

O casal entrou no veículo, cada um pelo seu lado do carro. Diane usava grandes óculos escuros para esconder os danos em seu rosto. Ambos ignoraram Zack quando ele entrou em sua viatura policial, seguiu-os até as barcas e parou junto do ponto de embarque, no cais.

Ficou ali, olhando fixamente, até que o carro, seus ocupantes e todo o resto da barca fossem apenas um pontinho no horizonte, rumando em direção ao continente.

Ele não tinha esperanças de que Nell tivesse ficado esperando por ele; decidiu que estava tudo bem, mesmo assim. Sentia-se muito deprimido e zangado demais para conversar com ela. Em vez disso, ficou sentado na cozinha com Lucy, tomando uma cerveja. Estava pensando em tomar outra quando Ripley entrou.

— Não entendo! Eu simplesmente não consigo entender mulheres como aquela. O sujeito foi com o peso de uma bigorna de oitenta quilos em cima da mulher, e ela ainda fala que foi por culpa *dela* que ele tenha lhe arrebentado a cara. E o pior é que acreditava nisso! — Ripley pegou uma cerveja para si mesma, empurrando a garrafa para ele enquanto abria a tampa.

— Talvez ela precise acreditar nisso.

— Ah, sem essa, Zack! — Ainda fervilhando de raiva, Ripley se deixou cair em uma cadeira em frente à dele. — Ela é uma mulher saudável, tem cérebro. O que é que ela ganha ficando ao lado de um sujeito que a usa como saco de pancadas quando bem entende? Se ela pelo menos tivesse dado queixa, poderíamos ter mantido aquele palhaço enjaulado o tempo suficiente para ela fazer as malas e ir embora, cuidar da própria vida. Nós devíamos ter prendido o cara.

— Ela não iria embora. Não teria feito um pingo de diferença.

— Certo. Você está certo. Eu sei que está certo. E que fico furiosa com isso, é só! — Bebeu um gole da cerveja e ficou olhando para ele. — Você está pensando na Nell. Acha que era assim, desse jeito, com ela?

— Eu não sei como era com ela. Ela simplesmente não conversa comigo sobre isso.

— Você já perguntou?

— Se ela quisesse me contar, já teria contado!

— Puxa, também não precisa vir com quatro pedras na mão! — Ripley pousou os pés sobre a cadeira ao lado. — Só estou perguntando isso porque conheço você, meu irmão. — Ela o olhou com carinho. — Se estiver sentindo alguma coisa por ela, e essa coisa acabar se transformando em algo muito *grande*, tenho certeza de que você não vai sossegar enquanto não souber de tudo o que aconteceu. Sem conhecer a história com detalhes, não vai poder ajudar, e quando você não pode ajudar, isso o deixa louco. Agora mesmo, neste momento, você está assim, com essa cara de bunda, só porque não conseguiu ajudar aquela mulher, simplesmente para se sentir melhor e mais aliviado; simplesmente porque era a coisa certa a fazer. E olha que era uma mulher que você provavelmente nunca mais vai ver na vida. Isso é o gene de Bom Samaritano que você possui.

— Será que não há mais ninguém nesta ilha tão grande a quem você possa ir perturbar?

— Não, porque eu gosto de você mais do que de qualquer outro. Agora, em vez de tomar outra cerveja, porque não leva a Lucy para dar um passeio de barco? Ainda está bem claro, tem muita luz do sol pela frente, e isso vai clarear suas ideias e deixá-lo mais bem-disposto. Não tem graça ficar por aqui, todo encucado.

— É... talvez eu faça isso.

— Bom. Faça mesmo. A chance de outra crise como essa num mesmo dia é próxima de zero, mas mesmo assim eu posso fazer uma última ronda, mais tarde, só por garantia.

— Certo.

Zack se levantou e, após um rápido momento de hesitação, se inclinou para a frente e deu um beijo no alto da cabeça da irmã.

— Eu amo você mais do que ninguém, também.

— E então eu não sei? — Esperou até que ele chegasse à porta, antes de completar: — Sabe, Zack, qualquer que seja a história de Nell, há uma diferença fundamental entre ela e Diane McCoy. Nell caiu fora.

Capítulo Dez

Na segunda-feira, o incidente na casa alugada dos Abbott era o assunto principal da cidade. Todos já haviam tido tempo suficiente para formar uma opinião, particularmente aqueles que não chegaram a testemunhar o evento.

— Estão dizendo por aí que o arruaceiro conseguiu quebrar todas as benditas peças de decoração daquela casa, cada uma daquelas quinquilharias. Vou querer um pouco daquela salada de lagosta, Nell querida — disse Dorcas Burmingham, indo direto em seguida dar continuidade à fofoca com a amiga que a acompanhava. Ela e Biddy Devlin, que era prima em terceiro grau de Mia, já aposentada e proprietária da loja "Tesouros da Ilha", se encontravam para almoçar juntas na cafeteria todas as segundas-feiras, pontualmente, ao meio-dia e meia.

— Ouvi falar que o xerife Todd teve que retirar o homem à força do local — explicou Biddy. — E foi sob a *mira de uma arma!*

— Não, Biddy, não aconteceu nada disso. Conversei com Gladys Macey, que soube da história diretamente da boca de Anne Potter, que mora ao lado e foi quem mandou chamar o xerife com urgência. Zack ficou com o revólver no coldre o tempo todo. Será que dá para trazer um café com bastante chocolate e bem gelado para acompanhar a salada, Nell?

— Brigas domésticas são as emergências mais perigosas para um policial — informou Biddy, com ar de especialista no assunto. — Eu li em algum lugar... Minha Nossa, a sopa está com um cheiro divino, Nell! Acho que jamais tomei esta sopa espanhola, *gazpacho*, em toda a minha vida. Agora, não posso deixar de experimentar. Quero uma terrina dela, acompanhada por um dos seus *brownies*.

— Vou trazer o almoço agora mesmo para vocês — disse Nell. — Se quiserem escolher uma mesa.

— Ora, está ótimo assim; vamos ficar aqui mesmo no balcão, esperando. — Dorcas agradeceu a oferta com um aceno de mão. — Não se preocupe conosco, você já está atarefada o bastante. Enfim, eu soube que, mesmo depois daquele brutamontes ter batido na pobre mulher a ponto de deixar-lhe a boca sangrando e um olho roxo, ela ainda ficou do lado dele. Nem quis dar queixa na delegacia!

— É uma vergonha que aconteçam coisas assim. Provavelmente o pai dessa mulher batia na mãe, e ela deve ter crescido assistindo a coisas como essa acontecerem. Agora, depois de adulta, pensa que a vida é assim mesmo. É um círculo vicioso, segundo as estatísticas. Agressão doméstica gera agressão na geração seguinte. Aposto com você que, se aquela mulher tivesse sido criada em um ambiente de amor, jamais estaria vivendo com um homem que a tratasse desse jeito.

— Senhoras, a refeição ficou em treze dólares e oitenta e cinco centavos. — A cabeça de Nell latejava como se ela tivesse acabado de arrancar um dente, e suas terminações nervosas estivessem tão esticadas e finas quanto um fio de cabelo. Enquanto isso, as duas mulheres passavam à rotina semanal de resolver de quem era a vez de pagar.

Era uma disputa resolvida na brincadeira, e normalmente isso divertia Nell. Naquele momento, porém, gostaria de que elas já tivessem ido embora. Não queria ouvir mais nada a respeito de Diane McCoy.

O que elas poderiam saber sobre isso?, pensou ela, com amargura. *Duas mulheres sem problemas que levavam vidas despreocupadas e confortáveis. O que poderiam saber a respeito do medo e do desespero de se sentir completamente indefesa?*

Nem sempre era um círculo vicioso. Ela queria gritar isso para todos ouvirem. Não havia um padrão fixo. Ela havia sido criada em um lar estável e amoroso, com pais que sempre foram completamente devotados um ao outro e a ela. Nunca houve discussões, irritação, implicâncias, pirraças e picuinhas. Mesmo nos momentos em que as vozes eventualmente se elevavam um pouco, os punhos jamais tinham se levantado contra alguém.

Ela jamais havia apanhado na vida antes de se casar com Evan Remington.

E não era apenas uma droga de estatística!

No momento em que as mulheres conseguiram uma mesa vaga e se dirigiram para ela, Nell teve a sensação de que pequenas tiras de aço com bordas penetrantes lhe apertavam, lenta e continuamente, as têmporas. Virou-se com o olho vidrado para a cliente seguinte e deu de cara com Ripley, que a examinava com atenção.

— Você me parece um pouco abalada, Nell.

— É só uma dor de cabeça. O que vai querer hoje, Ripley?

— Por que não toma uma aspirina? Eu espero.

— Não, estou bem. Olhe, a salada de repolho ralado com frutas está muito boa. É uma receita escandinava. Os clientes têm gostado muito desse novo prato.

— Certo, eu aceito. E quero um chá gelado para acompanhar, por favor. Olhe aquelas duas... — acrescentou, movendo a cabeça na direção de Biddy e Dorcas. — Tagarelam o tempo todo como duas papagaias. Qualquer um ficaria com dor de cabeça, só de ouvi-las. Aposto que está todo mundo fofocando sobre a confusão de ontem.

— Bem... — Ela queria ficar em um quarto escuro, quieta em um canto, por uma hora. — É a grande novidade.

— Zack fez tudo o que podia para ajudar aquela mulher. Ela simplesmente não queria ser ajudada. Nem todo mundo aceita ajuda.

— É que nem todo mundo sabe direito o que fazer diante de uma oferta de ajuda ou em quem confiar plenamente para obtê-la.

— Zack é confiável. — Ripley colocou o dinheiro sobre o balcão. — Talvez ele pareça um pouco discreto, mas é o jeito dele. Quando precisa tomar uma atitude, porém, encara o problema de frente. Quanto a você, devia fazer alguma coisa para acabar com essa dor de cabeça, Nell — acrescentou, pegando o almoço e dirigindo-se para uma mesa próxima

Ela não teve tempo de fazer mais nada para resolver o problema, além de engolir às pressas duas aspirinas. Peg se atrasou e entrou correndo, cheia de desculpas e com um brilho nos olhos que fez Nell desconfiar de que algum homem tinha sido o verdadeiro responsável pelo atraso.

Como Nell tinha um encontro marcado com Gladys Macey para, finalmente, decidir o cardápio definitivo para a festa do aniversário de casamento, teve que correr até em casa e pegar suas notas e pastas com os planos.

A dor de cabeça havia chegado ao estágio infernal quando Nell bateu na porta de Gladys.

— Nell, querida, já lhe disse que você não precisa bater. Simplesmente chame por mim e vá entrando. Você é de casa e a porta está sempre aberta — Gladys foi falando isso enquanto a puxava para dentro. — Estou tão empolgada com tudo isso. Assisti a um programa na TV um dia desses. Tive um monte de ideias que queria contar para você. Acho que devíamos instalar aqueles fios com pequenas luzes enfileiradas, através do jardim e em volta das árvores, e também colocar aquelas luminárias com pequenos corações entrelaçados ao longo de toda a entrada e em volta do pátio da festa. O que você acha?

— Sra. Macey, acho que a senhora deve fazer o que tiver vontade. Eu na verdade sou só a responsável pelo bufê.

— Ora, meu bem, eu penso em você como a Coordenadora Geral de toda a festa. Vamos para a sala de visitas, para conversar melhor.

A sala estava imaculadamente limpa, como se ali a poeira fosse um pecado contra a Natureza. Cada peça da mobília combinava com todo o resto. O desenho do tecido dos estofados combinava com a sanefa toda franjada que ficava acima das janelas e com a estreita borda de papel de parede junto do teto.

Havia duas luminárias idênticas, duas cadeiras iguais, duas mesinhas laterais gêmeas. O tapete combinava com as cortinas, e as cortinas combinavam com os almofadões atirados sobre o sofá.

Toda a madeira era de cerejeira clara, inclusive o móvel da TV com telão, que estava naquele instante transmitindo um programa sobre fofocas de Hollywood.

— Sabe, eu tenho um fraco por programas desse tipo. Ver todas aquelas pessoas famosas e lindas... Adoro ficar vendo as roupas que as atrizes estão usando. Por favor, sente-se. — Gladys apontou o sofá. — Sinta-se em casa: eu vou lá dentro pegar uma Coca bem gelada para nós, e depois arregaçamos as mangas e mergulhamos nos planos.

Exatamente como da primeira vez em que estivera ali e dera uma volta para conhecer toda a casa de Gladys, como parte da pré-organização da festa, Nell se viu um pouco confusa. Cada aposento era tão arrumado e limpo quanto uma fileira de bancos de igreja, e rigidamente organizado. As revistas estavam dispostas uma ao lado da outra milimetricamente, formando um leque sobre a mesinha de centro em frente ao sofá. Na outra ponta da mesa havia um arranjo de flores de seda no tom exato de malva arroxeada e azul usado nos estofados.

O fato de a casa conseguir ter um ar amigável e aconchegante dizia mais sobre seus ocupantes, na opinião de Nell, do que a própria decoração irrepreensível.

Nell sentou-se e abriu suas pastas. Sabia que Gladys iria trazer a bebida em copos altos com um tom de verde-claro, que combinariam com seus pratos usados no dia a dia, e chegariam, imponentes, sobre porta-copos azuis.

Havia, pensou, uma espécie de conforto em saber disso.

Começou a dar uma olhada em suas anotações, mas de repente sentiu o estômago dar um nó ao ouvir a voz alegre da apresentadora de um programa na TV.

"A festa de gala de ontem à noite foi cheia de brilho e glamour. Evan Remington, o todo-poderoso agente financeiro e também advogado de muitas estrelas, estava tão sensacional quanto suas clientes, em seu terno Hugo Boss. Embora Remington negue os insistentes rumores de um romance entre ele e sua acompanhante, a adorável Natalie Winston, que também brilhou em um Valentino justo todo bordado com vidrilhos, a verdade é que seus amigos íntimos estão dizendo que o romance é pra valer.

"Como todos sabem, Remington ficou viúvo em setembro do ano passado, quando sua esposa, Helen, aparentemente perdeu o controle do carro quando voltava da casa de veraneio em Monterey. Seu Mercedes se espatifou, caindo de um dos penhascos da Rodovia 1, e foi destruído. Seu corpo, infelizmente, jamais foi encontrado. Todos nós aqui do programa 'Agitos de Hollywood' ficamos felizes em saber que Evan Remington está retornando aos poucos à sua vida normal, após esse trágico acontecimento."

Nell se levantou como que impulsionada por uma mola, com a respiração curta e muito ofegante. A imagem de Evan parecia cobrir toda a imensa tela da TV, com cada linha bonita de seu rosto, cada mecha de seus fios de cabelos dourados.

Ela quase conseguia ouvir a sua voz, límpida e terrivelmente calma. *Você acha que eu não consigo vê-la, Helen? Você acha realmente que vou deixá-la escapar?*

— Desculpe, querida, eu não pretendia demorar tanto, mas achei que você poderia apreciar comer algo preparado por alguém diferente, para variar. Fiz este pão-de-ló ontem. Carl carregou com ele quase a metade, quando saiu de manhã. Eu não sei onde aquele homem arruma lugar no estômago para tanta coisa! Eu, por exemplo, comi apenas uma pequena fração do que ele...

Com a bandeja nas mãos, Gladys parou de falar de repente, seu tagarelar alegre se transformando, em menos de um segundo, em preocupação e surpresa, ao deparar com o rosto de Nell.

— Querida, você está tão pálida! Está se sentindo bem? Há algo errado?

— Desculpe-me. Mil perdões, senhora Macey, eu realmente não estou me sentindo nada bem. — O pânico era como um triturador de gelo fazendo revoluções em seu estômago. — É... uma dor de cabeça terrível. Acho que não vou conseguir fazer isso agora.

— Claro que não, pobrezinha. Não se preocupe. Vou levar você de carro até em casa e colocá-la na cama agora mesmo.

— Não, não! Eu preferia caminhar. Tomar um pouco de ar fresco. Sinto muito por tudo isso, Sra. Macey. — Nell tentava reunir as pastas desajeitadamente, quase soluçando, enquanto elas teimavam em escorregar pelos seus dedos. — Eu telefono para a senhora para remarcarmos o encontro.

Não quero que você se preocupe com isso neste momento, querida, você está tremendo toda!

— Eu preciso apenas voltar para casa. — E, após dar uma última olhada de pavor em direção à tela da TV, disparou para a porta da rua.

E seguiu pela rua, obrigando-se a andar devagar, sem correr. Quando você corre, as pessoas reparam e ficam se perguntando coisas. Depois, viriam fazer perguntas. Controle total era essencial naquele momento. Ela tinha que se misturar com as pessoas nas calçadas. Não fazer nada que chamasse a atenção. Mas, enquanto ordenava a si própria, mentalmente, para respirar de forma lenta e compassada, o ar fazia ruídos ofegantes nos seus pulmões e se aglomerava lá dentro, formando uma massa que a impedia de respirar.

Você acha que vou deixá-la escapar?

Suor frio corria, úmido e pegajoso, sobre a sua pele, e ela sentia o cheiro do próprio medo. Os cantos do seu campo de visão estavam embaçados, e ela olhava para trás constantemente por cima dos ombros, assustada. No minuto em que conseguiu ultrapassar o portal de seu chalé, uma terrível sensação de náusea finalmente a atingiu com uma fisgada muito forte de dor.

Tropeçou quando corria em direção ao banheiro e se sentiu profundamente enjoada. Quando seu estômago ficou totalmente vazio, ela se sentou no pedaço estreito de chão e esperou os tremores passarem.

Quando conseguiu se levantar de novo, despiu-se, formando um monte com as roupas, e entrou no chuveiro. Abriu a torneira de água quente, tão quente quanto conseguiu aguentar, imaginando que os vapores estavam penetrando profundamente em sua pele, até esquentar seus ossos enregelados.

Enrolada em uma toalha felpuda, arrastou-se até a cama, puxou as cobertas sobre a cabeça e se deixou entrar em um estado de completo esquecimento e abandono.

Diego pulou de forma ágil sobre a colcha e se esticou ao seu lado, permanecendo ali, estático e silencioso como uma sentinela.

Nell não sabia quanto dormira, mas acordou como se estivesse se recobrando de uma doença longa e desgastante que havia deixado o seu corpo pesado, com as articulações moles e o estômago ardendo. Sentiu-se tentada a simplesmente virar para o lado, voltar a dormir e ficar ali. Só que isso não ia adiantar de nada.

Era o ato de fazer as coisas que sempre a ajudara a atravessar as crises; sempre havia sido assim.

Sentou-se na beira da cama lentamente, parecendo uma mulher muito idosa, como se estivesse testando o estado dos próprios ossos e o equilíbrio. A imagem de Evan poderia facilmente flutuar de volta até chegar à sua mente, se ela permitisse. Assim, fechou os olhos e deixou que a imagem se formasse.

Aquilo, também, era uma espécie de teste.

Ela era capaz de olhar para ele, conseguiria olhar para ele. Era preciso se lembrar do passado e do que havia mudado. Só assim, tornou a dizer para si mesma, conseguiria lidar com o que acontecera.

Para conseguir um pouco de conforto, pegou o gato, colocou-o em seu colo e o balançou para frente e para trás.

Ela fugira novamente. Depois de quase um ano, a simples visão da imagem de Evan em uma tela de televisão a deixara tão aterrorizada a ponto de provocar uma fuga às cegas. A ponto de fazê-la passar mal e de arrancar cada pequeno pedaço da armadura duramente construída em torno de si mesma, até transformá-la em uma massa trêmula e patética, feita de pânico.

E isso acontecera porque ela permitira. Ela deixou que Evan lhe provocasse esse efeito. Ninguém podia mudar isso a não ser ela própria. Se conseguira encontrar forças para fugir dele, pensou, teria agora que encontrar forças para se manter longe.

Até o dia em que fosse capaz de pensar nele, até o momento em que pudesse pronunciar seu nome sem temor, ela não estaria livre.

Mantendo a figura dele bem fixa em sua mente, Nell a imaginou estilhaçando-se, como se fosse um vidro quebrado pelo martelo de sua determinação. *Evan Remington...* sussurrou entre os dentes, *você não pode me atingir agora. Não pode mais me machucar. Está completamente acabado, e eu estou apenas começando.*

O esforço a deixou exausta, mas conseguiu colocar Diego no chão. Depois, tentou obrigar-se a levantar da cama, vestiu uma camiseta, quase se arrastando, e colocou um short. Estava disposta a voltar ao trabalho, para planejar e avaliar o cardápio da festa. Já estava na hora de montar uma espécie de escritório para sua pequena empresa no quarto menor.

Se o que Gladys Macey queria era uma coordenadora de festas, era exatamente isso que ela iria ter.

Ao entrar no chalé, desabalada e em desespero, Nell deixara cair as pastas da festa, que haviam se espalhado por todo o chão da sala. Agora ela reunia tudo com paciência, os recortes de revistas, as anotações e as opções de cardápio cuidadosamente escritas. Carregou tudo para a cozinha. Ficou ligeiramente surpresa ao notar que o sol ainda brilhava.

Sentia-se como se tivesse dormido por muitas horas.

O relógio digital do fogão informou-lhe que passava um pouco das seis da tarde. Ainda havia tempo suficiente para reavaliar a proposta de trabalho da Sra. Macey, criar uma lista completa, com cardápios diversos e opções de serviços, para a firma que ela resolvera batizar de "Bufê das Três Irmãs".

Resolvera aceitar a oferta de Mia para utilizar o computador da loja; iria usá-lo para preparar um logotipo que personalizasse os seus folhetos publicitários e os cartões que seriam distribuídos. Precisava ainda projetar custos, calcular orçamentos e preparar livros contábeis.

Ninguém a levaria a sério a não ser que ela mesma se levasse a sério.

Quando colocou as pastas sobre a mesa, porém, e olhou em torno, ela perguntou-se o motivo de um simples ato, como o de colocar água no fogo para preparar café, parecer tão além de suas capacidades.

A batida forte na porta da frente fez sua cabeça girar naquela direção. Seu primeiro pensamento ao ver Zack através da tela de *nylon* da porta interna foi *Agora, não!* Ela nem sequer tivera tempo suficiente para se recompor e desempenhar o papel que era preciso desempenhar.

Mas ele já estava abrindo a porta e a examinava com estranheza através da curta distância entre a frente do chalé e a cozinha, nos fundos.

— Você está bem, Nell?

— Sim.

— Você não parece bem.

— É que eu não estava me sentindo bem, ainda há pouco. — Um pouco constrangida, passou a mão através do cabelo. — Tive uma terrível dor de cabeça, então resolvi tirar uma soneca. Já estou bem.

Com os olhos fundos e pálida, muito longe de estar bem, foi o julgamento silencioso de Zack. Ele não poderia simplesmente dar-lhe as costas e ir embora, deixando-a sozinha, da mesma forma que jamais conseguiria deixar um cachorrinho abandonado na beira de uma estrada.

Diego fez uma entrada repentina, pulando de um canto da sala para atacar seus sapatos. Zack pegou o gatinho e fez um cafuné no pelo da sua cabeça enquanto caminhava em direção a Nell.

— Você já tomou alguma coisa para a dor de cabeça?

— Sim.

— Comeu alguma coisa?

— Não. E não preciso de um enfermeiro, Zack. Foi só uma pequena dor de cabeça.

Apenas uma dor de cabeça não faz uma mulher sair desesperada da casa de alguém, como se o diabo em pessoa estivesse em seus calcanhares. Foi exatamente nesses termos que Gladys descrevera a cena.

— Você parece bastante acabada, querida, mas eu vou lhe preparar o tradicional restaurador de forças da família Todd.

— Agradeço, mas eu estava pensando em trabalhar um pouco.

— Pois vá em frente. — Entregando-lhe o gato, foi até a geladeira. — Não sou grande coisa na cozinha, mas isso eu consigo fazer muito bem, do mesmo jeito que minha mãe fazia quando algum de nós não estava se sentindo bem. Você tem geleia?

Está aí na geladeira, bem na sua cara, pensou ela, emburrada. *O que será que todos os homens tinham, que ficavam completamente cegos de repente, assim que abriam a porta de uma geladeira.?*

— Olhe na segunda prateleira — foi o que disse.

— Não estou conseguindo... Ah, sim, já vi. Nós sempre usávamos geleia de uva, mas esta de morango também deve servir. Vá em frente e continue com o seu trabalho. Não se incomode comigo.

— O que é que você está preparando? — quis saber ela, enquanto colocava Diego ao lado de seu pratinho de comida.

— Sanduíches de geleia de morango com ovo mexido.

— Sanduíche de geleia com ovo?... Parece delicioso! — disse ela, sem ter certeza, mas muito cansada para argumentar. — Foi a Sra. Macey que ligou para você, não foi?

— Não. Fui eu que encontrei com ela, casualmente. Ela mencionou de passagem que você parecia estar preocupada com alguma coisa.

— Não estava preocupada. Estava com dor de cabeça. A frigideira está na prateleira de baixo da pia, à esquerda.

— Pode deixar que eu encontro o que preciso. Este lugar não é mesmo muito grande para conseguir manter algo escondido.

— Você costuma preparar sanduíches de ovo mexido com geleia de morango para cada pessoa da ilha que tem dor de cabeça?

— Isso depende. Estou lhe preparando essa delícia porque você me fisgou, Nell. Estou fisgado desde a primeira vez que a vi. E quando entro aqui, dou de cara com você e noto a aparência de alguém que acaba de ser achatado por um rolo compressor fico preocupado.

Ela não disse nada quando o viu quebrar os ovos, embebê-los em leite e colocar sal demais na mistura. Zack era um homem bom, ela sabia disso. Era gentil e decente. Ela não tinha o direito de incentivá-lo a conquistá-la.

— Zack, eu não vou ser capaz de lhe oferecer aquilo que você procura. Sei que ontem à noite dei a entender que poderia e que estava disposta a isso. Eu não devia ter agido assim.

— Como é que você pode saber o que eu estou procurando, ou o que quero ou de que preciso? — Ele estava mexendo vigorosamente os ovos na tigela. — E, seja lá o que for, isso é problema meu, não é?

— Não é justo que eu dê a impressão de que poderá haver alguma coisa entre nós dois.

— Eu já sou um menino crescido. — Ele colocou uma quantidade tão grande de manteiga na frigideira, que a fez estremecer. — Não espero que tudo seja justo. E o fato é que já existe alguma coisa entre nós dois. O fato de você fingir que isso não é verdade não muda a realidade. — Virou-se para ela, enquanto a manteiga derretia. — O fato de que nós ainda não tenhamos dormido juntos também não muda nada. Íamos acabar nisso, se eu não tivesse recebido aquele chamado.

— E seria um erro.

— Se a vida não fosse cheia de erros, seria uma coisa terrivelmente entediante. E se tudo o que eu quisesse fosse ir para a cama teria aproveitado a deixa e agarrado você ontem.

— Provavelmente você está certo, e é isso que eu estou tentando dizer.

— Certo a respeito dos erros ou do sexo? — perguntou, enquanto começava a espalhar a geleia no pão.

Ela reconheceu que, ainda que soubesse a resposta, não importava. Gentil e decente, é o que ele era. E também teimoso como uma mula.

— Vou preparar o café — respondeu.

— Não tome café com isto. Esta maravilha pede chá. E eu mesmo vou prepará-lo.

Encheu a chaleira, colocando-a sobre o fogo. A seguir, despejou os ovos sobre a frigideira aquecida, provocando um chiado forte.

— Agora você está zangado — disse ela.

— Cheguei aqui um pouco zangado, sim. Estava na fase um. Uma simples olhada em você quando entrei se encarregou de me levar à fase dois. Entretanto, e isso é algo engraçado, eu consigo ficar extremamente enfurecido com uma mulher e mesmo assim não a espanco pela casa. Esse é o tipo de surpreendente autocontrole que eu possuo.

— Eu sei muito bem que não são *todos* os homens que transformam a raiva em violência física. — Nell respirou profundamente e cruzou os dedos sobre a mesa. — Esse é o tipo de surpreendente inteligência que eu possuo.

— Bom para nós dois. — Ele circulou por toda a cozinha até encontrar os saquinhos de chá, uma marca fina, aromatizada com ervas, que lhe pareceu mais adequada para finas xícaras de porcelana do que para as rústicas canecas de cerâmica que ela tinha disponíveis.

Retirando os ovos com cuidado, da frigideira, encontrou alguns garfos e rasgou pedaços de papel-toalha para usar como guardanapos.

Apesar de ele ter dito que não era grande coisa na cozinha, Nell observou, enquanto ele colocava um prato diante dela e se voltava para mergulhar os saquinhos de chá nas canecas com água quente, que mesmo ali ele tinha um certo charme. Jamais desperdiçava um movimento, ela reparou, pensando se isso vinha de sua graça natural ou de uma prática constante.

De uma forma ou de outra, funcionava.

Sentando-se diante dela, no outro lado da mesa, ele permitiu que Diego se aventurasse acima de sua perna e o acomodou sobre a coxa.

— Experimente, vamos!

Ela pegou no garfo, cortou um pedaço e experimentou.

— Está melhor do que esperava, considerando que você usou meio quilo de sal para cada ovo.

— É que eu gosto de sal.

— Não dê comida ao gato aqui na mesa. — Ela suspirou e comeu. Parecia tudo tão abençoadamente normal estar sentada assim, comendo ovos salgados e geleia de morango esmagados entre dois pedaços de pão.

— Minha vida não é mais a loucura confusa que costumava ser, mas ainda tenho maus momentos. Até que eles acabem, não estou preparada para complicar a minha vida ou a de outra pessoa.

— Uma atitude sensata.

— Agora pretendo me concentrar apenas no meu trabalho.

— Certo. Uma pessoa precisa seguir suas prioridades.

— Existem coisas que eu quero fazer e coisas que eu preciso aprender. Por mim mesma.

— Ahn-nam... — Ele acabou de comer o sanduíche e se recostou para terminar o chá. — Ripley me disse que você está à procura de um computador de segunda mão. A agência de aluguel de casas de veraneio está trocando dois computadores. Acho que pode fazer um bom negócio ali. Se quiser, passe por lá e pergunte pela Marge. É a gerente do lugar.

— Obrigada. Vou fazer isso amanhã mesmo. Por que você não está mais bravo agora?

— E quem disse que eu não estou?

— Eu sei quando você está bravo de verdade.

Ele examinou o rosto dela. Um pouco de cor já estava voltando, lentamente, mas Nell ainda parecia muito cansada.

— Aposto que sabe. Não é muita vantagem. — Levou o próprio prato para a pia e o lavou. — Eu posso ficar cismando e pensando nisso mais tarde. Tenho uma tendência a proceder assim, segundo minha irmã.

— Pois eu era campeã de mau humor. — Satisfeita de que estavam se entendendo, pegou no seu prato. — Posso tentar voltar a ser assim, mais tarde. E você estava certo a respeito da refeição tradicional da família Todd, Zack. Ela funcionou.

— Nunca falha. De qualquer modo, com geleia de uva fica ainda melhor.

— Vou fazer um estoque então, só para garantir.

— Ótimo. Vou deixar você em paz para continuar com o seu trabalho. Em um minuto.

E de repente ele a puxou com força de encontro a si, abraçou-a e a levantou ligeiramente, deixando-a na ponta dos pés, cobrindo a sua boca com um beijo quente e possessivo. O sangue pareceu subir todo para a cabeça de Nell em poucos segundos e depois escorreu de volta, deixando-a tonta, fraca e dolorida.

Um gemido estrangulado escapou-lhe dos lábios, antes que ela fosse capaz de colocar os pés de volta no chão e conseguisse agarrar a ponta do balcão para não perder o equilíbrio.

— Isso não é muito sensato — disse Zack. — Mas é real. Você vai ter que incluir isso na sua lista de prioridades. Não trabalhe até muito tarde.

E saiu devagar, deixando a porta bater atrás dele, silenciosamente.

Em seu sonho, naquela noite, havia um círculo. Uma fina linha sobre a terra brilhava como uma fita de prata feita de estrelas. Dentro desse círculo estavam três mulheres vestidas de branco. Suas vozes fluíam como música, embora as palavras soassem estranhas aos seus ouvidos. Enquanto cantavam, fachos de luz surgiam de dentro da terra, em volta do círculo delimitado, cintilantes jorros de prata contra o fundo negro da cortina da noite.

E ela viu um cálice de metal, uma faca com o cabo trabalhado e pequenos ramos de ervas, verdes como o verão.

Do cálice elas beberam, uma a uma. E ela sentiu o gosto do vinho, leve e doce, em sua língua. A que tinha cabelos escuros desenhou símbolos no chão com a ponta da sua faca.

E ela sentiu o cheiro de terra fresca, molhada e escura.

Enquanto dançavam em círculo, cantando, uma chama de ouro puro surgiu do centro da roda marcada no chão, subindo da terra. O calor dessa chama aqueceu-lhe a pele.

Então elas se elevaram, acima da aura dourada do fogo, acima das frias lanças de luz prateada, como se dançassem no ar.

E ela conheceu então a liberdade e a alegria enquanto o vento beijava seu rosto.

Capítulo Onze

Fechada no escritório de Mia, Nell suava rodeada de fatos, números, realidades e possibilidades.

O que a agradava mais em tudo isso eram as possibilidades, pois estas incluíam um computador, que era de segunda mão, mas tinha todas as capacidades e programas requeridos pelo trabalho, um conjunto de peças e folhetos de demonstração bastante atraente, cartões de visita e um multiprocessador de alimentos profissional.

O fato era que ela precisava de todas essas coisas e várias outras para conseguir criar um negócio que fosse viável e razoavelmente lucrativo.

Seus números mostravam que ela poderia transformar os planos em realidade se aceitasse levar uma vida simples pelos próximos doze meses, aproximadamente. Isso incluía comida, bebida e roupas.

Da maneira que via os diferentes cenários, suas escolhas estariam entre ser obrigada a viver como uma toupeira, ou trabalhar sem as ferramentas profissionais adequadas que iriam ajudá-la a construir uma empresa sólida.

Viver como uma toupeira não era tão ruim assim, avaliou. Ela já havia feito exatamente isso durante vários meses, antes de vir para a ilha e colocar a cabeça para fora do buraco. Se não tivesse fraquejado e começado a esbanjar dinheiro em sinos de vento, sandálias, roupas caras e brincos, ela nem se lembraria de como era divertido sair por aí torrando dinheiro.

Agora isso tudo tinha que parar.

Pelos seus cálculos, se Marge, na imobiliária da ilha, fosse paciente o bastante para esperar, ela poderia juntar dinheiro para o computador velho em três semanas. Ela ainda precisaria de várias centenas de dólares a mais, é claro, para a impressora, a linha telefônica, o registro da firma, os equipamentos e o material de escritório. Depois que estivesse instalada e organizada, poderia planejar e produzir os folhetos e cardápios no seu próprio escritório.

Com um longo suspiro, ela se recostou na cadeira e passou os dedos por entre os cabelos. Havia se esquecido por completo do seu uniforme. Não poderia se apresentar como coordenadora detestas em um evento como o da Sra. Macey usando jeans e camiseta, muito menos o seu minúsculo bustiê *sexy* e colante. Precisava de um elegante par de calças para a noite, uma discreta blusa branca com corte clássico, e sapatos pretos com estilo, ainda que sóbrios.

Levantou a cabeça ao notar que Mia estava entrando.

— Oi. Já estou acabando, Mia.

— Não precisa. — Mia abanou as mãos espalmadas para ela. — Eu vim até aqui só para dar uma conferida no catálogo de livros de setembro. — Ela o pegou de uma prateleira e o folheou descuidadamente, enquanto olhava Nell por cima das páginas. — Preocupações financeiras?

— Por que pergunta?

— Vibrações.

— Não são bem preocupações, mas obstáculos dos mais variados tamanhos e alturas. Detesto ter que admitir, mas acho que estou indo rápido demais.

— Por que diz isso? Uma vez que você não detesta o seu trabalho, por que diz que está rápido demais? — perguntou Mia, enquanto se sentava completamente esticada na cadeira, como uma gata sobre um tapete diante de uma lareira.

— Alguns trabalhos paralelos, algumas encomendas de caixas com lanches, uma festa agendada, e aqui estou eu, desenhando modelos para logotipos e cartões de apresentação, tentando me apertar para conseguir dinheiro para um computador, quando poderia muito bem manter tudo organizado em um caderno espiral. Preciso me segurar.

— Nada é mais chato do que se segurar — declarou Mia. — Quando eu inaugurei este lugar, a maioria das pessoas não acreditou que eu poderia fazer com que ele decolasse. Você sabe, esta é uma comunidade pequena, que vive do movimento turístico sazonal. Afinal, livrarias e cafeterias são coisas para cidades grandes e bairros chiques, era o que diziam. Pois estavam errados. Eu sabia o que queria e o que era capaz de conseguir. Assim como você.

— Tudo bem. Talvez em mais seis meses ou um ano eu estivesse preparada — concordou Nell. — Mas fazer tudo agora é colocar o carro à frente dos bois.

— E por que esperar? Você vai precisar de capital, mas não pode se arriscar a ir até o banco pedir um empréstimo. Terá que preencher cadastros com mil perguntas desagradáveis sobre histórico pessoal, crédito em outros lugares, antigos empregos e coisas assim.

Mia inclinou a cabeça para o lado quando Nell soltou um longo suspiro. Ela adorava atingir o centro do alvo logo com a primeira flecha.

— Por mais cuidadosa que você tenha sido, pode ter deixado algum furo ou pista em algum lugar lá atrás — continuou Mia. — E você é esperta demais para correr riscos como esse.

— Já pensei a esse respeito — admitiu Nell. — Se eu abrisse a guarda desse modo, nunca mais conseguiria relaxar. Nell Channing não possui um histórico de crédito na praça e vai demorar para conseguir estabelecer um.

— O que se transforma em um dos maiores obstáculos para levantar o capital. Existem encantamentos para isso, é claro. Só que eu não gosto de fazer encantos visando ganhos financeiros. Parece uma coisa tão... pequena.

— Para mim não parece tão pequena, já que estou tentando feito uma louca esticar meu orçamento para comprar material de escritório.

Apertando os lábios, pensativa, Mia tamborilou com as pontas dos dedos sobre a mesa.

— Tive uma conhecida que estava num aperto financeiro. Ela conjurou um feitiço pedindo que todos os seus problemas de dinheiro fossem solucionados. E ganhou cinquenta mil dólares na loteria, na semana seguinte.

— Está falando sério?

— Sério! Conseguiu pagar todas as suas dívidas e deu a si própria um presente merecido: uma semana no famoso Spa Doral, em Miami. Um lugar fabuloso, por sinal. Ao retornar de lá, seu carro quebrou, o telhado de sua casa começou a vazar, o porão ficou inundado, e ela recebeu uma intimação da malha fina do imposto de renda. No fim, tudo o que conseguiu foi trocar um conjunto de problemas por outros ainda maiores, embora tenha aproveitado aquela semana maravilhosa no spa, fato que não deve ser desprezado.

— Entendi sua mensagem. — Nell compreendeu o humor e a sabedoria das palavras de Mia, e deu um pequeno sorriso. — A Magia não é e nem deve ser usada como muleta, conforme suas conveniências imediatas.

— Você é uma aluna muito aplicada e inteligente, irmãzinha. Então, vamos agora falar de negócios. — Mia tirou os sapatos de salto alto e recolheu as pernas de modo elegante, cruzando-as de lado. — Estou procurando novos investimentos na praça.

— Mia, não posso lhe dizer o quanto agradeço seu gesto, mas...

— Já sei. Você quer se levantar por conta própria, sem a ajuda de ninguém, e blá-blá-blá. — Com um gesto brusco do pulso para o lado, como quem espanta um inseto, Mia afastou o protesto de Nell. — Por favor, vamos nos comportar como pessoas adultas.

— Você está tentando me deixar irritada ou apenas me intimidar para aceitar um empréstimo seu?

— Geralmente não tento irritar ou intimidar ninguém, embora já tenham dito que sou muito boa nas duas coisas. E também não falei em empréstimo. Estamos conversando a respeito de um *investimento*.

Ela descruzou as pernas de modo lento e preguiçoso, levantando-se para pegar uma garrafa de água mineral para ambas no frigobar.

— Eu poderia considerar como investimento um empréstimo para os seus custos iniciais. Digamos, dez mil dólares, pagáveis em um período de sessenta meses, e a juros reais de doze por cento ao ano.

— Mas eu não preciso de dez mil dólares — disse Nell, girando a tampa da garrafa de água com impaciência. — E doze por cento ao ano é ridículo.

— Bem, reconheço que um banco iria cobrar um pouco menos, mas eu não sou banco e não faria todas aquelas perguntas incômodas. — Os lábios de Mia se curvaram em uma sombra de sorriso, com a boca vermelha e bem-delineada sobre o gargalo da garrafa. — Apesar disso, prefiro oferecer outra possibilidade, encarando isso como um investimento e não como empréstimo. Sou uma mulher de negócios, que adora lucros. Você tem um dom e é vendável. Isso já foi comprovado na prática e tem procura na ilha. Com esse capital inicial, você pode estabelecer um negócio viável, o qual, na minha maneira de ver, vai aumentar o interesse pela minha própria cafeteria, em vez de fazer concorrência com ela. Na verdade, tenho até algumas ideias a esse respeito, mas podemos discutir isso mais tarde. Eu poderia então fazer um investimento de dez mil e me tornar sua sócia oculta, por uma razoável compensação de, digamos, oito por cento do lucro bruto,

— Mas eu não preciso de dez mil! — Havia se passado muito tempo, Nell pensou enquanto batia com os próprios dedos na mesa, desde a época em que ela costumava negociar comissões, contratos e coisas assim. Era surpreendente como tudo voltava rápido.

Dez mil seriam bem-vindos, pois iriam ajudar a diminuir o trabalho, eliminar o estresse e as preocupações com dinheiro. Por outro lado, sem o trabalho e as preocupações, não havia o brilho da satisfação e da vitória, que chegava depois de alguém ser bem-sucedido.

— Cinco mil serão suficientes, Mia — falou ela, afinal, com decisão. — E mais seis por cento do lucro líquido.

— Cinco mil, então, mas com sete por cento, líquidos.

— Fechado.

— Excelente. Vou pedir ao meu advogado que redija um contrato.

— E eu vou abrir uma conta para a firma, no banco.

— Não seria menos complicado se eu mesma cuidasse disso e também da licença?

— Não, eu faço isso. Vou ter que me colocar de pé de vez em algum momento.

— Irmãzinha, você já se colocou de pé há dois meses. Mas vou deixar isso por sua conta, então. E... Nell... — disse ela enquanto abria a porta do escritório para sair. — Nós vamos botar pra quebrar!

Ela trabalhou como uma escrava, preparando tudo, planejando, implementando coisas e ideias novas. Sua cozinha transformou-se em um laboratório de experiências, rejeições e também de sucessos. Seu pequeno escritório presenciou sessões de trabalho árduo até tarde da noite, onde, em seu computador de segunda mão e uma impressora, Nell se transformou em sua própria gráfica, imprimindo cardápios, folhetos publicitários, cartões de apresentação, faturas e todos os tipos de impressos, sempre com o timbre "Bufê das Três Irmãs" no alto, e o logotipo que imaginara, onde apareciam três mulheres de pé formando um círculo, com as mãos unidas.

E cada um dos impressos apresentava o nome de Nell Channing como proprietária e tinha o número de seu novo telefone.

Quando conseguiu organizar seus primeiros *kits* de vendas, pegou um deles, acompanhado da melhor garrafa de champanhe que pôde comprar, e foi dirigindo seu carro até a casa de Mia, onde depositou tudo na porta da frente de sua casa.

Tinham acabado de entrar oficialmente em ação.

No dia da festa dos Macey, Nell ficou na cozinha de Gladys supervisionando tudo. Estava trabalhando no local desde as quatro da tarde. E tinha só mais meia hora antes de os convidados começarem a chegar.

Pela primeira vez desde que Nell começara as preparações para a festa em toda a casa, finalmente conseguiu um instante de paz e tranquilidade. Se Gladys conseguisse atravessar a noite sem desmaiar de empolgação e ansiedade, seria um milagre.

Cada centímetro da cozinha havia sido organizado de acordo com as especificações de Nell. Dentro de dez minutos, ela começaria a preparar os aperitivos. Como o número de convidados foi se expandindo pouco a pouco até alcançar a marca de mais de cem, ela teve que usar todo o seu poder de persuasão para convencer Gladys a esquecer a mesa comprida e pomposa em favor de pequenas e interessantes mesas redondas espalhadas estrategicamente em toda a volta da casa, da varanda e do pátio interno.

Ela preparara os pequenos arranjos de flores de cada mesa, pessoalmente, e tinha também ajudado Carl a lidar e instalar os longos rosários de lâmpadas, luzinhas e luminárias extras. Havia velas elegantes em candelabros de prata alugados, assim como guardanapos de papel refinado que, por sugestão de Nell, apresentavam em relevo um coração com as iniciais do feliz casal.

Ainda se sentia tocada ao lembrar-se de como os olhos de Gladys haviam se enchido de lágrimas ao ver os guardanapos pela primeira vez.

Satisfeita ao ver que a cozinha estava pronta para a batalha que estava prestes a começar, foi "passar em revista" o resto do campo de batalha e todas as suas tropas.

Contratara os serviços de Peg, para ajudar a servir, e os de Betsy, da "Pousada Mágica", para cuidar do bar. Ela própria iria ajudar também nessas duas áreas, sempre que conseguisse se afastar um pouco do trabalho na cozinha.

— Parece que vai ser ótimo! — anunciou ela, caminhando até as portas que davam para o pátio. A noite prometia ser clara, sem nuvens. Tanto ela quanto Gladys tinham sofrido incontáveis momentos de agonia diante da possibilidade de chuva no dia da festa.

Nell puxou para baixo as pontas do colete preto que vestia.

— Agora, mais uma vez, Peg. Você circula por todo o pátio, tentando completar um circuito completo a cada quinze minutos. Se a bandeja estiver vazia, ou quase, você vai direto para a cozinha. Se eu não estiver lá para o reabastecimento, você pode preparar a seleção seguinte de salgados ou canapés da maneira que ensinei a você.

— Eu já treinei um zilhão de vezes.

— Eu sei. — Nell deu-lhe um tapinha encorajador nos ombros. — Quanto a você, Betsy, vou tentar acompanhar as bebidas que estiverem acabando e cuidar das garrafas vazias. Se eu não conseguir ver tudo e você estiver com alguma coisa acabando, basta me fazer um sinal.

— Combinado. Nell, tudo parece tão lindo!

— Até agora, está tudo bem. — E ela estava determinada a fazer com que ficasse ainda melhor. — O filho de Carl e Gladys está encarregado da música, então é menos uma preocupação para mim. Vamos colocar o circo na estrada. Peg, os aperitivos acompanhados de uma tigela com molho *rosé* são a nossa primeira estação, certo?

Era mais do que apenas uma festa para Nell. Era um novo começo. Ao acabar de acender a última das velas, ela se lembrou de sua mãe e do primeiro bufê que as duas haviam organizado juntas.

— Completei o nosso círculo, mãe — murmurou ela. — E vou fazer com que tudo hoje seja perfeito e brilhante. — Apertando a chama da última vela entre os dedos, com a imagem de sua mãe na mente, ela fez esse voto íntimo.

Olhando para cima, abriu um sorriso ao ver Gladys Macey sair da suíte do casal.

— A senhora está linda, Sra. Macey.

— Nervosa como uma noiva. — Ela afofou suavemente o cabelo. — Veja isto. Fui até Boston só para fazer este penteado e comprar esta roupa. Não há nada de muito exagerado em minha aparência, há?

O conjunto elegante tinha um tom de verde-pálido e uma discreta fileira de contas brilhantes nas lapelas e punhos.

— A roupa está deslumbrante, assim como a senhora! E não há motivo algum para ficar nervosa. Tudo o que tem a fazer é se divertir. Estou aqui para cuidar de tudo.

— Tem certeza de que não vai faltar coquetel de camarão?

— Tenho certeza.

— Não estou bem certa do que as pessoas vão achar daquele filé de frango com molho de amendoim.

— Elas vão adorar.

— E quanto ao...

— Gladys! — interrompeu uma voz masculina. — Pare de atormentar a garota! — Com ar carrancudo e tentando ajeitar o nó da gravata, Carl se aproximou. — Deixe-a fazer o trabalho dela em paz.

— Sr. Macey, o senhor parece uma pintura! — Incapaz de resistir, Nell se inclinou para a frente e, ela mesma, ajeitou-lhe o nó da gravata.

— Fizeram com que eu comprasse um terno novo.

— E o senhor está muito bonito e elegante nele — assegurou Nell.

— Este homem não fez outra coisa a não ser reclamar desde que chegou em casa, vindo do trabalho.

Já acostumada com o jogo de implicâncias entre eles, Nell sorriu.

— Na minha opinião pessoal — disse ela —, gosto de homens que não se sentem demasiadamente confortáveis dentro de ternos, fraques e gravatas. Acho até muito *sexy*.

— Não sei por que não podíamos ter comemorado isso com um simples churrasco e um barril de chope — respondeu Carl, mudando de assunto e completamente vermelho diante da afirmação de Nell.

Antes que Gladys tivesse a chance de responder a isso, Nell levantou uma bandeja de aperitivos.

— Acho que ambos terão uma noite merecidamente divertida, começando neste instante.

As boas maneiras forçaram Carl a pegar uma das requintadas iscas de salmão defumado. No momento em que sua língua entrou em contato com o aperitivo, ele fechou os lábios e os olhos.

— Humm... isso está muito bom — admitiu. —Aposto que desceria ainda melhor acompanhado por uma cerveja.

— Siga até a entrada da sala de estar e peça a Betsy para lhe providenciar uma garrafa. Acho que estou ouvindo os primeiros convidados chegando.

— Ah, meu Deus! Meu Santo Cristo! —Ajeitando o cabelo novamente, Gladys lançou rápidos e nervosos olhares em torno. — Eu queria ver se tudo estava mesmo preparado como planejamos antes de...

— Tudo está exatamente como deveria estar — tranquilizou-a Nell. — Vá lá para a entrada receber seus convidados e deixe o resto por minha conta.

Levou menos de quinze minutos para que a tensão inicial da festa começasse a ceder. A música começou a tocar, as conversas começaram a se desenrolar, e, quando Nell completou o circuito com os primeiros *kebabs* de frango, teve certeza de que tudo estava bem. As pessoas estavam gostando.

Era engraçado ver os rostos familiares dos habitantes da ilha em sua roupa mais elegante, entrelaçados em grupos ou circulando pelo pátio. Ela mantinha os olhos bem abertos e os ouvidos ligados para pescar os comentários e elogios sobre a comida e o ambiente, sentindo um friozinho gostoso a cada observação positiva ou elogiosa. O melhor de tudo, porém, era ver seus clientes brilharem como uma vela recém-acesa.

Em pouco menos de uma hora a casa já estava lotada, e Nell trabalhava a todo vapor.

— Estão atacando estas bandejas como um bando de refugiados famintos! — comentou Peg quando as duas se encontraram na cozinha. — Parece até que cada um deles fez uma semana de jejum antes de botar os pés aqui dentro.

— Vai melhorar assim que a dança começar. — E, movimentando-se com rapidez, Nell reabasteceu uma das bandejas.

— Rodada número... Ai, que inferno! Eu nem consigo me lembrar do número da rodada em que estamos. As almôndegas crocantes já estão pela metade. Você pediu para eu lhe avisar.

— Tudo bem. Tem alguma coisa que já esteja acabando por completo?

— Não que eu tenha visto. — Peg levantou a bandeja. — Também, do jeito que a coisa está indo, acho que esse povo era capaz de comer até os guardanapos de papel, se você colocasse um pouquinho de molho sobre eles.

Com um olhar divertido, Nell pegou os ovinhos de codorna empanados que estavam esquentando no forno. Quando os estava arrumando em uma bandeja, Ripley entrou.

— Que tremenda festa, hein?

— Está muito bonita, não está?

— Está sim, sua vaidosa!

— Você está muito vaidosa hoje, também — comentou Nell.

Ripley olhou para baixo, avaliando o seu vestido básico preto. Era curto, satisfatoriamente apertado no corpo, e tinha a vantagem de servir para uma festa como aquela ou, acompanhado de um *blazer*, funcionar também como uma roupa apropriada para um encontro menos formal.

— Comprei um desses em preto e outro igual, todo branco. Acho que cobre todas as minhas necessidades em matéria de roupa fina. — Olhou em volta, reparando na absoluta ordem de tudo, ouvindo o ruído da máquina de lavar pratos e sentindo o perfume de pinho. — Como é que você consegue manter tudo tão organizado aqui?

— É que sou brilhante!

— Pelo jeito, é mesmo. — Ripley pegou um dos ovinhos de codorna empanados e jogou na boca. — A comida está fabulosa — falou, com a boca cheia. — Nunca tive a chance de lhe dizer, mas aquele piquenique que você preparou para mim foi realmente o máximo!

— Foi? Como é que correram as coisas?

— Melhor, impossível — replicou Ripley, sorrindo. — Obrigada.

Seu sorriso de orgulho se transformou em uma cara amarrada, no momento em que Mia entrou.

— Queria expressar minhas congratulações para a chefe da cozinha. — Ela avistou os ovos empanados. — Ora, uma nova atração! — Pegou um e o mordeu, com elegância. — Delicioso. Olá, Ripley. Quase não reconheci você, fantasiada de mulher. Como foi que conseguiu decidir se usava o vestido preto ou o branco esta noite?

— Ora, Mia, vá se...

— Não, não comecem! — cortou Nell. — Hoje eu não tenho tempo para dar uma de juíza nessa luta.

— Não se preocupe. — Ripley pegou mais um ovinho. — Não vou gastar minha energia com a Deusa do Oculto aqui. O sobrinho de Gladys acabou de chegar de Cambridge e me pareceu um gato. Vou tentar atacá-lo.

— É reconfortante saber que certas coisas nunca mudam — foi o comentário de Mia.

— Não toquem em nada por aqui — Nell ordenou, saindo em seguida com a bandeja na mão, apressada.

— Bem... — Pelo fato de preferir se manter mais um pouco longe da multidão e mesmo assim comer alguma coisa, Ripley levantou discretamente a tampa de uma bandeja que estava sobre a bancada. — Nell me parece estar bem.

— E por que não estaria?

— Ora, não se faça de idiota, Mia. Não combina com essa cara de gata. — Ripley se serviu de dois canapês em forma de coração, frios mesmo. — Não é preciso ter um espelho mágico para notar que ela já passou por maus pedaços. Uma mulher como ela não aparece na ilha sem nada no mundo além de uma mochila e um carro velho a não ser que esteja fugindo. Zack acha que algum sujeito a andou espancando por aí.

Quando viu que Mia não se manifestou, Ripley encostou-se à bancada e deu uma pequena mordida no canapé.

— Olhe, Mia... Eu gosto dela, e meu irmão está caidinho por ela. Não estou pretendendo implicar com ela ou perturbá-la, mas talvez simplesmente ajudá-la, se for preciso.

— Com o uso do seu distintivo ou sem ele?

— Com qualquer um dos dois, ou com os dois juntos. Parece que ela está tentando se estabelecer de vez aqui. Não apenas trabalhar para você, mas começando o seu próprio negócio. Está começando uma vida nova aqui em "Três Irmãs", e isso a torna uma das minhas.

— Me dê um desses. — Mia estendeu a mão e esperou Ripley lhe servir um canapé. — O que é que você está me pedindo, na verdade, Ripley?

— Se Zack estiver certo, e normalmente está, e se tem alguém por aí que pode estar vindo procurá-la e você tem conhecimento disso...

— O que quer que Nell tenha me contado como confidência, tem que ser respeitado.

Para Mia, a lealdade — Ripley foi forçada a admitir — não era apenas uma postura de vida. Era quase uma religião.

— Não estou pedindo para você ser indiscreta ou quebrar a confiança dela.

— É que você simplesmente não tem coragem de pedir isso, não é? — Mia mordiscou o canapé.

— Ora, pare de me encher, Mia! — Ripley colocou a tampa da bandeja no lugar e se preparou para sair, com raiva. Havia, porém, alguma coisa no ar, no jeito de Nell, agitada e feliz, trabalhando de modo frenético, mas muito organizado na cozinha maravilhosamente limpa, que a fez parar.

Girou o corpo para trás e falou: — Conte-me as visões que teve, Mia. Eu quero ajudá-la.

— Sim, eu sei disso. — Mia acabou de saborear o canapé e esfregou o polegar entre os outros dedos, para limpar a mão. — Eu vi um homem. Ele a persegue e a apavora. Esse homem é a realidade física de cada um dos medos, dúvidas e preocupações dela. Se ele vier até aqui, se ele conseguir encontrá-la, Nell vai precisar de nós duas. E vai precisar reunir toda a sua coragem para usar o próprio Poder.

— E qual é o nome dele?

— Não posso lhe dizer isso. Não me foi mostrado.

— Mas você sabe!

— O que ela me contou, isso eu não posso revelar a você. Não posso e nem quero perder a confiança dela. — A onda de preocupação nos olhos de Mia causou fisgadas na barriga de Ripley. — Mesmo que eu pudesse lhe dizer o nome ou chegasse a fazê-lo, isso não faria diferença. Esse é o caminho dela, Ripley, e é *ela* que vai ter que trilhá-lo. Podemos guiá-la, apoiá-la, instruí-la e ajudá-la. No final de tudo, porém, a escolha vai ter que ser *dela*. Você conhece a lenda tão bem quanto eu.

— Não estou falando disso. — Ripley jogou o assunto para o lado com um gesto brusco da mão. — Estou falando a respeito da segurança de alguém, da segurança de uma amiga.

— Eu também. Só que eu estou falando igualmente do destino dessa amiga. Se você quer realmente ajudá-la, Ripley, poderia começar a assumir a responsabilidade pelo seu próprio destino. — E, dizendo isso, Mia saiu.

— Responsabilidade, uma ova! — Ripley ficou aborrecida e tensa o suficiente para levantar a tampa da bandeja e pegar mais um canapé.

Ela sabia quais eram as suas responsabilidades. Sua função era preservar a segurança dos moradores e visitantes da Ilha das Três Irmãs. Manter a ordem e aplicar a lei.

Além disso, suas outras responsabilidades não eram da conta de ninguém, a não ser dela mesma. E não lhe parecia uma atitude responsável sair por aí praticando charlatanismos e outras crendices, aproveitando-se de uma lenda idiota que era tão tola agora quanto há três séculos.

Ela era a delegada da ilha, e não parte de um trio místico de salvadoras. E não estava "destinada" a aplicar nenhum tipo de nebulosa "justiça psíquica".

Com isso, ela notou que havia perdido o apetite e a vontade de dar em cima do sobrinho de Gladys Macey. Bem feito! Ela merecia isso, por perder tempo com Mia Devlin.

Aborrecida, saiu a passos largos da cozinha. A primeira pessoa que viu quando entrou novamente no ambiente da festa foi Zack. Ele estava no centro das atenções, onde sempre parecia estar quando o assunto dizia respeito a "gente". As pessoas eram atraídas por ele como por um ímã. Mesmo vendo que estava no meio de um grupo que conversava animadamente com ele, Ripley notou que seu olhar e seus pensamentos estavam em outro lugar. Estavam totalmente voltados para Nell.

Agora, ao observar o irmão seguindo Nell com os olhos enquanto esta circulava com seus refinados ovinhos empanados, não havia nenhuma dúvida a respeito disso.

Ele estava flutuando nas nuvens.

Embora Ripley conseguisse resistir e ignorar o papo-furado de Mia a respeito de destinos e responsabilidades com relação a ela mesma, quando esse assunto estava ligado a uma amizade recém-formada e ainda florescendo, isso era outra coisa completamente diferente. Especialmente quando também envolvia o seu irmão.

Não havia nada que ela não fosse capaz de fazer por Zack, mesmo que isso significasse ela se unir a Mia.

Resolveu passar a prestar atenção à situação mais de perto, reavaliar tudo periodicamente. Meditar e pensar profundamente sobre tudo isso.

— Ele já está bem na beirinha — sussurrou Mia em seu ouvido, subitamente. — Na beira instável do abismo, bem antes daquela queda de tirar o fôlego.

— Eu sei. Também tenho olhos, não tenho?

— Mas sabe o que vai acontecer se ele cair?

— Por que você não me conta? — Ripley pegou o copo que estava nas mãos de Mia e bebeu metade dele.

— Ele será capaz de colocar a própria vida em risco para protegê-la, sem hesitar um segundo. E o homem mais admirável que conheço. — Mia pegou o copo de volta das mãos de Ripley, tomando um gole. — Pelo menos nisso nós duas estamos completamente de acordo.

— Eu quero que você faça um encantamento para protegê-lo. — Ripley fraquejou, porque sabia que Mia estava certa. — Quero que você cuide disso.

— Já fiz tudo o que pude. No final, você sabe muito bem que vai ser necessário um círculo de três pessoas.

— Não quero pensar nisso agora. Não quero nem falar nisso agora.

— Tudo bem. Por que não nos recostamos simplesmente em algum lugar e admiramos um homem forte e fabuloso enquanto ele se apaixona? Momentos tão puros não deveriam ser desperdiçados. — Mia pousou uma das mãos no ombro de Ripley, um contato quase casual. — Ela não percebe isso. Mesmo que esteja passando através dela como uma lufada de ar quente, ela não está centrada o bastante para perceber.

Com um suspiro que parecia revelar um sutil toque de inveja, Mia olhou para o copo de vinho vazio em suas mãos.

— Venha comigo. Vou pegar uma bebida para você.

Zack esperou algum tempo. Conversou com diversos convidados, dançou com algumas senhoras, compartilhou uma cerveja comemorativa com Carl. Ouvia com aparente interesse a todos que vinham reclamar alguma coisa sobre a cidade e observava atentamente a ingestão de álcool de todos os que iam voltar para casa dirigindo.

Olhava Nell servir a comida e bater papo com os convidados ao mesmo tempo em que vigiava as bandejas aquecidas para que elas mantivessem os aperitivos sempre quentinhos. O que ele estava presenciando ali, pensou, era uma flor desabrochando.

Começou a se perguntar se deveria lhe oferecer uma mãozinha, mas refletiu que essa proposta era quase cômica. Ele não tinha a mínima idéia do que precisava ser feito, e, obviamente, Nell não necessitava da ajuda de ninguém.

À medida que a multidão foi diminuindo, Zack levou alguns dos convidados, que pareciam descontraídos demais, para suas casas, pessoalmente, só por segurança. Já era quase meia-noite quando ele achou que seus deveres haviam sido cumpridos e se sentiu livre para procurar Nell, a sós, na cozinha.

Uma pilha de bandejas vazias estava cuidadosamente colocada sobre a bancada de mármore branco polido de Gladys. Tigelas estavam devidamente arrumadas em um canto. A pia estava cheia de água quente com detergente, e pequenas línguas de vapor subiam pelo ar. Nell, sistematicamente, estava enchendo a máquina de lavar pratos.

— Quando foi a última vez em que você se sentou?

— Nem me lembro. — Ela estava encaixando os pratos nas prateleiras da máquina. — Apesar de os meus pés estarem me matando, estou me sentindo incrivelmente feliz.

— Tome. — Ele a serviu com uma taça de champanhe. — Achei que você merecia isso.

— Acho que mereço mesmo. — Ela tomou um gole antes de pousar a taça sobre a pia. — Todas essas semanas de planejamento, e agora está feito! E consegui cinco... cinco, veja só!... encomendas para a próxima semana. Você sabia que a filha de Mary Harrison vai se casar na primavera?

— Ouvi falar. Vai se casar com John Bigelow, que é meu primo.

— Eles me fizeram um convite para o bufê.

— Espero que você coloque aquelas almôndegas deliciosas no cardápio. Estavam maravilhosas como sempre.

— Vou anotar isso. — Era tão bom poder planejar as coisas com antecedência. Não apenas um dia ou uma semana, mas meses à frente. — Você viu Gladys e Carl quando estavam dançando juntos? — Ele esticou as costas para trás, colocando a mão abaixo dos rins. Ela prosseguiu — Trinta anos, e eles estavam dançando no pátio, olhando um para o outro como se aquilo estivesse acontecendo pela primeira vez. Esse foi, para mim, o momento mais bonito da noite. Sabe por quê?

— Por quê?

— Por causa daquela dança deles, coladinhos. — E se virou para ele. — Era o olhar que um estava lançando para o outro, o jeito deles, isso era a essência da festa. Não era a decoração, nem as luzinhas piscando, nem os coquetéis de camarão. A essência eram duas pessoas que estavam conectadas e acreditavam nisso. Acreditavam um no outro. O que teria acontecido se um dos dois, trinta anos atrás, tivesse recuado na relação ou ido embora? Teriam perdido esse momento de hoje, a dança romântica no pátio, e tudo o mais que aconteceu no decorrer desses anos.

— Eu jamais consegui dançar com você. — E se aproximou dela, deslizando os dedos suavemente sobre o seu rosto. — Nell...

— Finalmente encontrei você! — Gladys irrompeu na cozinha, com os olhos úmidos e brilhantes. — Estava com medo de que você já tivesse ido embora.

— Não, imagine... Tenho que acabar de limpar tudo aqui. Depois ainda vou fazer uma inspeção por toda a casa para me certificar de que tudo está de volta no devido lugar.

— De jeito nenhum! Você já fez o bastante, muito mais do que seria de esperar. Nunca estive numa festa tão fabulosa, em toda a minha vida. Pode acreditar, Nell, as pessoas vão se lembrar e comentar sobre essa noite durante anos. E eu infernizei a sua vida durante essas semanas, sei disso.

Ela segurou nos ombros de Nell, dando-lhe dois beijos no rosto. Depois a abraçou, comovida.

— Olhe, foram momentos tão maravilhosos que eu não quero esperar por mais três décadas para fazer tudo de novo. Agora, quero que vá para casa e descanse os pés. — Ela enfiou discretamente uma nota de cem dólares nas mãos de Nell. — Isto é para você, meu bem.

— Mas... Sra. Macey, a senhora não precisa me dar nenhuma gratificação. Peg e...

— Já cuidei delas, também. Você vai me deixar ofendida se não pegar esse dinheiro e sair para comprar algo bem bonito para você. Agora, quero que vá para casa. Qualquer outra coisa que precise ser feita, pode muito bem esperar até amanhã. Xerife, por favor, acompanhe Nell até o carro e ajude-a com as bandejas e acessórios.

— Pode deixar comigo!

— Essa festa foi muito melhor do que a do meu casamento — disse Gladys enquanto se encaminhava para a porta. De repente, ela se virou para trás e deu uma piscada. —Agora, vamos ver se conseguimos melhorar também a primeira noite da lua de mel.

— Pelo jeito, Carl está preparando uma surpresa. — Zack pegou uma pilha de bandejas. — E melhor sairmos, para dar ao jovem casal um pouco de privacidade.

— Estou logo atrás de você.

Foram necessárias três viagens para carregar tudo até o carro, e Carl apareceu e colocou uma garrafa de champanhe nas mãos de Nell enquanto os ajudava a sair.

— Para que tanta pressa, Carl? — Zack perguntou, rindo, enquanto carregava o porta-malas do carro de Nell.

— Onde está o seu carro, Zack? — perguntou ela.

— Ahn?... Ora, acho que Ripley levou o carro para carregar o último casal semi-incapacitado até em casa. A maioria das pessoas voltou a pé, o que ajudou bastante.

Nell permitiu-se olhar demoradamente para ele. Estava usando um terno, mas já havia se livrado da gravata. Dava para ver o volume que esta fazia, enrolada no bolso do terno.

Zack desabotoou o colarinho, e ela viu as marcas bronzeadas das linhas de sua garganta.

Havia um leve sorriso nos lábios dele enquanto olhava as luzes da casa dos Macey se apagando, uma a uma. Seu perfil não era perfeito. Seu cabelo não tinha o corte da moda. O jeito como ele estava parado, com os polegares enfiados nos bolsos frontais da calça, era mais relaxado do que estudado. Ele não estava fazendo pose.

Quando o tremor do desejo chegou, ela não tentou afastá-lo. Em vez disso, deu um passo à frente.

— Eu só tomei meia taça de champanhe. Não estou incapacitada para andar nem dirigir. Estou pensando com clareza, e meus reflexos estão perfeitos.

— Na posição de xerife — e virou o rosto em direção a ela —, fico satisfeito em saber disso.

— Venha para minha casa comigo. — Continuando a olhar com atenção para Zack, Nell pegou as chaves no bolso e balançou-as no ar, esticando o braço na direção dele. — Tome, você dirige!

— Não vou nem perguntar se você tem certeza. — O brilho nos olhos dele ganhou uma súbita e penetrante intensidade, enquanto pegava as chaves. — Vou só pedir para você entrar no carro bem depressa.

Os joelhos dela ficaram um pouco bambos, mas ela foi até a porta do carro no lado do carona e entrou com cuidado, enquanto ele se posicionava atrás do volante.

Quando ele a puxou e beijou violentamente a sua boca, ela esqueceu os joelhos bambos e relaxou o corpo.

— Se segure, Nell, se segure! Ai, meu Deus do Céu, é hoje!... — Ele enfiou as chaves na ignição. O motor deu uma engasgada, mal ganhou vida, e Zack já estava levando o carro, que ainda protestava, em uma curva em "U", bem fechada. Os pneus cantaram, em sinal de reclamação, fazendo com que Nell começasse a rir, de nervoso.

— Se este calhambeque se desmontar pelo caminho, a gente vai ter que correr até em casa. Zack... — Soltando o cinto de segurança que prendera automaticamente ao entrar no carro, ela escorregou de mansinho e mordeu a ponta da orelha dele, sussurrando: — Eu me sinto como se fosse explodir.

— Eu alguma vez mencionei que tenho uma quedinha por mulheres que usam roupas pretas?

— Não. É verdade?

— Descobri esta noite. — Esticando o braço, agarrou-lhe o vestido pela parte de baixo, no fundo das costas, e a apertou de encontro a si. Compreensivelmente distraído, fez uma curva fechada demais e o carro derrapou ligeiramente, batendo com a calota no meio-fio.

Só mais um minuto, falava consigo mesmo, fingindo afobação. *Só um minutinho mais.*

Com os pneus cantando mais uma vez devido a uma freada brusca, que os jogou para frente, parou em frente ao chalé de Nell. Quase se esqueceu de desligar o motor antes de abraçá-la. Puxando-a e colocando-a sobre o colo, ele encontrou-lhe a boca e a apertou contra a sua, quase sem fôlego, deixando suas mãos passearem livremente por todo o seu corpo.

Uma vontade urgente brotou em Nell, agitando-a. Era quente e bem-vinda. Montada sobre Zack, ela agarrou o paletó dele, com o corpo arqueado sob suas mãos, e ficou excitada ao sentir o primeiro sinal de uma massa pulsante embaixo de seu corpo.

— Vamos entrar. — Ele se sentia tão estimulado e impaciente quanto um adolescente, e também desajeitado enquanto lutava para tentar abrir a porta do carro. — Temos que entrar.

Ele se embolou com ela para fora do carro com a respiração quase descontrolada, enquanto continuavam a lutar para se desvencilharem das roupas. Os dois tropeçaram, e um dos botões voou de sua camisa. Enquanto ele quase a carregava no colo em direção à porta do chalé, sentia vibrar em sua cabeça o som de sua gargalhada deliciosa.

— Ai, adoro suas mãos! Quero que elas percorram todo o meu corpo.

— Vou cuidar disso. Droga, que diabos está acontecendo com essa porta? — Enquanto ele tentava descontar sua frustração empurrando a porta com o quadril, esta se abriu de repente.

Os dois acabaram amontoados no chão sob o portal, com o corpo metade para dentro, metade para fora.

— Vamos, por aqui, por aqui! — Ela ficava repetindo, enquanto seus dedos trabalhavam freneticamente na fivela do cinto dele.

— Espere um pouco! Deixe eu... fechar a... — Ele conseguiu rolar para o lado, afastou-se dela alguns centímetros e deu um chute na porta, para fechá-la.

A sala estava toda banhada pela luz do luar e havia sombras apenas nos cantos. O chão estava duro como pedra, mas nenhum dos dois reparou nesse detalhe, pois arrancavam as roupas, rolavam-se e abraçavam-se. Ele viu rápidas imagens, maravilhosas e eróticas, de pele pálida, curvas suaves e linhas delicadas.

Queria olhar para ela. Queria mergulhar nela. Queria tê-la.

Quando a blusa dela se prendeu nos punhos, ele desistiu de desabotoá-la e abaixou os lábios em direção a seus seios.

Ela estremecia embaixo dele, um vulcão prestes a entrar em erupção. Lampejos de um calor interno, ondas de uma espera longa e aflita eram lançadas por todo o seu sistema, até que enfim se sentiu madura e pronta.

Arqueando-se novamente sob ele, pedindo mais do que oferecendo, suas unhas arranhavam insistentemente suas costas. O mundo girava, cada vez mais rápido, como se ela tivesse pulado sobre um carrossel descontrolado, e tudo o que a prendia à terra fosse o peso glorioso do corpo dele sobre o dela.

— Agora! — Ela apertou os quadris dele, abrindo-se mais. — Agora!

Ele mergulhou, em um movimento de baixo para cima, deixando seu corpo assumir a ação e a mente flutuar. Não havia mais nada a não ser a fúria incansável para chegar à união total. Ela se fechou em torno dele, como um punho quente e úmido, e ele a sentiu estirar-se, esticando-se e retesando-se cada vez mais, como um arco embaixo dele, antes de soltar um grito primitivo de prazer que tinha um som triunfante.

Seu clímax tomou o corpo dele por dentro, com uma força avassaladora.

O prazer fluiu de dentro dela como um gêiser que transborda, inundando todos os sentidos. Sentindo-se voar, livre, ela se enrolou em torno dele, apertando-se com firmeza para levá-lo junto nesse voo.

A pura alegria em seus olhos que brilhavam o levou além da borda do abismo.

Capítulo Doze

Os ouvidos de Zack zuniam. Ou talvez fosse apenas o som do seu próprio coração batucando de encontro às costelas como um punho que martela as teclas de um piano. De qualquer modo, ele não conseguia fazer com que sua mente ficasse clara ou que seu corpo conseguisse se mover. Poderia pensar em paralisia temporária, se ao menos tivesse energia suficiente para pensar em alguma coisa.

— Tudo bem — ele conseguiu dizer, respirando profundamente. — Está certo. — E expirou com força. — Parece que eu fiz uma viagem, uau!

— Eu também. — Ela estava achatada embaixo dele, com o nariz encostado em sua garganta.

— Você se machucou, bateu em algum lugar?

— Não. Você me segurou. — E deu uma mordida com a ponta dos dentes na pele sobre a forma firme de sua garganta. — Meu herói!

— Sim. Pode apostar.

— Apressei você. Espero que não se importe.

— É um pouco difícil reclamar de alguma coisa nesse momento. — Ele reuniu as energias que encontrou e rolou para o lado, arrastando-a sobre ele de modo que ela ficou recostada em seu corpo. — Só espero que você me dê a oportunidade de exibir todo o meu estilo e minha *finesse*.

— O quê? — perguntou ela, levantando a cabeça, balançando-a para colocar o cabelo para trás e sorrindo para ele.

— Eu estava pensando no quanto eu gosto do *seu* estilo. Todas as vezes que consegui colocar os olhos em você esta noite, durante a festa, eu ficava ali, com água na boca. Lá estava eu, o grande e bonitão xerife Todd, circulando dentro de um terno que preferia não estar usando, bebendo uma cerveja solitária a noite toda, só para ter condições de levar as pessoas a salvo para casa. E você olhando para mim com esses olhos verdes lindos e pacientes, até me deixar com tanto tesão que eu tinha que ir correndo me esconder na cozinha, só para me acalmar.

— Isso é verdade? — Ele correu-lhe as mãos ao longo dos braços e olhou com um olhar divertido quando seus dedos encontraram os punhos da blusa. Com todo o cuidado, ele começou a desabotoá-los. — E você sabe — continuou ela — no que eu estava pensando quando olhava para você a noite toda?

— Não exatamente.

— Eu pensava em como você parecia um dançarino, todo feito de graça e competência. E tentava não pensar no que havia debaixo daquela camisa engomada e daquele colete pequeno.

— E você tem todas essas curvas e formas maravilhosas, Nell. — Depois de liberar os punhos da blusa, ele percorreu novamente seus braços, voltando até os ombros. — E isso que tem me deixado louco há várias semanas.

— Não sei como explicar a maneira como me sinto por saber disso. Por me sentir firme o suficiente para querer isso. — Ela jogou a cabeça para trás e os braços para cima. — Ah, meu Deus, eu me sinto tão viva! Não quero que essa sensação acabe nunca mais — e se inclinou na direção dele, beijou-o com ardor e depois mexeu as pernas com rapidez no ar, como se estivesse pedalando o vento, antes de se levantar. — Quero tomar aquele champanhe. Quero me embebedar e fazer amor com você a noite inteira.

— Posso muito bem embarcar nessa canoa... — Ele se sentou na cama, mas então seus olhos se arregalaram quando ela escancarou a porta da frente. — O que está fazendo?

— Vou pegar o champanhe no carro.

— Deixe-me colocar as calças que eu faço isso, Nell. — Estupefato, ele saiu da cama de um pulo só enquanto ela corria lá para fora, nua como um bebê após o parto. — Ai, pelo amor de Deus! — Ele agarrou as calças, levando-as com ele até o portal. — Volte para dentro agora mesmo — brincou. —Antes que eu tenha que prendê-la por atentado ao pudor.

— Ninguém está olhando. — Ela se sentia fabulosa e à vontade ali, de pé, nua, e sentindo o ar frio da noite acariciar a pele que havia sido tão aquecida pela paixão momentos antes. Sentindo a grama espetar-lhe de leve as solas dos pés, abriu os braços completamente e começou a girar em largos círculos. — Venha aqui para fora. Está uma noite linda! Luar, estrelas e o som do mar.

Ela parecia estar completamente seduzida por aquilo: o dourado de seus cabelos estava prateado pelo luar, sua pele leitosa trepidava sob a luz, e seu rosto se elevou para o céu.

Então, o seu olhar se encontrou com o dele no meio do pequeno gramado, e isso teve uma força tão intensa que ele ficou sem conseguir respirar. E, por um momento, poderia jurar que viu todo o corpo dela cintilar.

— Há algo no ar, aqui fora! — disse ela, atirando as mãos para cima com as palmas em concha, como se quisesse segurar e tocar a respiração da noite. — Eu o estou sentindo bem aqui dentro, pulsando. E quando eu sinto isso, é como se pudesse fazer qualquer coisa. — Com as mãos ainda espalmadas para o alto, esticou uma para ele. — Você não quer vir até aqui fora só para me dar um beijo sob a luz do luar?

Ele não resistiu e nem tentou resistir. Simplesmente caminhou até ela e tomou-lhe a mão estendida. Com o céu salpicando luz em toda a volta deles, Zack abaixou o rosto e inclinou sua boca em direção à dela, em um beijo longo, que mais aquecia do que queimava.

A ternura do momento começou a inundar o coração de Nell. Quando ele a levantou no ar como uma pluma, ela aninhou a cabeça sobre o seu ombro, sabendo que estava a salvo e era bem-vinda ali.

Ele a levou de novo para dentro, no colo, atravessou lentamente a sala do pequeno chalé até a velha cama, sentindo o antigo colchão ceder suavemente sob o peso dos dois.

Mais tarde, disse a si mesmo, enquanto se perdia de novo por completo dentro dela, que poderia parar para descobrir como era estar se apaixonando tão completamente por uma bruxa.

Ela despertou antes do amanhecer, depois de um dos pequenos intervalos de sono que ambos se permitiram aproveitar durante toda a noite. Sentiu o calor do corpo dele e o seu peso. A simples tranquilidade disso e a normalidade estável daquele homem que ainda dormia ao seu lado como se fosse uma coisa usual e natural geraram sensações gostosas, que eram ao mesmo tempo reconfortantes e excitantes.

Tentou desenhar o rosto dele com o pensamento, bem no fundo de sua mente, detalhe por detalhe. Ao completar isso, ela o manteve fixo ali, como se fosse um quadro, enquanto deslizava suavemente para fora da cama, para dar início ao seu dia.

Tomou um banho de chuveiro, vestiu um short e uma camiseta sem mangas. Com todo o cuidado, pegou todas as roupas que haviam ficado espalhadas pela sala de estar e foi quase flutuando até a cozinha.

Ela jamais experimentara um desejo tão intenso como aquele, não daquele tipo que saltava como um animal por dentro dela ou parecia engoli-la por inteiro.

Ela já ansiava pela oportunidade de experimentar tudo aquilo outra vez.

E a ternura do depois, a sede insaciável por mais e mais, o modo intenso e ao mesmo tempo leve de tatear um ao outro às cegas, quase sem fôlego. Tudo junto.

Nell Channing tinha um amante. E ele estava dormindo na sua cama.

Ele a desejava de verdade, de modo quase palpável, e isso era uma sensação nova, trepidante, estimulante. Ele a queria simplesmente pelo que ela era, e não pela pessoa que ele poderia moldar como quisesse. Isso era como um bálsamo.

Sentindo-se cheia de júbilo, coou o café e, enquanto sua fragrância perfumava o ar, preparou com rapidez uma tigela de massa para fazer bolinhos de canela e depois uma outra para pão. Enquanto trabalhava, sentindo-se leve, cantava para si mesma e observava a beleza do novo dia que estava começando e já espalhava tons rosados pelo céu.

Depois de regar o jardim e tomar a primeira caneca de café, colocou um pequeno tabuleiro com os bolinhos dentro do forno. Com sua caneca em uma das mãos e um lápis na outra, começou a brincar e fazer pequenos rabiscos sobre o cardápio da cafeteria para a semana seguinte.

— O que está fazendo?

Ela pulou como um coelho ao ouvir o som rouco e ainda sonolento da voz de Zack, e o café entornou sobre o papel.

— Ah, meu Deus, eu acordei você? Sinto muito. Acredite, tentei ficar bem quieta, sem fazer barulho — disse, angustiada.

— Nell, não faça isso! — cortou ele, levantando a mão. — Isso me deixa irritado! — Sua voz estava mais densa e pastosa com o sono, e ela não conseguiu evitar uma fisgada de medo que lhe atingiu a boca do estômago quando ele caminhou em sua direção. — Há uma coisa que eu gostaria de pedir a você. — Ele pegou a caneca da mão dela, bebendo o café em longos goles, para limpar a cabeça e a garganta. — Jamais me confunda com ele. Se você tivesse me acordado e eu ficasse aborrecido com isso, falaria na mesma hora. A verdade, porém, é que acordei porque você não estava ao meu lado, e eu senti falta de você.

— Alguns hábitos são difíceis de largar, Zack, não importa o quanto a gente tente.

— Bem, continue tentando. — Ele falou isso de uma forma leve e descontraída, e foi até o fogão para encher uma caneca de café. — Já tem alguma coisa no forno? — Ele levantou o nariz para cima, como um cão que fareja o ar. — Minha Mãe do Céu! — E respirou solenemente, com reverência. — Isso é cheirinho de... bolinho de canela?

— E se for? — Suas covinhas se desenharam no rosto.

— Serei seu escravo para sempre.

— Você é tão simples, xerife. — Ela pegou uma luva térmica em uma das gavetas. — Por que não se senta à mesa? Vou lhe servir um café da manhã completo, e depois nós podemos conversar sobre o que eu espero do meu escravo.

Na segunda-feira de manhã, Nell chegou toda feliz e animada na "Livros e Quitutes". Vinha carregada com caixas transbordantes de delícias recém-preparadas, deu um *Olá para todos e bom dia!*, quase cantarolando, e subiu as escadas, voando.

No balcão da frente da loja, Lulu parou de fazer os pedidos e torceu os lábios quando Mia, que estava arrumando alguns livros nas estantes, se virou para ela.

— Alguém — Mia disse baixinho para Lulu — deve ter se dado bem nesse fim de semana.

— E você já vai lá, não vai? Espremê-la para fazê-la descrever todos os detalhes, não é? — resmungou.

— Ora, Lulu, por favor... — Mia enfiou mais um livro em uma das estantes e limpou uns fiapos que estavam presos na saia. — E por acaso as ninfas da floresta dançam pelos bosques?

— Bem, não se esqueça de me contar tudo depois — gargalhou Lulu, divertida.

Mia entrou e foi caminhando através do andar de cima, como que atraída pelo perfume familiar e caseiro de bolinhos de canela, e se colocou do lado de fora da bancada.

— Fim de semana movimentado... — comentou, dando uma olhada nas opções do dia, que já estavam dentro da vitrine.

— Foi sim, com certeza.

— E uma festa maravilhosa, aquela de sábado à noite. Um belo trabalho, irmãzinha.

— Obrigada. — Nell estava acabando de arrumar os brioches, com carinho, antes de preparar a primeira xícara de café para Mia. — Consegui marcar várias reuniões para esta semana com alguns clientes em potencial, e eles só apareceram por causa da festa.

— Ora, meus parabéns! Só que... — Mia aspirou o maravilhoso perfume do café que Nell preparava. — Não creio que esses futuros serviços de bufê sejam o motivo de você estar com uma aparência tão esplêndida, hoje. Deixe-me experimentar um desses bolinhos de canela.

Ela passou, de modo casual, para o lado de dentro do balcão, enquanto Nell pegava um dos bolinhos. — Você definitivamente está com a aparência de uma mulher que passou o fim de semana fazendo outras coisas além de cozinhar.

— É verdade. Trabalhei um pouco no jardim, também. Meus tomateiros estão se desenvolvendo muito bem.

— Ahn-nam... — Ela olhou com ar malicioso, trazendo o bolinho de canela até a ponta do nariz e sentindo o aroma antes de dar uma elegante mordida. — Estou aqui pensando se o xerife Todd é tão saboroso quanto este bolinho. Vamos lá, só abrimos em dez minutos.

— Acho que eu não deveria falar sobre isso. É um pouco grosseiro, você não acha?

— Absolutamente, não! É não apenas exigido, como também esperado. Tenha um pouco de piedade de mim, por favor! Não me envolvo em atividades sexuais há um período de tempo considerável, portanto, tenho todo o direito de saber alguns detalhes e emoções, mesmo de segunda mão. Você me parece tão feliz!

— E estou mesmo. Foi maravilhoso. — Nell ensaiou um pequeno rodopio, como se estivesse dançando, e depois se serviu de um dos bolinhos.

— Foi escandaloso. Ele tem tanta... energia!

— Escandaloso? Ohhh!. Hummm!. — Mia lambeu os lábios. — Não pare agora, Nell.

— Acho que quebramos vários recordes.

— Pronto, agora começou a se exibir! Mas, tudo bem, você está entre amigos.

— E sabe qual foi a melhor parte de tudo?

— Estou ouvindo, com a esperança de que você me conte essa melhor parte e todas as outras também.

— Ele não me tratou, quer dizer, *não me trata* como se eu fosse uma pessoa frágil, carente ou, sei lá, machucada. Assim, eu acabo não me sentindo frágil, carente ou machucada quando estou com ele. A primeira vez, nós mal conseguimos chegar em casa e acabamos no chão, rasgando as roupas um do outro. E isso pareceu tão *normal*...

— Todos nós deveríamos aproveitar um pouco desse tipo de normalidade de vez em quando. Ele beija muito bem, não é?

— Puxa, se beija, e quando ele... — Baixando o tom, Nell empalideceu e olhou para Mia.

— Eu tinha quinze anos. — Mia explicou com a maior calma, enquanto mordiscava o bolinho de canela mais uma vez. — Ele me deu uma carona até em casa, ao sair de uma festa, e acabamos satisfazendo nossa curiosidade mútua com uns dois ou três longos e intensos beijos, daqueles de grudar. Não vou insultar a sua inteligência e dizer que foi como beijar um irmão, mas lhe asseguro que não combinamos um com o outro e acabamos preferindo ser apenas amigos. Mas, de qualquer modo, foram beijos muito interessantes.

Ela lambeu um pouco de calda que escorrera do bolinho.

— Portanto, eu tenho uma pequena ideia de como deve ter sido delicioso o seu fim de semana.

— Fico feliz de não ter sabido dessa história antes. Poderia ter ficado intimidada.

— Ah, que gracinha! E então, o que pretende fazer a respeito de Zachariah Todd?

— Curti-lo ao máximo.

— Boa resposta... por enquanto. E ele também tem as mãos bem ágeis, não? — comentou Mia enquanto saía de fininho.

— Agora, é melhor você calar a boca, Mia.

Rindo alto, Mia continuou a descer as escadas.

— Vou abrir as portas.

E você, irmãzinha, pensou enquanto descia, *também está começando a abrir as suas.*

Mia não teria ficado surpresa ao saber que Zack também estava passando por uma espécie de interrogatório em sua casa, no café da manhã.

— Não vi muito você por aqui esse fim de semana.

— É que eu tinha muita coisa para resolver. E não lhe trouxe um presente?

Ripley provou com entusiasmo o primeiro bolinho de canela.

— Humm, que delícia! — conseguiu murmurar, com a boca cheia. — Aposto que isto aqui tem alguma coisa a ver com a melhor cozinheira da ilha, o que eu brilhantemente deduzi no momento em que você entrou trazendo uma sacola com meia dúzia destes bolinhos.

— Dos quais sobraram apenas quatro. — Ele saiu da mesa, comendo mais um enquanto atacava seus papéis de trabalho, acumulados na escrivaninha. — John Macey ainda não pagou estas multas de estacionamento proibido. Precisamos dar uma prensa nele.

— Deixe que eu faço isso. E então, você e Nell dançaram, afinal, a rumba para dois sobre o colchão?

— Você possui um coração tão sentimental e uma alma tão romântica, Rip — replicou Zack, lançando-lhe um olhar de desprezo. — Não sei como é que consegue atravessar a vida com o peso de tantos sentimentos belos dentro do peito.

— Rodear a pergunta, evitando uma resposta direta, equivale a um "sim". Código da Polícia, artigo 101. Agora me conte, como é que foi?

— Por acaso eu lhe pergunto a respeito de sua vida sexual?

Ela balançou um dedo, sinalizando uma pausa na conversa para conseguir engolir o que estava mastigando.

— Sim — respondeu, afinal.

— Bem, só porque eu sou mais velho, mais experiente e mais esperto.

— Humm, sei!... — Ela pegou mais um bolinho, não só porque eles estavam irresistíveis, mas também porque sabia que iria deixar Zack irritado. — Se vamos enveredar pelo velho papo de que você é mais velho e mais esperto, então ambos teremos que concordar que eu sou bem mais jovem e também mais desconfiada. Você vai continuar pesquisando o passado dela?

— Não! — Deliberadamente, ele abriu uma gaveta, guardou o saquinho com o resto dos bolinhos, e a fechou.

— Se você está levando a sério esse caso com ela, e, como eu conheço você, sei que está, você tem que se ligar, Zack. Ela não caiu, vinda do céu, e despencou aqui na Ilha das Três Irmãs.

— Eu sei. Ela veio de barca — respondeu ele, com frieza. — Qual é o seu problema com Nell, Rip? Pensei que você gostasse dela.

— Eu gosto. Gosto muito, por sinal. — Ela encostou o quadril na quina da escrivaninha. — O problema é que, por motivos que vivem me escapando à memória, gosto muito de você também. Zack, eu sei que você tem um ponto fraco quando se trata de pessoas complicadas e magoadas, e às vezes, embora nem sempre conscientemente, os complicados e magoados conseguem atingir esse seu ponto fraco.

— Alguma vez já aconteceu de você me ver em alguma situação em que eu não fosse capaz de cuidar de mim sozinho?

— Mas você está apaixonado por ela! — Quando ele piscou e depois a encarou, ela empurrou ligeiramente a escrivaninha e começou a andar de um lado para o outro, sem parar, dentro do escritório. — O que você acha que eu sou? Cega ou burra? Convivi com você toda a minha vida e conheço cada movimento, cada tom de voz, cada expressão dessa sua cara abobalhada. Você está apaixonado por ela e nem sequer sabe quem ela é.

— Ela é exatamente a pessoa que eu sempre quis em toda a minha vida.

Ripley já estava se preparando para dar um chute na escrivaninha, mas parou de repente, e seus olhos tomaram uma expressão suave.

— Ah, que droga, Zack! Por que é que você tinha que me dizer uma coisa como essa?

— Apenas porque é verdade. É assim que acontece para nós, da família Todd, não é? Seguimos sempre em frente, cuidando de nossa vida, eternamente sozinhos, e, de repente, pá!... alguma coisa nos atinge e tudo muda. Eu fui atingido, e estou gostando.

— Certo. Então vamos recapitular tudo. — Determinada a protegê-lo, quisesse ele ou não, Ripley espalmou as mãos sobre a escrivaninha e se inclinou para frente. — Nell passou por um sufoco, tudo bem. Conseguiu se libertar, pelo menos temporariamente, mas o perigo ainda está lá. Ele pode vir atrás dela, Zack. Se eu não estivesse terrivelmente preocupada com você, jamais teria perguntado a Mia a respeito disso. Preferia ver minha língua retalhada por uma faca enferrujada, mas superei isso, fui até ela e perguntei. E ela também não está bem certa a respeito das coisas.

— Mana, o que você falou ainda há pouco sobre me conhecer bem é verdade. Agora, qual você acha que vai ser a minha reação depois do que acabou de me dizer?

— Se ele vier atrás dela, vai ter que passar por você. — Ela soprou por entre os lábios uma lufada de ar.

— Chegou perto, é mais ou menos por aí. Você não deveria estar fazendo patrulhas pela cidade? Pode pegar logo agora de manhã, se preferir, toda a parte burocrática do nosso trabalho de hoje.

— Preferia comer piolhos. — Ela colocou o boné de policial, passando o rabo de cavalo pelo orifício atrás. — Olhe, eu fico muito feliz por você ter encontrado alguém que lhe agrada. Fico ainda mais feliz por ser ela. Mas existem outras coisas em Nell Channing além de uma mulher legal com um passado turvo e capaz de cozinhar tão bem quanto uma equipe de anjos.

— Você agora vai me contar que ela é uma bruxa — disse ele, de modo descontraído. — Sim, já descobri isso, também. E não tenho nenhum problema quanto a isso. — Ele voltou ao teclado do computador, rindo consigo mesmo quando Ripley saiu, batendo a porta com força atrás dela.

— A deusa não exige sacrifícios — disse Mia. — Ela é uma mãe. Como toda mãe, exige respeito, amor, disciplina, e quer a felicidade para seus filhos.

A noite estava bem fresca. Mia já conseguia sentir o aroma típico do fim do verão. Logo, logo seus bosques iriam sofrer uma transformação e trocariam o verde luxuriante por tons mais escuros, selvagens, da cor da terra. Já observara a chegada das lagartas do outono, recobertas com uma espécie de plumagem, e notara que os esquilos já estavam extremamente ocupados, estocando nozes. Sinais, pensou, de um inverno longo e gelado.

Por agora, no entanto, suas rosas ainda floresciam, e as ervas mais tenras e frágeis serpenteavam, exalando perfumes, por entre as pedras do lindo jardim.

— A Magia surge do interior dos elementos e também do fundo do coração. Seus rituais se servem de ferramentas, até mesmo de auxílios visuais, se preferir chamá-los assim. Qualquer ofício depende de certas rotinas ou instrumentos. — Caminhou pelo jardim até a porta dos fundos, que dava acesso à cozinha. Chegando lá, abriu-a para Nell. — Tenho alguns desses instrumentos aqui, para você.

O cômodo estava tão perfumado quanto o jardim. Meadas de ervas secas estavam penduradas em ganchos. Os vasos com as flores que Mia escolhera como companheiras para manter dentro de casa estavam todos enfileirados ao longo de uma comprida bancada polida. O que poderia ser descrito como um caldeirão estava sobre um dos bicos do fogão, borbulhando suavemente e exalando um aroma adocicado de heliotrópio, uma planta da família do girassol, também conhecida como *baunilha-de-jardim*.

— O que você está preparando?

— Ah, apenas um pequeno encantamento para uma pessoa que está com entrevista para um novo emprego marcada para o meio da semana. Ela está muito nervosa. — Mia passou a mão suavemente sobre os vapores, como se os estivesse apresentando a Nell. — Heliotrópio para obter sucesso, girassol para brilho na carreira, um pouco de avelã para facilitar a comunicação, um pouco disso, um pouco daquilo. Também vou energizar alguns cristais que sejam adequados para ela, para que possa levá-los para a entrevista em um saquinho dentro da bolsa.

— E ela vai conseguir o emprego?

— Isso depende dela. A Arte não nos promete obter tudo que desejamos e também não funciona como uma muleta para espinhas fracas. Agora, vamos às suas ferramentas — completou, apontando para a mesa.

Mia as selecionou com todo o cuidado, mantendo a imagem do rosto de Nell na mente.

— Assim que chegar em casa, você deve lavá-las. Todas as peças. Ninguém mais deve tocá-las sem a sua permissão. Elas precisam da *sua* energia. A varinha de condão é feita de um ramo de bétula recolhido de uma árvore viva, sempre na noite do solstício de inverno. O pequeno cristal preso na ponta é quartzo espectral. Foi um presente da pessoa que me treinou.

A varinha era linda, comprida e bem lisa; parecia ter a textura de seda quando Nell passou os dedos sobre ela.

— Mas, Mia... Você não pode dar a mim algo que recebeu como presente.

— Mas ela foi feita para ser passada adiante... Você vai querer possuir outras; as feitas de cobre são muito boas. E esta é a sua vassoura, — continuou, levantando uma das sobrancelhas quando Nell reprimiu uma risada.

— Desculpe, é que eu jamais pensei que... Uma vassoura?

— Não é para você *montar* nela. Deixe-a pendurada atrás da porta de casa, para proteção. Use-a para varrer todas as energias negativas. Temos também um cálice grande. Nesse caso é melhor, qualquer dia desses, selecionar um especialmente para você. Por ora, porém, este aqui vai servir perfeitamente. Comprei-o no mercado principal da ilha, na seção de utensílios de vidro. Às vezes as coisas mais simples são as que funcionam melhor. O pentáculo, esta estrela de cinco pontas, é feita do pequeno fruto coberto de espinhos que nasce da árvore do *bordo-doce*. Ele deve ficar sempre em pé. Esta pequena faca ritual aqui, com lâmina cega e cabo preto, não é usada para cortar nada, apenas para direcionar energia.

Mia não a tocou, mas disse a Nell para fazê-lo.

— Algumas preferem espadas, mas não creio que seja o seu caso — acrescentou, enquanto Nell explorava o cabo trabalhado com as pontas dos dedos. — Repare como a lâmina não tem corte. É assim que deve ser. A foice, por outro lado, foi feita para trabalhar no mundo físico. O cabo é branco, também todo trabalhado, e ligeiramente curvo, bem como sua lâmina, que é muito afiada. Os entalhes do cabo lhe darão firmeza para colher ervas e pequenas plantas, entalhar varinhas, fazer inscrições em velas e assim por diante. Existem algumas feiticeiras que os usam na cozinha, para cortar comida. A escolha é toda sua, naturalmente.

— É claro... — concordou Nell.

— Imagino que você será capaz de escolher e comprar seu próprio caldeirão. Os de ferro fundido são os melhores. Você vai encontrar também um incensário do qual goste em qualquer das nossas lojas de presentes, além do incenso, como você já deve ter visto. Aqueles em formato de graveto e alguns cônicos são os mais fáceis de encontrar por aqui. Quando tiver tempo, poderá preparar o seu próprio pó de incenso. Vai precisar de algumas cestas de palha e retalhos de seda pura para isso. Você quer escrever tudo isso que estou explicando?

— Talvez fosse melhor... — respondeu Nell, dando um suspiro profundo.

— Agora, as velas — continuou Mia, depois de entregar um bloco e um lápis para Nell. — Vou lhe explicar a finalidade das cores e de cada um dos símbolos. Juntei alguns cristais para lhe dar, mas é claro que mais tarde você vai precisar de outros que deverão ser escolhidos por você mesma.

Temos aqui duas dúzias de latinhas apropriadas, com tampas, um pequeno pilão com triturador manual, sal marinho. Tenho também um baralho de tarô que você pode pegar emprestado e ainda algumas caixas de madeira, mas eu preciso que você me devolva depois. Acho que com isso já vai dar para você começar.

— Isso é envolvente e exige mais compromisso do que eu imaginava a princípio. Antes, naquele dia no jardim, tudo o que eu fiz foi simplesmente ficar ali em pé.

— Existem algumas coisas que você será capaz de fazer apenas com o poder da mente e do coração, mas há outras que vão exigir coisas externas, como se fosse uma extensão do Poder, e também em respeito à tradição. Agora que você já tem um computador, vai querer ter o seu próprio arquivo de encantamentos.

— Um arquivo de encantamentos, no meu computador?

— Claro! Por que não podemos ser práticas e eficientes? Nell, você por acaso falou com Zack a respeito de alguma coisa relacionada com isso?

— Não.

— Está preocupada com a reação dele?

— Em parte, sim — disse ela, tocando novamente a varinha e pensando. — Mas o fato é que, antes de chegar lá, não sei sequer por onde começar a lhe contar sobre tudo isso. Eu mesma ainda não trabalhei o assunto completamente na minha cabeça.

— Parece-me justo. O que você compartilha ou não é escolha sua, da mesma forma com o que você dá ou toma.

— Com Ripley reagindo do jeito que reage, imaginei que ele talvez pudesse pensar igual. Acho que não quero colocar essas pedras no nosso caminho tão cedo.

— E quem a culparia por isso, não é? Venha, vamos dar uma volta no bosque.

— Na verdade, eu deveria ir embora, Mia. Já está quase anoitecendo.

— Ele vai esperar. — Mia abriu uma caixa entalhada, pegando sua varinha. Na ponta havia um quartzo opaco da cor dos seus olhos. — Pegue a sua, também. Está na hora de aprender como conjurar um círculo de proteção. Vamos fazer algo bem simples — prometeu ela, empurrando Nell pelo cotovelo para fora de casa. — E depois de completar o que tenho em mente, posso quase garantir que o sexo será ainda mais sensacional.

— O que temos não é apenas sexo — Nell começou a explicar —, mas isto é, definitivamente, um bônus.

Enquanto caminhavam pelo bosque, uma névoa leve fazia redemoinhos pouco acima do solo. Longas sombras derramavam-se das árvores, linhas escuras sobre o cinza-claro.

— O tempo está mudando — disse Mia. — As últimas semanas do verão sempre me trazem um pouco de melancolia. É estranho isso, porque eu adoro o outono, os cheiros e as cores dele, o ar cortante, quando a gente põe os pés fora de casa, logo de manhã cedo.

Você é uma pessoa solitária. Nell quase disse isso em voz alta, mas pensou duas vezes e por pouco mordeu a língua. Como é que uma afirmação dessas poderia trazer alguma ajuda? Iria apenas parecer presunção e exibição de autossatisfação, especialmente vindo de uma mulher que acabara de se envolver com um amante.

— Talvez você sinta isso por alguma reminiscência da sua infância — sugeriu Nell. — O fim do verão também significa volta às aulas. — E seguiu Mia por um caminho de terra batida, muito usado, através da névoa e das sombras. — Eu sempre detestei as duas primeiras semanas de escola. Só não odiava tanto quando o meu pai estava servindo no mesmo lugar por dois anos seguidos. O pior foi quando eu era a "aluna nova", e todos já estavam com seus grupinhos de amigos formados.

— Como é que você lidava com isso?

— Aprendi a me comunicar com as pessoas, a fazer amigos, mesmo sabendo que eram amizades transitórias. Vivi no meu mundinho, cercada por meus pensamentos, por muito tempo. Acho que um pouco disso foi o que me tornou um alvo perfeito para Evan. Ele prometeu me amar, me honrar e me proteger para sempre. Eu sempre quis um "para sempre" com alguém.

— E agora?

— Agora quero apenas descobrir meu próprio espaço, cavar fundo e me plantar nele.

— Temos mais uma coisa em comum, então. Este aqui é um dos meus espaços.

Entraram em uma clareira onde a névoa estava esbranquiçada, devido à luz esmaecida da lua que nascia. A imensa bola branca no céu tremeluzia entre as árvores, tocando as folhas escuras do fim do verão e se espalhando sobre um banco onde havia três pedras. Dos galhos que circundavam a clareira pendiam fileiras de ervas. Os reflexos de pequenos cristais pendurados se misturavam e, quando encontravam uns com os outros, sob o efeito do vento suave, produziam sons límpidos.

E o ruído do vento, das pedras, dos cristais e do mar ao fundo formava uma espécie de música.

Havia um sentimento primitivo, algo de *essência*, naquele lugar.

— É lindo isto aqui!... — começou Nell. — Poderia até mesmo dizer misterioso, mas não no sentido de sentir medo. A gente quase fica esperando que fantasmas ou cavaleiros sem cabeça apareçam a qualquer momento. E a sensação é a de que, se eles aparecessem, isso seria algo absolutamente natural; nem um pouco atemorizante.

Ela se virou, seus passos rasgando a névoa densa, como se fosse seda acinzentada. Sentiu o perfume de verbena, alecrim e sálvia carregado pela brisa através dos galhos das árvores.

Sentiu também algo mais. Um sussurro suave que era quase uma música.

— Este é o lugar em que você estava na noite do solstício, antes de ir ali adiante para ficar em pé na beira do penhasco.

— É solo sagrado — contou Mia. — Dizem que as irmãs ficaram exatamente aqui, trezentos e tantos anos atrás, e conjuraram seu encantamento para criar seu refúgio. Quer tenha sido realmente aqui ou não, eu sempre fui atraída por este lugar. Podemos formar o círculo, nós duas juntas. É uma cerimônia básica.

Mia pegou, do bolso, sua adaga ritual e começou. Fascinada, Nell repetia as palavras, os gestos, e não se surpreendeu quando um fino anel de luz começou a brilhar no chão, através da fumaça da névoa. Mia entoou:

Invoco proteção, neste círculo, ao Ar, à Água, ao Fogo e à Terra
Que ela garanta o desejo e tudo o que a vida encerra
Que fique aqui, testemunhe o rito e não traga nostalgia
E que abra nossas mentes para as noites de Magia.

Abaixando a adaga e a varinha, Mia fez um aceno com a cabeça para Nell, depois que repetiu os versos.

— Você vai poder formar o seu círculo pessoal, do seu próprio jeito e com suas próprias palavras, quando estiver pronta. Espero que não se importe, mas eu prefiro trabalhar usando apenas o manto da noite, quando o tempo permite.

E, dizendo isso, Mia despiu o vestido e o dobrou com cuidado, enquanto Nell olhava, boquiaberta.

— Puxa, Mia, eu acho que não...

— Isso não é uma exigência do ritual. — À vontade em sua nudez, Mia pegou novamente a varinha. — Eu é que geralmente prefiro assim, em particular para esta cerimônia.

Há uma tatuagem em sua coxa... ou seria uma marca de nascença? Nell se perguntava, enquanto olhava para o pequeno sinal em forma de pentagrama que sobressaía na pele de Mia, branca como leite.

— Que cerimônia? — quis saber Nell.

— Vamos atrair a lua. Alguns, a maioria na verdade, normalmente fazem isso apenas quando há um trabalho sério a ser realizado. Eu, porém, preciso muito, ou simplesmente *gosto,* de uma dose extra de energia. Para começar, abra-se para o ar e se deixe levar. Mente, respiração, coração, toda a região abaixo dos rins. Confie em si mesma. Cada uma de nós, mulheres, é regulada pela lua, da mesma forma que o mar. Segure sua varinha com a mão direita.

Imitando cada gesto de Mia, Nell levantou os braços, lentamente levando-os o mais alto que conseguiu, e depois agarrou a varinha com ambas as mãos.

Nesta noite e hora, invocamos o poder da nossa Luna
Se junte a nós, luz com luz, preenchendo esta lacuna.

Lentamente, as varinhas se voltaram na direção do coração.

Mulher e deusa cintilante que a luz corteja
Teu poder nos traga a alegria benfazeja
Que ele brilhe sobre nós, e que assim seja.

E então ela sentiu, fria, fluida e forte, uma corrente interna líquida de luz e energia pulsante, como se aquela bola branca da lua que estava no céu pulsasse ao mesmo tempo em que se elevava com graça e beleza acima das árvores. Ela podia perfeitamente ver os esguichos de prata com bordas azuis que giravam sobre ela e entravam em seu corpo.

Com o Poder veio uma onda de júbilo, que saiu de dentro de Nell sob a forma de uma pontada de riso enquanto Mia baixava a varinha.

— Às vezes é uma delícia sentir-se uma menina, não é? Vamos fechar o círculo agora. Tenho certeza, irmãzinha, de que você vai conseguir um lugar apropriado para despejar toda essa energia nova.

Depois que ficou sozinha, Mia despejou sua própria energia na criação de um encantamento de proteção. Nell possuía um poder natural, que jorrava livremente. Ela poderia e estava disposta a ajudá-la não só a explorar esse poder, mas a controlá-lo e refiná-lo. Havia, porém, algo de importância mais imediata em sua mente, naquele momento.

Dentro do círculo, no interior do bosque, ela conseguira notar algo que Nell não vira. Havia reparado na nuvem fina, esfarrapada e escura que atravessara o coração da lua durante a cerimônia.

Capítulo Treze

As últimas semanas do verão passaram voando. Os dias eram preenchidos com muito trabalho, planos para os serviços que ela conseguira e propostas para outros trabalhos.

Assim que o tempo mudasse, perderia os clientes de verão. Passaria a agir como a formiguinha sábia, decidiu. Aquela que cuidadosamente se prepara para o inverno.

Já conseguira trabalhos para as festas de fim de ano, para o Domingo da Final do Campeonato de Futebol e para as vítimas da síndrome do isolamento, típica do inverno. Todos os habitantes da ilha já estavam tão acostumados a chamá-la para preparar seus eventos e reuniões, grandes ou pequenos, que para eles já chegava a parecer estranho agir de outro modo.

As noites eram quase sempre passadas em companhia de Zack, aproveitando as últimas ondas de calor em jantares ao ar livre e sob a luz de velas, antes do inverno. Ou para velejar à noite, aproveitando a sensação fresca do frio que vinha da água. E para as compridas e luxuriantes noites de amor no aconchegante ninho da sua cama.

Em uma dessas vezes, ela acendera velas vermelhas para acentuar a paixão. Funcionou excepcionalmente bem.

Pelo menos duas vezes por semana, Nell trabalhava com Mia no que passou a considerar como suas aulas rituais.

Ao amanhecer, invariavelmente, já estava na cozinha, preparando as suas delícias.

A vida com a qual sempre sonhara estava acontecendo bem em volta dela, e havia mais ainda. Havia um poder dentro dela que circulava como prata líquida. E amor, que brilhava como ouro quente.

Às vezes, Nell o pegava olhando para ela, com um olhar calmo e paciente. O olhar da espera. Cada vez que isso acontecia, ela sentia uma pontada de culpa, uma trepidação de desconforto. E a cada vez que preferia o caminho mais fácil da covardia e ignorava isso, ela desapontava a ambos.

Ela conseguia racionalizar a situação. Estava feliz, e tinha todo o direito a um pouco de paz e prazer. Menos de um ano antes, arriscara a vida apostando alto; preferia até mesmo ter perdido nesse jogo a continuar vivendo aprisionada e com medo.

Por muitos meses depois da fuga, ficara sozinha, constantemente fugindo, movendo-se de um lado para o outro e atenta a cada som à sua volta. Acordara noite após noite encharcada por suores frios provocados por sonhos que não conseguia enfrentar no escuro.

Se ela havia trancado esse tempo em uma caixa e enterrado a chave, quem tinha mais direito de fazer isso senão ela mesma?

Era apenas o agora que importava, e ela estava dando a Zack tudo o que podia do tempo presente.

Enquanto o verão escorregava para os braços do outono, ela estava convencida disso e da solidez do seu refúgio na Ilha das Três Irmãs.

Com o mais recente catálogo de utensílios de cozinha e o novo exemplar da revista *Arte do Sabor,* da qual se tornara assinante, embaixo do braço, Nell saiu da agência dos Correios e seguiu em frente, descendo a Rua Alta em direção ao mercado. Os visitantes de verão haviam sido substituídos por turistas que vinham ver de perto a maravilhosa folhagem de outono da Nova Inglaterra.

Eles tinham razão em vir. Porções da ilha estavam totalmente recobertas por um brilhante mosaico de cores flamejantes. A cada manhã ela estudava as lindas mudanças que estavam acontecendo nos tons da natureza através da janela da própria cozinha, sonhando acordada com seu bosque nos fundos da casa, enquanto as folhas assumiam as cores do fogo. Às vezes caminhava pela praia à noite apenas para ver o lento tapete de névoa se desenrolar, engolir a água, agasalhar as boias de sinalização e abafar os longos e monótonos "bongs" produzidos pelos seus sinos.

Nas manhãs, uma fina e espelhada camada de geada brilhava sobre o solo para, logo a seguir, começar a derreter sob o sol que se fortalecia, até que finalmente se transformava em pequenas contas de água que se grudavam como lágrimas penduradas nas pestanas da grama.

As chuvas chegavam varrendo, golpeando as praias e os rochedos para a seguir serem arrastadas de volta, até parecer-lhe que o mundo inteiro estava cintilando, como se estivesse sob uma imensa cobertura de vidro.

E ela estava sob essa cobertura, pensou. A salvo e segura, longe do mundo que rugia além do mar e no continente.

Com o vento cortante tentando entrar por baixo do suéter, ela acenava para rostos já tão familiares, dava uma parada rápida diante da faixa de travessia de pedestres e conferia o tráfego, depois dava uma corrida leve e despreocupada até o mercado, em busca das costeletas de porco que planejava preparar para o jantar.

Pamela Stevens, em uma visita de improviso à ilha, em companhia do marido, Donald, soltou um pequeno grito de surpresa e abaixou depressa a janela do BMW alugado.

— Não adianta, porque eu não vou parar em nenhuma dessas lojas, Pamela, não importa o quanto sejam exóticas e interessantes. Espere até que eu encontre um lugar bom para estacionar.

— É que acabei de ver um fantasma! — Pamela se jogou pesadamente de volta ao encosto do carro e com a mão sobre o coração.

— São bruxas que andam por aqui, Pamela, e não fantasmas.

— Não, não, Donald. Foi a Helen Remington. A falecida mulher de Evan Remington. Juro que acabei de ver o fantasma dela.

— Pelo amor de Deus, Pamela! Não imagino por que ela iria se dar ao trabalho de vir de tão longe até aqui, só para assombrar alguém em uma ilha como esta, onde a gente não consegue nem encontrar a droga de um lugar para estacionar.

— Eu não estou brincando, Donald. A mulher que eu vi poderia ser irmã gêmea dela, a não ser pelo cabelo desarrumado e pelas roupas. Helen jamais se permitiria ser vista nem morta com um suéter horroroso como aquele. — Esticou o pescoço para fora do carro, tentando ter uma visão melhor do caminho para o mercado. — Pare o carro só um instantinho, Donald, para eu saltar. Tenho que ir até lá para ver mais de perto.

— Paro, mas só quando encontrar um lugar para estacionar.

— Era a cara dela! — repetia Pamela. — Tão esquisito, que me deu até um arrepio. Pobre Helen. Eu fui uma das últimas pessoas a falar com ela antes daquele acidente terrível.

— Você já disse isso para mim centenas de vezes, durante seis meses, depois que ela despencou daquele precipício.

— Uma experiência como essa fica grudada em você, sabia? — Enfurecida, Pamela se ajeitou no banco, ficou ereta e levantou o nariz para cima. — Eu gostava muito dela, ouviu? Ela e o Evan formavam um casal maravilhoso. E Helen era tão jovem e linda, ainda com a vida toda pela frente. Quando algo trágico assim acontece, isso me faz lembrar que a vida da gente pode acabar assim, num estalar de dedos.

No momento em que Pamela conseguiu finalmente arrastar o marido até o mercado, Nell já estava em casa, desempacotando sua bolsa cheia de alimentos e ingredientes e tentando decidir se preparava cuscuz marroquino ou um novo molho que estava querendo experimentar, junto com suflê de batatas avermelhadas.

Resolveu deixar a decisão para mais tarde e seguiu em direção ao sistema de som que Zack levara para o chalé. Colocou o seu CD favorito da Alanis Morissette e se sentou para folhear o novo exemplar da *Arte do Sabor*.

Enquanto mordiscava a maçã que acabara de pegar na cesta sobre a mesa, puxou seu bloco de notas e começou a copiar algumas ideias que pegara de um artigo sobre alcachofras que vira na revista.

Dali, passou para uma reportagem sobre vinhos australianos e anotou a opinião do autor do artigo sobre as melhores marcas, tipos e preços.

O som dos passos não a deixou sobressaltada, como antes, e ela experimentou um sentimento de calor e aconchego ao levantar os olhos da revista e ver Zack entrando.

— Não é um pouco cedo para o sustentáculo da lei e da ordem encerrar o expediente?

— Troquei algumas horas do meu horário com Ripley.

— E o que há nessa caixa?

— Um presente.

— Para mim? — Jogando o bloco de notas para o lado, ela se levantou com energia e correu até a bancada. Ficou de queixo caído. Amor e cobiça se misturaram e queimaram em seu peito.

— Um multiprocessador de alimentos! Modelo profissional, topo de linha! — Com mãos reverentes, ela acariciou a caixa do mesmo jeito que algumas mulheres acariciam uma estola de *vison*. — Ah, meu Deus, Zack!

— De acordo com a minha mãe, se um homem oferece para uma mulher um eletrodoméstico como presente, deve estar com o seu seguro de vida em dia. Só que eu achei que essa regra não se aplicava no seu caso.

— É a melhor marca que existe no mercado. Eu queria um destes há séculos!

— Eu reparei que você vivia namorando este aparelho no catálogo de produtos domésticos! — Ele a segurou quando ela se atirou em seus braços para cobrir-lhe o rosto de beijos. — Bem, acho que não vou precisar daquele seguro de vida, afinal.

— Adorei, adorei. *Adorei!* — Nell encerrou a demonstração de alegria com um beijo forte e estalado. Depois, baixou os braços para atacar a caixa, abrindo-a com sofreguidão. — Só que isto é um presente absurdamente caro! Não devia permitir que você me desse presentes absurdamente caros assim, sem mais nem menos. O problema é que não suporto a ideia de não ter esta maravilha.

— É deselegante rejeitar um presente, e afinal não é assim, sem mais nem menos. Sei que chegou um dia antes, mas imaginei que isso não teria importância. Feliz aniversário, Nell.

— Bem, o meu aniversário foi em abril, mas eu não vou nem discutir, porque...

Ela parou de falar, subitamente. Sentiu a pulsação começar a latejar em suas têmporas, forte e quente. O aniversário de Helen Remington era em abril. Nell Channing estava registrada em todos os documentos de identificação como tendo nascido em dezenove de setembro.

— Puxa, não sei o que estou dizendo, meu Deus, me esqueci completamente. — Ela enxugou de forma nervosa as palmas das mãos na calça jeans, porque sentiu que elas estavam tomadas por um suor frio. — Tenho estado tão ocupada que me esqueci completamente do meu aniversário!

— Não faça isso comigo, Nell. — Todo o prazer de dar-lhe aquele sonhado presente foi se recurvando, até se transformar em uma bola amarga que pesava no estômago de Zack. — Guardar segredos para você é uma coisa. Mentir na minha cara é outra.

— Desculpe! — Nell mordeu com força seu lábio, sentindo um gosto de vergonha. — Eu sinto muito!

— Eu também. — E porque queria que ela olhasse para ele segurou seu queixo, encaixando-o na palma da mão e erguendo-o na direção do seu rosto.

— Eu fico esperando o tempo todo para você dar esse passo, Nell, mas você nunca dá. Dorme comigo e não tem segredos na cama. Conversa comigo sobre o que pretende fazer amanhã, conta seus planos e escuta com atenção quando eu os comento com você. Só que não existe passado.

Ele tentava não insistir nisso, tentava dizer a si mesmo, como já dissera a Ripley, que isso não era importante. Naquele momento, porém, recebendo a realidade jogada assim em seu rosto, não conseguia mais fingir.

— Você deixou que eu entrasse quando botou os pés na ilha, Nell.

Isso era verdade. Uma verdade incontestável. De que serviria negá-la?

— É que para mim, Zack, a minha vida começou de verdade a partir daquele momento. Nada do que aconteceu antes daquilo importa mais.

— Se não importa mais, você não teria que mentir para mim.

O pânico começou a tentar se infiltrar em sua garganta. Ela o contrabalançou com uma explosão de raiva.

— E que diferença faz se meu aniversário é amanhã, foi há um mês ou há seis meses? Por que é que isso tem que ser tão importante?

— O que é importante é que você não confia em mim. Isso é duro de aguentar, Nell, porque estou apaixonado por você.

— Ah, Zack... Você não pode...

— Estou apaixonado por você — repetiu ele, segurando-a pelos braços para mantê-la firme diante dele. — E você sabe disso!

— Sei, mas não sei o que fazer a respeito. — E claro que isso também era incontestavelmente verdadeiro. — Não sei o que fazer com o que *eu sinto* por você, Zack. Confiar nesse sentimento, confiar em você não é assim tão simples. Não para mim.

— Você quer que eu aceite isso, mas não quer me contar *por que* isso tudo não pode ser tão simples. Seja justa, Nell!

— Não posso! — Uma lágrima transbordou e escorreu, brilhando silenciosamente enquanto lhe descia pelo rosto. — Sinto muito.

— Se é assim, Nell, então estamos aqui apenas enganando um ao outro.
Largando-a, ele saiu porta afora.

Bater à porta de Zack foi uma das coisas mais difíceis que Nell já havia feito na vida. Ela levara tanto tempo evitando que acessos de raiva despencassem sobre ela, e agora teria que encarar isso e seguir em frente. E com poucas defesas. Era um tumulto que ela mesma causara, e agora apenas ela seria capaz de resolvê-lo.

Ela se encaminhou para a frente da casa porque lhe pareceu mais formal fazer isso do que vir simplesmente pela praia e subir as escadas para entrar pelos fundos. Antes de bater, esfregou os dedos na turquesa que enfiara no bolso para ajudar na sua comunicação verbal.

Embora não estivesse plenamente convencida de que essas coisas funcionavam, não via como isso poderia piorar a sua situação.

Levantou a mão para golpear levemente a porta e se xingou ao abaixá-la novamente. Havia uma antiga cadeira de balanço na varanda da frente e um vaso de gerânios que estavam queimados de geada, com aparência patética. Desejou que os tivesse visto antes da mudança de tempo, a fim de lembrar a Zack de levar as flores para dentro.

E ficou ali, paralisada.

De repente, levantou os ombros, jogou-os para trás com decisão e bateu.

Ficou dividida entre o alívio e o desespero quando viu que ninguém veio atender.

Quando já tinha desistido e se virara para ir embora, a porta se escancarou atrás dela.

Ripley estava de pé, usando uma calça de ginástica que acabava um pouco abaixo do joelho e uma camiseta marcada com um "V" de suor entre os seios. Lançou sobre Nell um olhar longo e frio e a seguir apoiou-se na umbreira da porta.

— Não tinha certeza de ter ouvido alguém bater na porta. Estava fazendo ginástica lá atrás, e a música estava um pouco alta.

— Eu vim com a esperança de encontrar Zack.

— Sim, eu imaginei. Você o deixou realmente enfurecido. Não é nada fácil conseguir isso. Para mim não é tão difícil, pois já tenho muitos anos de prática. Você, porém, deve possuir um talento inato para isso.

Nell enfiou a mão no bolso e esfregou os dedos na pedra. Teria que passar pelo escudo para alcançar o alvo.

— Eu sei perfeitamente que ele está muito zangado comigo e tem todo o direito de estar. Só que eu também tenho o direito de pedir desculpas a ele, não tenho?

— Claro que tem, mas, se vai fazer isso com pequenos soluços gaguejantes e voz trêmula, eu é que vou ficar revoltada. Sou muito mais cruel do que Zack.

— Não pretendo chorar nem gaguejar! — Nell sentiu a própria raiva aflorar quando deu um passo à frente. — E não acho que Zack fosse gostar muito de ver você envolvida nisso. *Eu*, com certeza, não gosto.

— Bom para você. — Satisfeita com a resposta, Ripley saiu para o lado para dar passagem a Nell. — Ele está no terraço de cima, nos fundos, remoendo os pensamentos enquanto bebe uma cerveja e olha o mar com o telescópio. Antes de subir lá e falar para ele o que deseja, porém, deixe-me contar uma coisa para você. Ele, como policial, poderia muito bem ter pesquisado o seu passado, juntado as peças e ficar sabendo de toda a sua história. Eu teria feito isso. O problema é que ele tem padrões de comportamento pessoais. Padrões fortes; por isso, não fez nada disso.

O peso da culpa que sentira quando Zack saíra abruptamente de sua casa aumentou um pouco mais.

— Ele teria considerado isso descortês ou desrespeitoso — falou Nell.

— Exatamente! Eu não me importo de ser descortês ou desrespeitosa. Portanto, acerte as coisas com ele ou vai ter que lidar comigo.

— Certo, entendi.

— Gosto muito de você, Nell, e respeito uma pessoa que é batalhadora e tem força para cuidar de negócios. Quando alguém mexe com um membro da família Todd, porém, não sai ileso. É só uma advertência, que considero justa.

Ripley deu as costas para Nell, indo em direção à escada que levava ao segundo andar.

— Fique à vontade para se servir de uma cerveja quando passar pela cozinha. Vou lá em cima suar mais um pouco.

Nell dispensou a cerveja, embora aceitasse de bom grado um copo grande de água bem gelada para esfriar-lhe a garganta, que estava pegando fogo. Atravessou a sala de estar, confortavelmente desarrumada, seguiu pela cozinha, igualmente bagunçada, e subiu os degraus externos que levavam ao terraço superior.

Zack estava sentado em uma cadeira preta que ficara cinza, de tão desbotada pelo tempo. Tinha uma garrafa de cerveja Sam Adams aninhada entre as coxas e o telescópio voltado para cima.

Ele sentiu que ela havia chegado, mas não deu a perceber. O perfume dela era de pêssego, mas havia algo de nervoso no ar, também.

— Você está zangado comigo, e eu mereço. Mas não está sendo muito justo em não me ouvir.

— Pode ser que eu consiga chegar a ponto de ser justo, mas amanhã. Seria mais esperto de sua parte esperar até lá.

— Vou correr esse risco, mesmo assim. — Ela se perguntou se ele tinha consciência de o quanto aquilo era importante, o quanto ele significava para ela, a ponto de arriscar esse discurso. — Eu menti. Menti com frequência e menti bem; mentiria novamente, se fosse preciso. A escolha era entre ser honesta e sobreviver. Para mim, ainda é; portanto, não vou lhe contar tudo o que você precisa saber. Tudo o que merece saber. Sinto muito.

— Se duas pessoas não confiam uma na outra, não há por que permanecerem juntas.

— É muito fácil para você falar isso, Zack.

Quando ele desviou os olhos das estrelas em direção a Nell, e o calor do rancor em seus olhos pareceu queimá-la, ela chegou ainda mais perto. Estava nervosa, com o coração na boca. Não tinha medo de que ele pudesse bater nela. O que receava de verdade era que ele jamais quisesse tocar nela novamente.

— Ora, droga, é muito fácil para você, Zack — repetiu. — Você tem o seu lugar aqui. Sempre teve; não foi preciso questioná-lo ou lutar para consegui-lo.

— Se eu consegui o meu lugar — disse, com tom calmo e comedido —, também tive que conquistá-lo. Como todo mundo.

— Isso é diferente, porque você já começou sobre uma base sólida, uma fundação segura, e construiu sobre ela. Nesses últimos meses, tenho trabalhado duro para merecer um lugar aqui e conquistá-lo. Acabei conseguindo, mas é muito diferente de antes.

— Tudo bem, talvez seja. Mas você e eu, Nell, começamos do mesmo nível no que estávamos tentando construir juntos.

Estávamos tentando, ela notou. Ele não falou *estamos tentando*. Se essa era a linha divisória, ela poderia permanecer onde estava, do seu lado da linha, ou dar um passo à frente e ultrapassá-la.

Isso não era mais difícil, avaliou, do que se atirar de carro do alto de um penhasco.

— Eu tive um homem, durante três anos. Um homem que me agredia. Não eram apenas as bofetadas, socos e empurrões. Esse tipo de machucado não dura muito tempo. Mas outros, sim.

Nell teve que soltar um longo suspiro para aliviar a pressão que sentia no peito.

— Ele sistematicamente diminuía a minha confiança, a minha autoestima, a minha coragem e todas as minhas escolhas; fazia esse trabalho de uma forma tão hábil que tudo isso foi embora de dentro de mim antes mesmo que eu compreendesse o que estava acontecendo. Não é fácil reconstruir todas essas coisas começando do zero, e eu ainda estou trabalhando muito para conseguir. Para vir até aqui, simplesmente para chegar à sua casa esta noite, foi necessário reunir todas as forças que eu consegui acumular. Não deveria ter me envolvido com você; na verdade, nem tinha essa intenção. Mas havia algo no simples fato de estar neste lugar e em estar junto com você que me fez sentir como uma pessoa normal novamente.

— Esse parece ser o início de um discurso interessante. Vá em frente, ou por que não se senta e simplesmente conversa comigo?

— Eu fiz o que tinha que fazer para escapar dele e não vou me desculpar por isso.

— Não estou pedindo para você se desculpar.

— Não quero entrar em detalhes. — Ela se virou para o outro lado, se apoiou no gradil da varanda e fitou a escuridão do mar à noite. — Só posso lhe dizer que era como viver dentro de um buraco que ficava cada vez mais fundo, mais fundo, e também frio, cada vez mais gelado. Sempre que eu tentava me arrastar para fora, lá estava ele me empurrando novamente para o fundo.

— Mas você conseguiu encontrar um caminho.

— E não vou voltar. O que quer que eu faça, para onde quer que tenha que fugir, jamais voltarei. Por causa disso, menti e enganei, infringi a lei; e também magoei você. — Ela virou-se na direção dele: — A única coisa pela qual sinto muito é ter magoado você.

Nell falou esta última frase de um modo quase desafiador, quase furioso, enquanto permanecia com as costas encostadas na grade e as mãos agarradas a ela com tanta força que os nós dos dedos estavam brancos.

Terror e coragem, ele pensou, estavam se enfrentando dentro dela.

— E você achou, Nell, que eu não conseguiria compreender?

— Zack... — Ela levantou as mãos, baixando-as em seguida em sinal de impotência. — Eu mesma ainda não compreendo. Eu não era um capacho quando conheci aquele homem. Não era uma vítima inocente à espera de ser atacada. Fui criada em uma família sólida, estável, tão funcional quanto qualquer outra. Tive boa educação, boa instrução, era independente e competente no gerenciamento de um negócio. Houve outros homens em minha vida antes, nada muito sério, mas relacionamentos normais e saudáveis. De repente, lá estava eu, manipulada e sofrendo abusos de todo tipo. E dentro de uma armadilha.

Ah, querida..., foi o que Zack pensou, da mesma forma que pensara de manhã, na cozinha, quando ela tivera uma crise. No entanto, disse apenas:

— Por que você ainda continua se culpando por isso?

— Eu não sei. — A pergunta a pegara de surpresa e quebrou seu ritmo. Por um momento, tudo o que conseguiu foi ficar ali, olhando para ele, desconcertada. Caminhou até a cadeira ao lado da dele e se sentou.

— Como próximo passo, seria muito bom se você parasse de fazer isso — disse ele, de modo descontraído, tomando um gole da cerveja. Ainda havia raiva dentro dele, um pouco por causa de Nell, mas uma nova quantidade de ódio recém-criado, e já amadurecido, pelo homem, aquela entidade sem nome e sem rosto, que deixara tantas cicatrizes nela.

Pensou em mais tarde descarregar toda aquela raiva no saco de areia para treinar boxe, de Ripley.

— Por que você não me fala a respeito de sua família? — sugeriu ele, oferecendo-lhe um pouco da cerveja. — Você já conhece tudo sobre a minha. Sabe que minha mãe não vale um centavo como cozinheira e que meu pai adora tirar fotos digitais com o novo brinquedinho dele. Já lhe contei que eles cresceram aqui na ilha, se casaram e tiveram um casal de filhos. E você também já fez até amizade com minha irmã.

— Bem, meu pai era do Exército. Era tenente-coronel.

— Um "caxias" do Exército, hein? — Diante da recusa dela em aceitar a cerveja, ele tomou mais um gole. — Você deve ter conhecido muitos lugares.

— Sim, nós nos mudávamos muito. Ele sempre gostou de conseguir novos postos, de alguma coisa nova com o que lidar, imagino. Era um bom homem, muito íntegro, com uma gargalhada calorosa e maravilhosa.

Gostava dos velhos filmes dos Irmãos Marx. E adorava manteiga de amendoim... Ah, meu Deus!...

Uma súbita pontada de dor causada pela lembrança do pai fechou sua garganta, abafou sua voz, escavou antigas feridas em seu estômago.

— Ele se foi há tanto tempo, que não sei como é possível parecer que foi ontem.

— Quando você ama alguém, a presença dele fica sempre lá. Eu me lembro e penso na minha avó, de vez em quando. — Ele pegou na mão de Nell, segurando-a levemente. — Cada vez que isso acontece, consigo sentir o cheiro dela. Água-de-colônia e hortelã. E ela morreu quando eu tinha quatorze anos.

Como é que ele conseguia compreender tudo e de forma tão precisa? Essa, pensou ela, era a magia dele.

— Meu pai — ela continuou a contar — foi morto na Primeira Guerra do Golfo. Eu achava que ele era invencível. Sempre me parecera assim. Todos diziam que era um bom soldado, mas eu me lembro dele como um bom pai. Sempre me escutava com atenção quando eu precisava lhe contar alguma coisa. Era honesto, justo e tinha um código de honra muito pessoal, que significava mais do que as normas e os regulamentos. Ele... Ah, meu Deus! — Ela virou a cabeça para examinar o rosto de Zack. — Eu acabo de reparar o quanto você é parecido com ele. Ele iria gostar de você, xerife Todd.

— Foi uma pena não ter tido a oportunidade de conhecê-lo. — Zack girou o telescópio para ela. — Por que não dá uma olhada para ver o que acha do céu?

— Então, você me perdoou — afirmou ela, abaixando a cabeça para colocar o olho no visor do telescópio e dar uma olhada nas estrelas.

— Vamos dizer que fizemos alguns progressos.

— É bom para mim. Senão Ripley ia querer me dar um chute na bunda.

— E ela é muito boa nisso, pode acreditar.

— Ela ama você. Eu sempre quis ter um irmão ou uma irmã. Minha mãe e eu éramos muito unidas, e acho que ficamos ainda mais unidas depois que perdi meu pai. Mas eu sempre quis ter uma irmã. Você teria gostado de minha mãe, também. Ela era durona, mas muito inteligente... E muito divertida. Começou seu negócio da estaca zero, logo depois que enviuvou, e o fez funcionar.

— Isso me faz lembrar de alguém que eu conheço.

— Meu pai sempre me disse que eu puxei ela. — E seus lábios se alargaram ligeiramente em um sorriso. — Sabe, Zack, o que eu sou agora é o que eu era antes. Aqueles três anos que se intrometeram no meio da minha vida foram uma aberração. Você dificilmente reconheceria a pessoa na qual eu me tornei durante aquele tempo perdido. Eu mesma mal consigo.

— Talvez você tivesse que passar por tudo aquilo para chegar aonde está agora.

— Talvez. — A luz que entrava em seus olhos através do visor do telescópio formou um halo, e seus olhos se embaçaram. — Eu sinto como se sempre estivesse destinada a vir para cá. Em todas aquelas mudanças de casa e cidade pelas quais passei, eu ficava olhando em volta e pensando: *Não, o meu lugar não é este. Ainda não.* No dia em que estava atravessando o mar sobre a balsa e vi esta ilha flutuando na água, eu senti... e soube. *Este é o meu lugar.*

Zack levantou suas mãos e as dela, que estavam unidas, e beijou a parte externa das dela.

— Pois eu — falou ele —, no momento em que a vi atrás do balcão, na cafeteria, soube na mesma hora.

Um arrepio percorreu-lhe braço acima e seguiu direto para o coração.

— Eu trago uma bagagem muito pesada, Zack. Tenho outras complicações, mais até do que consigo lhe contar. Você é mais importante para mim do que jamais pensei que alguém viesse a ser. Não quero tumultuar sua vida com os meus problemas.

— Para mim, Nell, já é tarde demais para me preocupar com isso. Estou apaixonado por você.

— Existem tantas outras coisas que você não sabe! — Ela sentiu um outro longo arrepio se propagar por dentro dela. — Qualquer uma dessas pequenas coisas poderia fazer você mudar de ideia a meu respeito.

— Você não leva muita fé nos meus recursos internos, não é?

— Pelo contrário, eu levo fé, sim. — Ela afastou a mão, levantando-se. Ela costumava enfrentar as crises melhor quando estava em pé. — No momento, por exemplo, tem mais uma coisa que vou lhe contar, e não estou esperando que a compreenda ou aceite.

— Você é uma cleptomaníaca!

— Não.

— Uma agente de algum grupo separatista clandestino.

— Não, Zack. — Ela conseguiu rir.

— Espere, tenho mais uma possibilidade. Você é uma daquelas fãs viciadas na série de TV "Jornada nas Estrelas", aquelas malucas que conseguem recitar os diálogos de *todos* os episódios da série.

— Não, só os da primeira temporada da série antiga.

— Bem, então está tudo bem. Você venceu, eu desisto.

— Eu sou uma bruxa!

— Ah, sim. Já sei disso.

— Não estou usando isso como eufemismo para dizer temperamento difícil, Zack — disse, ela, com impaciência. — Estou falando literalmente. Falo de encantamentos, feitiços, esse tipo de coisa. Uma bruxa de verdade.

— Eu sei. Percebi isso naquela noite em que você saiu dançando nua, bem diante da sua casa, no jardim, e seu corpo brilhou como uma vela acesa. Nell, eu morei na Ilha das Três Irmãs a vida inteira. Você achou que eu ia ficar estupefato ou fazer aquele gesto de esticar os braços e cruzar os dois dedos indicadores para afastar o Mal?

Sem saber com certeza se estava aliviada ou desapontada pela reação dele, ela franziu os olhos e disse:

— Acho que eu esperava algum outro tipo de reação.

— E eu tive, por um momento — admitiu ele. — Só que, tendo vivido com Rip a vida inteira, me senti mais calmo. É claro que ela não se envolve com esse tipo de coisa há muitos anos. Se você tivesse contado que tinha me lançado algum tipo de feitiço para eu ficar apaixonado, aí sim pode ser que eu me sentisse um pouco irritado.

— É claro que não fiz isso. Nem saberia como fazer. Eu estou só... começando a aprender.

— Aprendiz de feiticeira, então! — Sentindo diversão pelos dois, ele se levantou. — Imagino que a Mia vai tirar o seu couro até conseguir deixá-la em forma, em pouco tempo.

Será que nada deixava aquele homem surpreso?, pensou ela, e disse:

— Duas noites atrás, eu consegui atrair a lua.

— Ahn?... — Ele fez cara de estranheza. — E que diabos isso significa?... Não, deixe pra lá, não quero saber a resposta. Não tenho muita cabeça para essas coisas metafísicas. Sou um cara simples, Nell. — Deslizou as mãos para cima e para baixo pelo braço dela, com aquele jeito dele que conseguia excitá-la e acalmá-la ao mesmo tempo.

— Não, você não é simples.

— Sou simples o bastante para saber que estou em pé aqui, ao lado de uma mulher linda e desperdiçando o luar. — Ele baixou a boca até encontrar a dela em um magnífico beijo.

Quando a cabeça dela pendeu para trás, em rendição, e seus braços enlaçaram o pescoço dele, Zack a girou em direção às portas de vidro.

— Quero levar você para a cama. Para a *minha* cama! Quero fazer amor *agora* com a filha do "caxias" do Exército que puxou à mãe. — Abriu a porta deslizante para o lado, carregando-a para dentro. — Eu amo você de verdade.

Ali, pensou ela, enquanto ele a abaixava e a colocava sobre a cama, estava a verdade. E ali estava a compaixão. Ele daria essas coisas para ela, assim como o desejo, assim como a carência. Quando ele a tocou, todos os arrepios, aquelas dores suaves e fluidas, foram bem-vindos.

A saudade de casa foi satisfeita.

Devagar e de modo doce, ela se moveu, junto com ele. Livremente, se abriu para ele, desnudando tanto o coração quanto o corpo.

Sua pele formigava sob o suave pincelar dos seus dedos. O longo e líquido puxão que ela sentiu dentro de si, como uma maré, a fez soltar um gemido suave como um suspiro. Quando sua boca se encontrou com a dele novamente, ela despejou tudo o que sentia no beijo. O que não conseguia oferecer-lhe com palavras, poderia dar-lhe aqui, com o coração. Com o corpo.

Ele fez os lábios deslizarem sobre a pele dela, traçando o formato de cada parte, maravilhando-se com a firmeza de seus músculos, a delicadeza de seus ossos. O sabor dela o deixava intoxicado. Era um sabor do qual ele aprendera a depender tanto quanto da golfada de ar seguinte.

Descendo, encontrou os seios dela e os acariciou, oferecendo-lhes prazer com os lábios, a ponta dos dentes e a língua, até que sentiu o coração dela bater sob a sua boca, com o latejar infinito do mar. E, enquanto as batidas se aceleravam, ela se levantou por baixo de Zack, forçando o seu corpo de encontro ao dele, arfando em busca de ar.

Sem pressa, ele se movimentou lentamente para baixo em direção a ela. Um leve roçar dos dedos, mais uma pincelada com os lábios. Sentiu que ela trepidava, enquanto seu próprio sangue bombeava agudos, poderosos e urgentes ataques de desejo.

As mãos dela tatearam às cegas e então agarraram desesperadamente as dobras dos lençóis quando ele levantou os quadris dela e usou sua boca neles. Com uma espécie de paciência implacável, ele a deixou com vontade de gritar, no momento de atingir o ápice.

Sua respiração era soluçante agora, sua pele escorregadia e úmida enquanto ela rolava com ele sobre os lençóis emaranhados. O calor aumentou até o ponto máximo, parecendo fazer o próprio ar pulsar por baixo de sua pele, até que ela sentiu que seu corpo parecia uma fornalha a ponto de explodir.

— Zack!...

— Ainda não. Ainda não!...

Ele se sentia enlouquecido por ela, pelo gosto da sua pele, a urgência de suas mãos. Sob os pálidos respingos do luar penetrando através do vidro, o corpo dela parecia sobrenatural e misterioso, mármore branco eroticamente aquecido, quente ao toque e rebrilhando com o saudável suor daquele momento de lascívia.

Quando ele enterrou os dentes no pescoço dela, era como estar se alimentando. Sua boca era selvagem, e o corpo dela se precipitava de encontro ao dele. Então, ela gritou mais uma vez, com uma espécie de prazer chocado, quando os dedos dele a levaram de modo suave e inflexível para além do abismo.

Fora de controle, além da razão, ela começou a se mover como um relâmpago. Seria capaz de jurar que a cama começou a rodar, em círculos rápidos e estonteantes, enquanto enganchava as pernas em torno dele. Ofegante, ela o envolveu e o cavalgou, como ele a tinha cavalgado. Curvou-se para baixo em direção a ele e atacou a sua boca, para então se atirar para trás, com os braços arqueados por cima da cabeça, e sentir-se voar, como se um poder a estivesse açoitando por dentro.

Ele a alcançou, seus dedos escorregando incontrolavelmente abaixo dos seus quadris agitados. Seu sangue era como uma tempestade; sua mente, uma enxurrada. Por um momento, tudo que ele conseguiu ver foram os olhos dela, acesos como chamas azuis e vívidos como joias cintilantes.

Ele se levantou levemente, deu uma última estocada com o corpo, apertou os lábios de encontro ao coração dela e sentiu-se estilhaçar.

Capítulo Quatorze

Ripley parou a viatura e observou Nell descarregar as compras do porta-malas. O sol já se fora, e, com os estalos frios do vento que castigava a ilha como um golpe que vinha do nordeste, os poucos turistas estavam todos aninhados dentro do hotel, sorvendo bebidas quentes.

A maioria dos habitantes do lugar, por sua vez, estaria sensatamente acomodada diante do aparelho de televisão ou preparando o jantar. Ela também estava aguardando ansiosamente a hora de fazer o mesmo.

Só que ainda não conseguira ter uma conversa frente a frente com Nell desde a noite em que ela batera em sua porta.

— Você está começando um pouco tarde ou está, na verdade, começando a preparar as coisas cedo demais? — perguntou Ripley, em voz alta.

Nell levantou uma das caixas e se curvou de frio dentro do casaco pesado de lã que comprara pelos Correios e que viera do continente.

— Na verdade, é uma espécie de "segundo tempo". O clube do livro que Mia organiza está voltando, após uma parada durante as férias de verão. A primeira reunião é hoje à noite.

— Ah, sim. — Ripley saltou do carro. Estava usando uma velha e querida jaqueta militar de bombardeiro e botas de caminhada. Seu quepe de verão do uniforme, que parecia um boné de beisebol, tinha sido substituído por um gorro simples de lã preta. — Quer uma ajuda?

— Não recusaria, não... — Feliz por não sentir nenhum traço de animosidade ou ressentimento em sua voz, Nell apontou com o cotovelo para a segunda caixa. — Refrigerantes para a reunião. Você quer participar?

— Nem pensar!

— Não gosta de ler?

— Pelo contrário, gosto muito de ler. O meu problema é que não gosto de grupos. Grupos são constituídos por membros — explicou. — E membros, quase sempre, são pessoas. Então, é isso...

— Mas são pessoas que você conhece — argumentou Nell.

— O que oferece à minha posição uma base ainda mais sólida. Esse grupo é formado por um monte de mulheres que parecem galinhas cacarejando e que vão perder mais tempo fofocando sobre o último mexerico do que trocando ideias elevadas sobre sei lá qual livro que usaram como desculpa para sair de casa, esta noite.

— Como você pode saber que é assim, se não pertence ao clube?

— Vamos dizer que tenho um sexto sentido a respeito dessas coisas.

— Tudo bem, você é quem sabe. — Nell ajeitou a caixa que segurava, que estava se desequilibrando enquanto caminhavam para a entrada de trás. Apesar do tempo, o pequeno arbusto de sálvia resistia, tão vermelho e ousado como se ainda fosse julho. — É por causa disso que você não aceita a Arte? Porque seria assim como se juntar a um grupo?

— Só isso já seria motivo suficiente para mim. Podemos acrescentar a isso o fato de que não gosto que ninguém me diga que eu devo seguir as regras e preceitos de uma coisa que começou trezentos anos antes de eu nascer.

Um pé de vento súbito levantou o rabo de cavalo de Ripley, como se fosse um chicote escuro e grosso. Ela ignorou isso, bem como os dedos gelados de ar que tentavam entrar por baixo do seu casaco.

— Na minha maneira de ver — continuou ela —, o que quer que precise ser enfrentado deve ser feito sem precisar de gargalhadas histéricas e compassadas diante de um caldeirão. E também não gosto de saber que as pessoas vão ficar imaginando o tempo inteiro se eu vou chegar a qualquer momento montada em minha vassoura, usando um chapéu preto e pontudo.

— Não posso argumentar contra os dois primeiros motivos — Nell empurrou a porta e pisou no ambiente acolhedor e quente. — Mas os dois últimos não têm nada a ver. Nunca vi Mia gargalhar compassadamente diante de um caldeirão, ou de qualquer outra coisa, e jamais vi ninguém olhar para ela como se esperasse que pulasse sobre uma vassoura.

— Pois eu não ficaria nem um pouco surpresa se ela fizesse isso. — Ripley caminhou com passos largos até o andar principal da loja e acenou com a cabeça para Lulu. — Oi, Lu!

— Rip! — Lulu continuava a arrumar as cadeiras dobráveis. — Vai se juntar a nós esta noite?

— Só se as calotas polares permanecerem congeladas no inferno.

— Então, acho que não... — Cheirou o ar. — Será que estou sentindo o cheiro de pão de mel com melado e gengibre?

— Acabei de chegar trazendo um — disse Nell. — Quer que eu prepare os refrigerantes e refrescos de algum jeito especial?

— Você é que é a especialista nessa área. Mia já está lá em cima. Se ela não tiver gostado das suas ideias, vai lhe dizer.

Nell carregou a caixa até a mesa que já estava preparada. Já conseguira, aos poucos, abrir algumas pequenas brechas na casca de Lulu, mas ainda tinha que trabalhar muito nisso. Aquilo estava se tornando — ela admitia — um verdadeiro desafio pessoal.

— Será que eu posso ficar por aqui, para assistir a uma parte dos debates sobre o livro, Lulu?

Lulu olhou com os olhos apertados, por cima dos óculos, e respondeu:

— Por acaso você leu o livro?

Droga. Nell tirou primeiro o prato de pão de mel com gengibre para fora da caixa, na esperança de que o aroma pudesse adoçar suas chances.

— Bem, na verdade, não li — respondeu. — Aliás, eu nem sabia da existência desse clube até a semana passada, e...

— Uma pessoa pode muito bem separar uma hora por dia para leitura! Não me importa o quanto esteja atarefada.

— Ora, deixe de ser tão rabugenta, Lulu!

Nell ficou de queixo caído diante das palavras de Ripley, mas o olhar meio de lado que arriscou na direção de Lulu mostrou que a sua reação foi um sorriso feliz.

— Não consigo, Rip. Isso já está no sangue. Tudo bem, Nell, você pode ficar, se essa aí ficar também.

Virou o polegar na direção de Ripley, que respondeu:

— Não estou nem um pouco interessada em perder meu tempo com um bando de mulheres batendo papo a respeito de um livro e depois passarem o resto do tempo cochichando sobre quem está dormindo com quem e quem não devia estar. Além do mais, ainda nem jantei.

— A cafeteria ainda vai ficar aberta por mais dez minutos — Lulu informou. — A sopa de ervilhas com presunto estava ótima, hoje. Além do mais, vai fazer bem a você passar algum tempo em companhia de mulheres... Explorar a sua feminilidade interior.

Ripley fez cara de vômito. Mas a ideia da sopa ou de qualquer tipo de comida que não precisasse ser preparada por ela mesma tinha um apelo irresistível.

— Minha mulher interior não precisa mais de nenhum tipo de exploração. Eu já sei que ela é muito esbelta e má. A sopa, no entanto, eu quero explorar.

Ela foi caminhando com certo interesse na direção da escada. — Pode ser que eu fique para assistir aos primeiros vinte minutos — disse, virando-se para trás. — Mas, se eu resolver ficar, quero comer o primeiro pedaço daquele pão de mel com gengibre.

— Lulu? — Nell estava arrumando biscoitos em forma de estrela sobre uma travessa de vidro.

— Que é?

— Também posso chamar você de rabugenta, se isso ajudar a nos aproximar uma da outra, tentando explorar nossa mulher interior?

Foi a vez de Lulu fazer cara de nojo.

— Nell, você pensa rápido e se expressa muito bem, quando quer. Tem prestígio, trabalha bem e é uma pessoa que mantém a palavra. Isso tudo me agrada muito.

— Eu também sei preparar um pão de mel com gengibre superior a qualquer outro.

— Deixe-me avaliar isso. — Lulu chegou mais perto e pegou uma fatia. — Hoje você observa a reunião; veja se consegue ler o livro de outubro, para as discussões do mês que vem.

— Prometo! — As covinhas de Nell cintilaram em um sorriso.

No andar de cima, Ripley deixou Peg aborrecida ao pedir uma terrina de sopa, poucos minutos antes do horário de fechar.

— Olhe, Ripley, eu tenho um encontro; portanto, se você não acabar de comer tudo antes do fim do meu expediente, vai ter que lavar a tigela você mesma, porque eu vou embora.

— Deixe, que eu posso jogar dentro da pia, como você ia fazer, para deixar para a Nell lavar amanhã de manhã. Agora, me pegue um chocolate quente para acompanhar. E você?... Ainda continua saindo com o Mick Murmingham?

— Isso mesmo. Vamos nos aconchegar mais tarde e curtir um festival de filmes. Alugamos os três filmes da série *Pânico*.

— Muito *sexy*. Se quiser cair fora um pouquinho mais cedo, não vou dedurar para Mia.

— Obrigada! — Peg nem hesitou e começou a desamarrar o avental. — Já fui! Tchau!

Apreciando o fato de que a cafeteria estava completamente vazia, Ripley se acomodou melhor e relaxou para aproveitar a sopa em momentos de maravilhosa e abençoada solidão. Nada poderia ter estragado seu prazer mais depressa do que ouvir o "toc-toc" dos saltos altos de Mia batucando o chão, menos de um minuto depois.

— Onde está Peg?

— Eu a dispensei. Tinha um encontro picante.

— Não me agrada você vir até aqui e dar autorização aos meus empregados para saírem mais cedo. Ainda faltam quatro minutos para a cafeteria fechar, e é parte do serviço dela limpar a vitrine, os balcões e a cozinha, já com a loja fechada.

— Bem, na verdade fui eu que mandei que ela fosse embora; então resolva comigo. — Intrigada, Ripley continuou a tomar as colheradas da sopa lentamente enquanto observava Mia.

Era raro ver a controlada Senhorita Devlin com a cabeça quente, tensa e nervosa. Ela estava torcendo a corrente do amuleto que trazia pendurado no pescoço, e continuava a enroscá-lo com o dedo enquanto se aproximava do balcão com a vitrine e falava para Ripley, por entre os dentes.

— Olhe aqui, existem leis sanitárias no que diz respeito à limpeza nos estabelecimentos que trabalham com alimentos. Já que você foi tão generosa com Peg, bem que podia limpar isso tudo você mesma, depois.

— Nem morta! — resmungou Ripley, mas sentiu uma pontada de culpa que estava ameaçando estragar-lhe o apetite. — Escute aqui, Mia... Que bicho mordeu você, hein?

— Eu sou responsável por uma cafeteria, aqui, sabia? Isso é bem mais trabalhoso do que ficar saracoteando por aí pelas ruas da cidade, fazendo pose de durona, que é a sua especialidade.

— Ora, vai arrumar um homem, Mia! Talvez melhore seu humor.

— Ao contrário de você... — Mia veio para o lado de fora do balcão. —Trepar não é a minha resposta para cada capricho ou comichão.

— Você fica aí tentando bancar a donzela de gelo só porque Sam Logan lhe deu um pé na bunda, é esse o seu verdadeiro... — Ripley parou de falar na mesma hora, desprezando-se por dizer isso ao ver a cor no rosto de Mia desaparecer por completo. — Desculpe, Mia. Passei dos limites. Foi mal, passei totalmente dos limites...

— Deixe pra lá!

— Não; quando eu pego alguém de surpresa com um golpe baixo, sempre peço desculpas. Apesar de que foi você quem chegou aqui à procura de briga. Na verdade, vou fazer mais do que simplesmente pedir desculpas. Vou perguntar o que é que está errado.

— E desde quando você se importa?

— Normalmente, não me importo. Mas também, normalmente, eu não vejo você assim tão soturna. O que está havendo?

Elas haviam sido amigas um dia, no passado. Grandes amigas. Tão próximas quanto duas boas irmãs. Por causa disso, era ainda mais difícil para Mia sentar-se e abrir-se com ela. Mais difícil do que se Ripley fosse apenas uma estranha.

O assunto, porém, era mais importante do que rixas ou rancores. Ela se sentou na cadeira oposta à de Ripley e levantou os olhos, dizendo:

— Havia sangue na lua.

— Ah, pelo amor...

Antes que Ripley pudesse terminar, a mão de Mia voou sobre a mesa e agarrou-lhe o punho.

— Problemas, Ripley. Problemas pesados estão se aproximando. E é barra-pesada, uma força muito escura! Você me conhece o suficiente para saber que eu jamais diria isso, muito menos a você, se eu não tivesse absoluta certeza.

— E você me conhece o suficiente para saber o que eu penso a respeito de presságios e agouros. — Mas sentiu um frio subir-lhe pela espinha.

— Está chegando, Ripley, logo depois das folhas acabarem de cair, antes da primeira nevasca. Estou certa disso também, só que não consigo ver exatamente o que é nem de onde vem. Há alguma coisa bloqueando a Visão.

Ripley se perturbava quando os olhos de Mia ficavam assim tão profundos, tão escuros e sombrios. Parecia que era possível ver mil anos dentro deles.

— Se algum problema chegar até a ilha, Zack e eu saberemos como lidar com ele.

— Vai precisar de mais do que isso. Ripley, Zack ama Nell, e você o ama. Eles estão no centro de tudo. Eu sinto isso. Se você não se deixar ceder, alguma coisa vai quebrar. Alguma coisa que nenhuma de nós vai poder consertar novamente. Eu sozinha não posso fazer tudo o que é necessário ser feito, e Nell ainda não está pronta para isso.

— Pois eu não posso ajudar você nisso, pelo menos não do jeito que você deseja.

— Você *não quer* ajudar!

— Não posso, não quero, dá tudo no mesmo.

— Sim, dá no mesmo — disse Mia, enquanto se levantava. Não havia raiva brilhando em seus olhos; teria sido fácil brigar um pouco mais. O que havia era cansaço e desgaste. — Negue o que você é e vai perder o poder que tem. Só espero sinceramente que não se arrependa disso.

Mia disse isso e foi embora. Desceu para receber suas amigas do clube do livro e tratar dos assuntos mais imediatos.

Sozinha, Ripley apoiou o queixo sobre o punho. Era tudo um jogo de culpa, apenas isso. Quando Mia não estava atirando pequenos dardos vingativos, gostava de empilhar camadas de uma culpa pegajosa sobre as pessoas. Ripley não ia cair nessa. Se havia uma névoa vermelha cobrindo a lua, provavelmente era devido a alguma peculiaridade atmosférica e não tinha nada a ver com ela.

Era melhor deixar os agouros e profecias para Mia, já que ela gostava tanto deles.

Ela não devia nem ter passado por ali naquela noite. Não devia ter se colocado em uma posição que desse a Mia a chance de atingi-la, como aconteceu. Era tudo o que elas faziam, tentar perturbar uma à outra. Era assim havia mais de uma década.

Mas nem sempre fora assim.

Elas haviam sido amigas um dia, quase inseparáveis, até que foram oscilando em direção ao vértice da vida adulta. Ripley se lembrava que sua mãe dizia que elas eram gêmeas de coração. Compartilhavam tudo, e talvez este tivesse sido o problema.

Era natural que os interesses das pessoas divergissem depois que elas crescessem. Era comum que amigos de infância se separassem. Não que ela e Mia apenas tivessem se afastado, admitiu. Tinha sido mais como um golpe de espada que cortara a sua grande amizade ao meio. Fora algo abrupto e violento.

Mas ela tinha todo o direito de fazer as coisas do jeito dela. E não ia agora voltar atrás apenas porque Mia estava nervosa e agitada devido a algum fenômeno da atmosfera.

Mesmo que Mia estivesse certa, e algum problema estivesse para surgir, ele seria resolvido através das regras e obrigações da lei, não através de feitiços e encantamentos.

Ela já havia colocado de lado suas coisas de criança, os brinquedos e ferramentas nos quais não tinha mais nenhum interesse. Tinha sido mais sensato, mais maduro, agir assim. Quando as pessoas olhavam para ela agora, viam a delegada Ripley Todd, uma mulher confiável e responsável que desempenhava bem o seu trabalho; não viam nela uma sacerdotisa de araque, meio maluca, que costumava preparar poções para melhorar suas vidas sexuais.

Irritada porque até mesmo seus pensamentos lhe pareciam defensivos e maldosos, Ripley pegou o prato, seu copo e todos os talheres. Levou-os até a cozinha. Tinha sobrado um restinho de culpa. Por causa disso, ela resolveu enxaguar o prato e o copo, colocá-los na máquina de lavar e esfregar a pia.

Isso, decidiu, servia para pagar o seu débito.

Conseguia ouvir as vozes agitadas, todas femininas, flutuando de volta lá de baixo, da parte da frente da loja, onde o clube estava começando a reunião. Era possível sentir o aroma de incenso que Mia acendera para proteção. Ripley desceu silenciosamente, esgueirou-se e saiu pelos fundos. Nem uma frota de tratores poderia fazê-la voltar na direção daquele galinheiro, ainda mais agora.

Bem na porta dos fundos ela viu a vela larga, baixa e preta que queimava, um encanto para espantar o Mal. Normalmente, teria torcido o nariz para aquilo, mas seu olhar foi atraído para o alto.

A imensa bola flutuante da lua estava envolta por uma fina camada de névoa sangrenta, avermelhada.

Incapaz de lançar seu costumeiro olhar de desprezo, ela enfiou as mãos no bolso e ficou olhando para as pontas das próprias botas enquanto caminhava de volta para o carro.

Quando a última das mulheres do clube saiu pela porta, Mia fez uma última inspeção nas fechaduras da loja. Nell já estava limpando os pratos e separando os guardanapos para colocar para lavar enquanto Lulu fechava a caixa registradora.

— A reunião foi divertida! — O barulho de louça soava alegremente enquanto Nell empilhava as xícaras de café. — Foi tão interessante!... Eu jamais tinha discutido um livro assim desse jeito. Sempre que eu lia, simplesmente pensava, bem, se tinha gostado ou não. Jamais conversei a respeito dos motivos. Prometo que vou ler o título que foi escolhido para a próxima reunião para poder contribuir.

— Deixe que eu cuido dos pratos, Nell. Você deve estar cansada.

— Não estou, não. — Nell levantou uma bandeja carregada de pratos. — Havia tanta agitação aqui, esta noite. Eu me sinto ligada, energizada.

— Zack não está esperando por você?

— Não, hoje não. Eu avisei que pretendia vir para cá e me juntar à festa.

Lulu esperou até que Nell tivesse subido antes de perguntar a Mia:

— O que há de errado?

— Não estou completamente certa. — Para manter as mãos ocupadas, Mia começou a dobrar as cadeiras. — É isso que me preocupa mais. Tem alguma coisa chegando, e eu não consigo descobrir o que é. Por essa noite, está tudo bem. — Olhou para cima enquanto carregava as cadeiras para o depósito. — Ela estará bem protegida, pelo menos por esta noite.

— Ela *é* o centro disso. — Lulu ajudava a carregar a sua própria cota de cadeiras. — Acho que eu senti isso o tempo todo e não dei nem ao menos uma folga para a pobrezinha. O fato, porém, é que ela é uma menina muito doce, que trabalha duro. Tem alguém querendo machucá-la?

— Alguém já a machucou, e eu não pretendo deixá-lo fazer isso de novo. Vou tentar uma sessão de profecia, mas preciso me preparar para isso. Preciso clarear minha cabeça. Ainda temos tempo, porém. Não sei dizer quanto tempo, exatamente, mas vai ter que ser o suficiente.

— Você vai contar para ela?

— Ainda não. Nell vai ter que fazer as próprias preparações, vai ter que realizar as próprias limpezas internas. Ela está apaixonada, e isso a torna mais forte. E ela vai precisar disso.

— E o que torna *você* mais forte, Mia?

— Ter um objetivo. O amor nunca funcionou para mim.

— Ouvi falar que ele está em Nova York.

Mia deu de ombros, um gesto deliberado. Ela sabia a quem Lulu estava se referindo e ficava irritada de ter o nome de Sam Logan atirado sobre ela duas vezes na mesma noite.

— Nova York é uma cidade muito grande — respondeu. — Garanto que não vai lhe faltar companhia. Agora, quero acabar com isto e ir para casa. Preciso dormir.

— Homem idiota! — murmurou Lulu entre os dentes. Havia homens idiotas em demasia no mundo, em sua opinião. E a maioria deles acabava batendo de frente com mulheres teimosas.

Encantamentos eram, conforme Nell concluiu, apenas uma questão de receitas. E, com relação a isso, ela estava pisando em terreno firme. Uma receita precisava de tempo, cuidado e ingredientes de qualidade nas proporções exatas para se obter o sucesso. Adicione um pouco de imaginação, e ele se transforma em um prato pessoal.

Ela sempre separava algum tempo entre os afazeres da cozinha e a sua contabilidade para estudar o livro de encantamentos que Mia lhe emprestara. Ela imaginava que Mia iria achar divertida aquela ideia de encarar um livro de Magia como se fosse um tipo de livro de receitas metafísicas; não achava que ela ficaria ofendida por essa imagem.

O tempo também tinha que ser esculpido através de meditação e visualização, para que ela conseguisse reunir e criar seus próprios utensílios, a fim de que pudesse completar o que gostava de considerar como uma despensa, e bem-suprida.

Por agora, no entanto, ela pretendia gratificar a si mesma com a sua primeira sessão solo de prática de Magia.

Encantamentos para amor, encantos para expulsar desafetos, poções de proteção, cantarolava ela, enquanto folheava o livro. *Encantos para criar vínculos, feitiços para atrair dinheiro, poções de cura.*

Havia um pouco de tudo para qualquer pessoa, pensou ela, lembrando-se do que Mia a aconselhara a respeito de ter cuidado com o que desejasse. Um desejo descuidado ou egoísta poderia voltar e atingi-la como um bumerangue, de formas desagradáveis e certamente inesperadas.

Ela tentaria fazer tudo bem simples, escolhendo algo que não envolvesse ninguém. Também não deveria causar, inadvertidamente, nenhum tipo de mágoa ou problema.

Usou em primeiro lugar a vassoura, varrendo a energia negativa para longe, para depois deixá-la pendurada atrás da porta da cozinha, a fim de evitar que a energia negativa entrasse novamente. Com Diego se entrelaçando pelas pernas, escolheu algumas velas e as entalhou com os símbolos apropriados. Refletindo que poderia usar toda a ajuda que conseguisse obter, selecionou a seguir alguns cristais para reforçar a energia. Ela os posicionou devidamente, junto com o vaso de lamentáveis gerânios que ela pegara na varanda da frente de Zack.

Expirou profundamente e depois inspirou devagar, deixando entrar uma grande quantidade de ar puro e fresco.

Baseou-se em um encanto de cura que Mia escrevera a nanquim em um pergaminho, fechou os olhos e ajustou as palavras mentalmente, para obter o efeito desejado.

— Vamos lá!... — sussurrou.

Estas flores machucadas procuro agora curar
Para em pétalas ressecadas vida nova revelar

Humm...

Seu tempo de floração ocorreu muito cedo
São cores de vida e prazer que afastam o medo
Que a força libertada e que nelas ainda viceja
Traga-lhes beleza de volta, e que assim se faça e seja.

Mordeu o lábio inferior, esperou um pouco. Os gerânios continuaram ali, teimosamente murchos, dentro do vaso. Nell se inclinou em direção a eles, olhando atentamente para ver se aparecia algum sinal de verde.

Afastou-se, sacudiu os braços e ficou ereta novamente.

— Droga. Acho que ainda não estou pronta para trabalhar sozinha.

Mas... talvez ela devesse tentar novamente. Era preciso visualizar, ver efetivamente a planta cheia, luxuriante e florescendo. Ela precisava sentir o perfume das folhas e das pétalas, canalizar toda a sua energia para isso... Ou seria a energia da planta? De qualquer modo, desistir logo na primeira tentativa faria dela uma feiticeira muito mixuruca.

Fechou os olhos novamente e reiniciou todo o processo, mas de repente deu um grito com o susto que levou ao ouvir as inesperadas e fortes batidas na porta dos fundos. Girou o corpo tão depressa que chutou sem querer o pobre do Diego, que fez um pequeno e desengonçado voo e foi parar no meio da sala, caindo com um ruído de toalha molhada. Isso o fez começar a se lamber imediatamente, lavando os pelos com toda a naturalidade, como se tivesse planejado desde o início ser lançado até ali.

Rindo daquilo, Nell abriu a porta e deu de cara com Ripley.

— Estava passando por aqui com o carro e notei a iluminação difusa de velas aqui dentro. Você está com problemas de falta de energia elétrica? — No mesmo instante em que falava, olhou para trás de Nell, viu as velas rituais acesas sobre a mesa e soltou apenas um *"Ah!"*.

— Estou praticando e, pelos resultados obtidos, ainda preciso praticar muito mais. Entre, Ripley.

— Não queria interromper. — Desde aquela noite na reunião do clube do livro, ela fazia questão de parar na porta da casa, ou pelo menos passar por ali durante a ronda, todas as noites. — Aquele ali não é o vaso de plantas mortas da nossa varanda da frente?

— Bem, não estão mortas ainda, mas quase. Perguntei a Zack se eu poderia tentar trazê-las de volta à vida.

— Treinando encantamentos em gerânios mortos? Puxa, você é surpreendente!

— É que eu achei que, se cometesse algum erro, não iria machucar ninguém. Quer um pouco de chá? Acabei de preparar um bule ainda há pouco.

— Bem, talvez. Zack pediu para avisá-la, caso a visse, de que ele virá para cá assim que terminar seu turno. Estivemos às voltas com um caso de BB, bêbado baderneiro — explicou ela. — Ainda por cima menor de idade. No final, o idiotinha acabou passando mal, por causa das seis garrafas de cerveja que tinha afanado da geladeira do pai. Zack já o está levando de volta para casa.

— É alguém que eu conheço?

— O filho dos Stuben, o mais velho. A namorada deu o fora nele ontem, e o garoto resolveu afogar as mágoas na cerveja do pai. Já que o resultado foi que acabou vomitando as tripas, acho que da próxima vez ele vai procurar outro modo de acalmar o coração despedaçado. Que cheiro bom é esse?

— Estou assando um lombinho de porco. Você está convidada para jantar conosco.

— Não, obrigada, Nell. Vou ter que aturar vocês dois lançando olhares lânguidos um para o outro. Mas não me importo se você mandar alguma sobra do lombinho para mim, pelo Zack.

— Então está ótimo. — Ela entregou uma xícara de chá para Ripley — Só que a gente não fica lançando "olhares lânguidos" um para o outro.

— Pois deviam.

Nell pegou um prato com canapés e aperitivos dentro da geladeira.

— Puxa vida! Vocês comem tanto assim todas as noites? — perguntou Ripley.

— É que eu uso Zack como cobaia.

— Que filho da mãe sortudo! — Ripley se serviu de um pedacinho de *bruschetta*. — Qualquer coisa que ele rejeitar, pode mandar para mim, que eu experimento e mando dizer se ficou gostoso.

— Obrigada, você é muito generosa. Experimente um cogumelo recheado. Zack não chega nem perto disso.

— Pois ele não sabe o que está perdendo — anunciou Ripley após a primeira mordida. — Os negócios com o bufê vão de vento em popa, então?

— É... vão — Mas Nell sonhava com um forno de convecção profissional e um *freezer* subzero, de uso comercial. Impossíveis de comprar e impraticáveis de instalar na sua aconchegante cozinha de chalé, ela vivia se dizendo. Além do mais, no momento, totalmente fora do alcance financeiro do Bufê das Três Irmãs. — Estou preparando sanduíches frios e um bolo imenso para um batizado que vai acontecer no sábado.

— O novo bebê dos Burmingham.

— Isso. E a irmã de Lulu vai chegar com a família, na semana que vem, de Baltimore. Ela quer impressioná-los. Parece que existe uma rivalidade na cozinha entre as irmãs. — Nell torceu o polegar na direção do forno. — Estou preparando esse lombinho de porco para o jantar deles, mas queria experimentar a receita primeiro.

— Olhe, isso é um grande passo para a Lulu. Ela é tão mão de vaca que é capaz de apertar uma moeda de um centavo na palma da mão até a cara do Lincoln começar a chorar.

— Nós fizemos um acordo — riu Nell. — Vai ser uma troca de serviços. Ela está tricotando dois suéteres de lã para mim, pelo jantar. Posso usá-los quando o inverno chegar.

— Mas ainda vamos ter algumas ondas de calor pela frente. Chamamos de "verão índio" e sempre acontece um pouco antes de o inverno chegar com força total.

— Espero que esteja certa.

— Então... — Ripley se abaixou e pegou Diego no colo. — Como anda a nossa amiga Mia?

— Está bem. Só que me parece ligeiramente distraída, ultimamente. — Nell levantou as sobrancelhas. — Por que pergunta?

— Por nada. Acho que ela deve estar ocupada, fazendo planos para o Dia das Bruxas. Ela realmente curte aquilo.

— Vamos decorar toda a loja na semana que vem. Já avisei cada criança da ilha para passar lá para pegar guloseimas no Dia das Bruxas.

— E quem é que consegue resistir aos doces feitos pelas bruxas? É melhor que eu vá andando. — Ela fez um carinho na cabeça de Diego antes de colocá-lo de volta no chão. — Zack deve estar chegando a qualquer momento. Posso levar aquele vaso com as flores murchas de volta, se você... — Ela parou de falar, boquiaberta, enquanto olhava na direção do vaso.

Gloriosas pétalas vermelhas cobriam o vaso, saindo de caules verdes e saudáveis.

— Ora, ora, sua danada! — exclamou Ripley.

— Eu consegui! Funcionou! Ah, que bom! — E, dando um pinote, Nell em menos de um segundo estava ao lado da mesa, com o nariz enterrado nas flores recém-reavivadas. — Não posso acreditar! Quer dizer, eu queria acreditar, mas na verdade não pensei que pudesse conseguir. Não assim, trabalhando sozinha. Não estão lindas?

— Sim, estão muito bonitas.

Ripley conhecia aquele sentimento. O ímpeto e a energia do Poder, aquele arrepio brilhante e gostoso. Os prazeres, tanto os pequenos quanto os imensos. Sentiu um eco das próprias sensações do passado ao ver Nell levantar o vaso bem alto e ficar dançando e girando em círculos.

— Nem tudo são flores e raios de luar, Nell.

— O que aconteceu, Ripley? — Nell abaixou o vaso e começou a embalá-lo, como se fosse um bebê. — O que a fez renegar o Poder que você possui?

— Eu não o renego. Simplesmente não o quero.

— Eu sei o que é não possuir Poder algum. Isso é melhor.

— O que é melhor, Nell, não é ser capaz de fazer flores renascerem. É ser capaz de cuidar bem de si própria. E você não precisa de um livro de encantamentos para aprender como se faz isso.

— Uma coisa não precisa excluir a outra.

— Talvez não. Mas a vida é muito mais simples quando essas duas coisas não se misturam. — Ela caminhou até a porta, abrindo-a. — Tenha cuidado com as velas acesas, para não botar fogo na casa.

Quando Zack chegou, Nell já estava com a mesa limpa e preparada. A cozinha estava com um aroma delicioso, por causa do lombinho assado e o restinho de perfume das velas.

Ela gostava de ouvi-lo se aproximar da porta da cozinha com passos firmes e largos. Gostava do jeito como ele parava sobre o capacho e limpava os pés cuidadosamente, antes de entrar. Gostava da lufada de ar fresco que trazia, sempre que abria a porta. E também do sorriso descontraído que ele lhe lançava, vindo na sua direção até cobrir a sua boca com a dele.

— Cheguei mais tarde do que planejara.

— Tudo bem. Ripley deu uma passada por aqui e me avisou que talvez você se atrasasse um pouco.

— Então, talvez eu não precise disto. — Ele mostrou um buquê de cravos que trouxera escondido com a mão atrás das costas.

— Você, não, mas *eu* preciso. — Ela o recolheu, cheirando as flores. — Obrigada. Pensei que talvez pudéssemos experimentar este vinho australiano, a respeito do qual andei lendo, se você quiser abri-lo.

— Ótimo! — Virou-se para tirar o casaco e foi pendurá-lo em um dos ganchos da cozinha. Seu olhar bateu no vaso de gerânios que Nell colocara sobre a bancada lateral. Sentiu-se sacudir por dentro, mas, depois de uma hesitação mínima, quase imperceptível, foi em frente e pendurou o casaco. — Acho que você não conseguiu aquilo usando fertilizantes.

— Não. — Ela enlaçou os dedos com mais força em volta das hastes dos cravos. — Não foi com fertilizantes. Isso incomoda você?

— Não é bem incomodar. É que falar a respeito disso, ou mesmo *saber* a respeito disso, é muito diferente de *ver acontecer.* — Sentindo-se à vontade na cozinha dela, abriu uma gaveta para pegar um saca-rolhas. — De qualquer modo, você não precisa ficar pisando em ovos comigo.

— Eu amo você, Zack.

Ele ficou parado, com o saca-rolhas em uma das mãos e a garrafa de vinho na outra. E, subitamente, sentiu que não conseguia se mover. As emoções estavam transbordando.

— Tem sido muito difícil esperar pelo momento em que eu iria ouvir essas palavras saírem de sua boca.

— É que eu não conseguia dizê-las antes.

— E por que conseguiu agora?

— Porque você me trouxe os cravos. Porque eu sinto que não preciso mais ficar pisando em ovos com você. Porque quando ouço você se aproximando da minha porta tudo dentro de mim se agita, me estimula e me faz suspirar. E porque o amor é a magia mais vital do ser humano. E eu quero oferecer essa magia para você.

Ele largou o vinho e o saca-rolhas de lado com cuidado e caminhou na direção dela. Com suavidade, acariciou seu rosto com as mãos e fez os dedos deslizarem pelos seus cabelos.

— Esperei a minha vida inteira por você, Nell. — Com toda a ternura, ele beijou-lhe a testa e foi descendo até o rosto. — E agora, quero passar o resto dela em sua companhia.

Ela ignorou o aperto que sentiu na barriga e se concentrou na alegria.

— Vamos dar um ao outro o nosso momento presente. Cada minuto é muito precioso. — Ela recostou a cabeça sobre o ombro dele.

— Cada minuto conta.

Capítulo Quinze

Evan Remington perambulava pelas salas palacianas de sua casa em Monterey. Entediado e inquieto, estudava suas posses.

Cada uma delas havia sido escolhida com cuidado, tanto por ele, pessoalmente, como por um decorador caríssimo que seguira todas as suas instruções explícitas.

Ele sempre soube com precisão o que preferia e também as coisas das quais necessitava. Sempre se assegurou de fazer tudo o que fosse preciso para obtê-las. Não importava o custo, não importava o esforço.

Tudo o que o rodeava refletia o seu bom-gosto e o seu refinamento; um bom-gosto admirado pelos seus sócios, parceiros comerciais e todos os outros cujo objetivo era se encaixarem em uma dessas duas categorias.

E apesar disso, tudo o deixava insatisfeito.

Pensou em promover um leilão. Poderia encontrar algum tipo de caridade que estivesse na moda para gerar notas interessantes na imprensa e se livrar de alguns itens que não queria mais. Poderia até mesmo deixar vazar que estava se desfazendo daquelas preciosidades porque elas lhe traziam muitas lembranças insuportavelmente dolorosas de sua falecida esposa.

A adorável e insubstituível Helen.

Pensou mesmo em vender a casa. A verdade é que o lugar realmente o fazia se lembrar dela. Isso não era problema em Los Angeles. Ela não morrera em Los Angeles.

Desde o acidente com Helen, ele raramente vinha a Monterey. Era difícil para ele ficar mais do que poucos dias, e sempre ia para lá sozinho, sem contar os criados. Eles estavam na mesma categoria que a mobília. Apenas necessários e eficientes.

Na primeira vez em que voltara, estava ainda ferido, sentindo a dor da perda. Havia chorado como um louco, deitado atravessado na cama que tinha compartilhado com ela na última noite, agarrado à camisola que ela usara. Sentindo o seu perfume.

Seu amor o estava consumindo, e sua dor ameaçava devorá-lo vivo.

Ela *pertencera* a ele.

Depois que a tormenta passou, perambulara pela casa como um fantasma, tocando nas coisas em que ela tocara, ouvindo sua voz ecoar em seus ouvidos, sentindo um sopro de seu perfume em toda parte. Como se estivesse dentro dele.

Ficara mais de uma hora no *closet* de Helen, acariciando suas roupas. E se esquecendo da noite em que a deixara trancada ali dentro, quando ela havia se atrasado ao voltar para casa.

Ele se dedicara inteiramente à sua memória e, quando já não podia mais aguentar ficar confinado na casa, fora até o local de sua morte. Ficara ali, uma figura solitária chorando sobre os rochedos.

Seu médico receitara calmantes e repouso. Seus amigos o cercaram de solidariedade e compaixão.

E ele começou a gostar daquilo.

Em pouco menos de um mês, já se esquecera de que fora ele quem tinha insistido para que Helen fizesse a viagem até Big Sur naquele dia fatídico. Em seus pensamentos, no apoio aconchegante de sua memória, ele se viu tentando convencê-la a não ir, a ficar em casa naquele dia e descansar, até se sentir melhor novamente.

E é claro que ela não lhe dera ouvidos. Jamais o escutara.

O pesar se transformou em fúria, uma inundação violenta de ódio que ele afogara com bebida e solidão. Ela o traíra, saindo assim contra a vontade dele, insistindo em participar de uma festa frívola em vez de respeitar a vontade do marido.

Ela o deixara sozinho, de forma imperdoável.

Mas até mesmo a raiva passou. O buraco que ficou dentro dele foi preenchido com fantasias a respeito dela, lembranças da festa de casamento, visões até mesmo dele. Nos seus ouvidos escutava pessoas comentando sobre eles e referindo-se aos dois como "o casal perfeito", separados cruelmente pela tragédia.

Ele lera isso, achara isso. Acreditara nisso.

Usava um dos seus brincos pendurado em uma corrente de ouro, junto do coração, e deixou essa singular afetação "escapar" para os ouvidos de uma fonte adequada da mídia. Comentaram que Clark Gable fizera o mesmo ao perder sua adorada Carole Lombard, também atriz, em um desastre de avião.

Ele mantinha as roupas dela nos respectivos *closets,* seus livros intocados nas prateleiras, seus caros perfumes nos frascos originais. E fez erigir um anjo esculpido em mármore branco no túmulo dela no cemitério, ao lado da cova vazia. A cada semana, uma dúzia de rosas vermelhas era colocada a seus pés.

Para se manter longe da insanidade, atirou-se de cabeça no trabalho. Começou a dormir de novo, sem ter tantos sonhos nos quais Helen aparecia. Gradualmente, encorajado pelos amigos, começou a sair e voltou a frequentar a noite, socialmente.

Mas as mulheres ansiosas para oferecer conforto ao cobiçado viúvo não lhe interessavam. Saía com elas apenas porque isso o mantinha na mídia. Levava algumas delas para a cama, simplesmente porque, se não fizesse isso, poderia gerar outro tipo de comentários menos lisonjeiros.

Sexo jamais o motivara. O poder, sim.

Não tinha nenhuma intenção de se casar novamente. Jamais haveria outra Helen. Eles tinham sido destinados um para o outro. Ela tinha sido feita para ele, havia surgido para ser moldada e formada por ele. E se era necessário puni-la ocasionalmente... Bem, a disciplina também fazia parte da formação. Afinal, ele tinha que lhe ensinar certas coisas com mais vigor.

Finalmente, nas suas últimas semanas juntos, ele acreditara que ela finalmente tivesse aprendido. Naquele período, foram muito raras as vezes em que ela cometera um erro, tanto em público quanto em particular. Havia cedido totalmente a ele como uma mulher deve ceder ao marido, fazendo tudo para que ele estivesse sempre satisfeito com o comportamento dela.

Ele se lembrava, ou se convenceu de que lembrava, que estivera a ponto de presenteá-la com um cruzeiro de iate até Antígua. Ela sempre fora fascinada pelo oceano, a sua Helen. E dissera a ele, durante as primeiras semanas de inebriante amor e descobertas, que ela, às vezes, sonhava em morar em uma ilha.

E, no final, fora o mar que a levara.

Pelo fato de pressentir a depressão se desdobrando lentamente para envolvê-lo como uma névoa, resolveu se servir de um copo de água mineral e tomou uma das suas pílulas.

Não, ele não iria vender a casa, decidiu, afinal, em um de seus momentos de humor mais leve. Ele a abriria novamente. Ofereceria uma das suas opulentas festas cheias de convidados "Classe A", o tipo de festa do qual ele e Helen tinham sido anfitriões por tantas vezes e de forma tão bem-sucedida.

Seria como se ela ainda estivesse ao seu lado, exatamente como deveria ser.

Quando o telefone tocou, ele o ignorou e continuou de pé, acariciando lentamente, através do fino linho de sua camisa, o brinco de ouro em forma de círculo com pedras incrustadas.

— Senhor! A Sra. Reece está ao telefone. Gostaria de falar com o senhor, se for possível.

Sem responder nada, Evan estendeu a mão para pegar o telefone sem fio. Não lançou sequer um olhar para a empregada impecavelmente uniformizada que trouxe o aparelho até ele, mas abriu a porta deslizante que dava para o terraço, saindo para a parte externa da casa para receber o bálsamo de uma brisa em seu rosto e falar com sua irmã.

— Sim, Bárbara?

— Evan, que bom que o encontrei! Deke e eu queríamos que você se juntasse a nós no clube, esta tarde. Podemos jogar uma partida de tênis e depois almoçar à beira da piscina. Eu quase não tenho visto o meu irmão caçula, ultimamente.

Ele pensou em recusar o convite. O círculo de amigos de sua irmã no *Country Club* lhe oferecia poucos interesses. Mas reconsiderou a ideia depressa, conhecendo a maneira perfeita com a qual Bárbara organizava reuniões e festas... E o quanto do aborrecimento causado pelos pequenos detalhes da recepção que planejava dar ela aceitaria, de bom grado, retirar de seus ombros.

— Gostaria de ir, sim, Bárbara. Preciso muito falar com você, de qualquer modo. — Ele deu uma olhada em seu Rolex de ouro. — Que tal encontrar-me com vocês, digamos, às onze e meia?

— Absolutamente perfeito. E se prepare, porque eu andei melhorando o meu saque.

Sua atuação no jogo de tênis foi péssima. Bárbara quebrou seu serviço repetidamente. Depois, ficou se movimentando por toda parte com arrogância, parecendo uma tola em sua saia de tênis especialmente desenhada para ela. É claro, *ela* tinha tempo para jogar fora e desperdiçar por aí em qualquer dia da semana, passando o tempo com algum jogador profissional de tênis com dedos ágeis, enquanto o idiota do marido praticava a sua colocação de bola.

Ele, por outro lado, era um homem ocupado, com negócios urgentes a resolver e clientes altamente poderosos que choramingavam como bebês quando não recebiam total dedicação e atenção.

Ele simplesmente não tinha tempo para esses malditos jogos.

Evan lançou uma das bolas com a velocidade de uma bala poucos milímetros acima da rede e rangeu os dentes de raiva de modo audível quando Bárbara, com um golpe rápido e certeiro, devolveu-lhe a bola. O suor abundante encharcava-lhe o rosto e corria-lhe pelas costas. E sua boca se retesou em um esgar de irritação enquanto corria pela quadra.

Aquela era uma expressão que Nell teria reconhecido instantaneamente. Um olhar que a teria aterrorizado.

Bárbara reconhecia aquela cara, também, e instintivamente errou uma devolução para agradá-lo. *Você está me matando*, berrou ela, balançando a cabeça enquanto retomava a posição.

Evan sempre tivera aquele jeito temperamental, pensou Bárbara. Era difícil para ele *não vencer, não ter* as coisas do seu jeito. Sempre fora assim, desde pequeno. Quando criança, sua retribuição vinha de duas formas. Silêncio gélido, que era capaz de furar o aço; ou atos bruscos de extrema violência.

Você é mais velha, sua mãe sempre lhe dissera. *Seja uma menina boazinha, seja uma boa irmã. Deixe o seu irmãozinho ganhar.*

Aquele era um hábito tão antigo e tão impregnado nela, que Bárbara nem chegou a registrar em seu cérebro a decisão instintiva de errar a devolução da bola seguinte, deixando-o feliz. Afinal de contas, a tarde seria muito mais agradável se ele ganhasse o jogo. Para que criar um clima de desavença por causa de um jogo de tênis?

Sendo assim, e enterrando o próprio espírito de competição, ela deu um "esforçado" mergulho final, errou a bola e resolveu entregar o jogo.

A expressão no rosto dele se modificou quase instantaneamente.

— Bom jogo, Evan. Não consegui acompanhar seu desempenho.

Ela lançou para ele um olhar de indulgência, enquanto se posicionavam para a jogada seguinte. *Os meninos detestam perder para as meninas*, pensou. Era outra das lições constantes de sua mãe.

E o que eram os homens, senão meninos grandes?

Quando o jogo terminou e ele acabou vencendo a partida, já se sentia com ótima disposição, e seu humor estava excelente. Lançou um braço sobre os ombros da irmã e beijou-lhe a bochecha.

— Sua devolução de esquerda ainda precisa ser um pouco trabalhada, minha querida.

Ela sentiu uma pequena bolha de irritação formar-se em sua garganta, mas automaticamente a engoliu.

— Pois a sua, meu irmão, *é fatal*. — Ela pegou a sua sacola. — E já que você me humilhou de forma tão cruel, agora vai ter que pagar o almoço. Vamos nos encontrar no terraço em meia hora, está bem?

Ela o manteve esperando por mais tempo. Isso era sempre uma irritação, embora das menores. Deixava-o satisfeito, porém, ver o quanto ela era atraente e como sabia se apresentar bem. Ele detestava roupas largadas e desmazeladas ou cabelo despenteado em uma mulher, e Bárbara jamais o desapontara nesses quesitos.

Ela era quatro anos mais velha do que ele, mas poderia facilmente dizer que tinha apenas trinta e cinco anos. Sua pele era bem-cuidada e tinha textura firme; seu cabelo era liso, reluzente, e sua silhueta, muito elegante.

Ela se juntou a ele sob a sombra de um imenso guarda-sol branco de quatro pontas, espargindo em sua chegada uma suave fragrância do seu perfume favorito, *White Diamonds*.

— Vou me consolar pela derrota com um coquetel de champanhe. — Ela cruzou elegantemente as pernas, envoltas em uma roupa de seda pura. — Com um drinque desses na mão e sentada ao lado do homem mais bonito do clube, meu estado de espírito vai melhorar de imediato.

— E eu também estava justamente pensando que mulher maravilhosa eu tenho como irmã.

— Você sempre fala as coisas mais doces, Evan... — E seu rosto se iluminou.

Era verdade, pensou ela, ele falava mesmo. Quando vencia. Isso a deixou ainda mais aliviada por tê-lo deixado ganhar a partida.

— Não precisamos esperar pelo Deke — disse ela, ainda sorrindo para ele. — Só Deus sabe quando é que ele vai terminar a própria partida.

Bárbara pediu ao garçom o coquetel acompanhado por uma salada Cobb e gemeu de modo dramático quando Evan escolheu um *scampi* de camarões graúdos fritos com alho.

— Evan, eu detesto você por seu metabolismo. Come essas coisas e não engorda um grama sequer. Vou ser obrigada a provar um pouquinho dos seus maravilhosos camarões e depois vou xingá-lo quando for torturada amanhã pela minha *personal trainer.*

— Adquira um pouco mais de disciplina, Bárbara, e você vai manter a silhueta sem ter que pagar alguém para fazê-la suar.

— Ah, mas pode acreditar, ela vale cada centavo. É uma sádica! — Com um suspiro de contentamento, recostou-se confortavelmente, tendo todo o cuidado para manter o rosto longe do sol. — Diga-me, querido, sobre o que você queria falar comigo?

— Vou dar uma festa na casa de Monterey. Já está na hora de...

— Sim. — Ela se inclinou para a frente novamente para cobrir-lhe a mão com a dela, apertando-a carinhosamente. — Sim, já está na hora. Fico tão contente de ver que você está com uma boa aparência novamente, Evan, e de ouvi-lo fazer planos. Você passou por momentos terríveis.

Lágrimas brotaram, e sua afeição por ele era tanta, que piscou várias vezes para não deixar que elas escorressem, não tanto por causa do rímel, mas pensando na sua sensibilidade.

Ele detestava cenas em público.

— Você começou a retomar seu caminho nos últimos meses. Isso é saudável, meu irmão. Helen teria gostado disso.

— Você está certa, é claro. — Ele retirou a mão que estava sob a dela, discretamente, quando os drinques foram servidos.

Ele não gostava de ser tocado. De modo casual, é claro, era uma coisa aceitável. No mundo dos negócios, abraços e beijos eram, também, apenas uma ferramenta a mais. Ele detestava, porém, ser tocado com intensidade.

— Você sabe, Bárbara, eu não tenho oferecido recepções desde que tudo aconteceu. Jantares de negócios, sim, é claro, mas... Helen e eu planejávamos, juntos, cada detalhe de nossas festas. Ela assumia a maior parte do trabalho: os convites, o cardápio, tudo sujeito à minha aprovação, é evidente. Hoje, vim aqui com a esperança de coagir você a me ajudar.

— Claro que eu ajudo! Diga-me apenas o que você tem em mente, o tipo de recepção, e para quando. Fui a uma festa na semana passada, muito luxuosa e divertida. Posso aproveitar algumas ideias do que vi por lá. Foi uma festa oferecida pela Pamela Stevens e pelo Donald. Pamela às vezes consegue ser insuportavelmente chata, mas, verdade seja dita, sabe preparar uma festa como ninguém. Por falar nela, acho que devo lhe contar, e espero que isso não o deixe aborrecido. De qualquer modo, você ia acabar ouvindo a história de outra pessoa qualquer.

— O que foi?

— Pamela é teimosa, você sabe como ela é.

— Teimosa a respeito de quê? — Evan mal se lembrava da cara da mulher.

— Ela e Donald fizeram uma pequena viagem em um feriado, há umas duas semanas. A princípio foram até Cape Cod, na Costa Leste. Chegando lá, ela o convenceu a dar umas voltas pela região. Ficaram em hotéis baratos, daqueles que só oferecem cama e café da manhã, como se fossem nômades! Ela jura que enquanto estavam lá, fazendo um *tour* por uma daquelas pequenas aldeias da região, viu uma mulher que era a cara da Helen.

— Como assim? — Evan apertou o copo com força.

— Ela me chamou em um canto, durante a festa, e ficou repetindo a história, sem parar. Disse que à primeira vista parecia ter visto um fantasma. Na verdade, foi tão insistente a respeito dessa... aparição, que afirmou que a mulher parecia um clone da Helen. Chegou a me perguntar se Helen tinha uma irmã gêmea. Eu lhe disse que não, é claro. Imagino que ela tenha visto alguma loura, de relance, de corpo bem-feito e mais ou menos da mesma idade de Helen, e aumentou o resto da história com a sua imaginação. A maneira como ela insistia no assunto, porém, me incomodou. Eu não queria que você ouvisse algum rumor a esse respeito, que lhe pudesse trazer mais dores.

— Essa mulher é uma idiota!

— Bem, muita imaginação, com certeza, ela tem — disse Bárbara. — Agora que eu já tirei esse assunto da minha cabeça, me diga quantas pessoas você está pensando em convidar.

— Duzentas... Duzentas e cinquenta... — respondeu ele, distraído. — Onde foi que Pamela disse que viu esse fantasma mesmo?...

— Ah, foi em uma ilha da Costa Leste. Não estou nem muito certa do nome, porque estava querendo mudar de assunto, mas tinha alguma coisa sobre "irmãs" no nome. E vai ser formal ou informal?

— O quê?

— A festa, querido. Formal ou informal?

— Formal — murmurou ele, então deixou a voz de sua irmã zumbir na sua cabeça como um enxame de abelhas.

Lulu morava em uma casinha branca e quadrada, dois quarteirões acima da Rua Alta. A casa sobressaía das casas vizinhas, mais conservadoras, por causa de suas janelas com venezianas em vermelho-vivo e da varanda acolhedora. Na varanda vermelha havia uma cadeira de balanço pintada com todas as cores do arco-íris, em um padrão louco, parecido com uma tela de Jackson Pollock.

Uma bola espelhada com tons arroxeados enfeitava o pequeno gramado e protegia uma simpática gárgula de pedra que representava um monstrinho agachado, permanentemente com a língua para fora, como que desafiando quem passasse por ali.

Um dragão alado em um tom de verde iridescente estava na ponta do telhado, preso a um bastão com os quatro pontos cardeais marcados, e se movia conforme a direção do vento. Na pequena entrada de veículos estavam estacionados um sóbrio automóvel sedan preto e o Fusca laranja de Lulu, do início dos anos 70.

Um colar de pequenas contas, da mesma época, estava pendurado no espelho retrovisor.

Seguindo as instruções que recebera, Nell estacionou seu carro em uma rua transversal e carregou suas entregas até a porta dos fundos. Lulu abriu a porta, antes mesmo que Nell tivesse a chance de bater.

— Vou lhe dar a deixa, se eles voltarem. — E, dizendo isso, Lulu agarrou o braço de Nell logo acima do cotovelo e a puxou para dentro. — Eu despachei o grupo todo para dar um passeio e acho que eles não vão levar menos de vinte minutos para voltar. Um pouco mais, se eu estiver com sorte. Aquela Syl sempre foi um pé no saco desde que nasceu.

— Syl é sua irmã.

— Meus pais insistem que sim, mas tenho minhas dúvidas. — Lulu enfiou a cabeça dentro da caixa no momento em que Nell a colocou sobre a bancada no centro da cozinha. — Só a ideia de ter o mesmo sangue que aquela chata pomposa e tapada me dá arrepios. Sou dezoito meses mais velha, portanto nós duas atravessamos os anos 60 mais ou menos no mesmo ritmo. A diferença é que ela se lembra das coisas, o que já diz tudo.

— Ah... — disse Nell, tentando imaginar Lulu como uma *hippie* maluca, adepta do amor livre, e se surpreendeu ao notar que não era tão difícil assim formar essa imagem. Para o jantar em família, estava vestindo uma camiseta que anunciava em letras garrafais que o seu estrogênio já acabara, mas ela tinha um revólver.

— Era um aviso justo — Nell decidiu.

— Bem, Lulu, mesmo assim é legal que vocês duas se encontrem de vez em quando.

— Ela aparece aqui uma vez por ano, para me passar sermões. De acordo com o Evangelho de Sylvia, uma mulher não pode se considerar completa se não tiver um marido e um bando de filhos, participe do comitê de alguma merda que esteja na moda e saiba como fazer, artesanalmente, um maravilhoso centro de mesa usando apenas corda retorcida, cuspe e uma lata de atum vazia.

— Pois vamos fazer muito melhor. — Nell entrou em ação, colocando o assado no forno, para aquecer. — Ele já está no ponto, então é só espalhar sobre ele algumas colheradas do molho lateral, para ficar molhadinho, e depois servir com os pratos adicionais. A salada de atum é servida primeiro. Avise para eles deixarem lugar no estômago para o bolo de queijo com abóbora, na sobremesa.

— Isso vai deixá-la boquiaberta. — Lulu se serviu de mais um copo do vinho que estava bebericando para conseguir encarar o evento. — Sabe, eu já tive um marido.

Ela disse isso com tanta ferocidade, como se fosse algo depravado, que Nell se virou para encará-la.

— É mesmo?

— Não sei o que me fez legalizar a coisa. Não estava grávida nem nada. Burrice. Acho que fiz aquilo só para provar que ainda podia ser rebelde.

Ele não prestava, era tão inútil quanto era lindo. No final, vi que a sua ideia de casamento era ter um lugar para ir depois de transar com a primeira piranha que lhe provocasse tesão em uma noite qualquer.

— Que pena, Lulu. Sinto muito.

— Não precisa ter pena. O negócio é viver e aprender. Dei-lhe um maravilhoso chute na bunda, em 1985. Isso só me incomoda quando Syl aparece por aqui contando vantagens sobre seu marido, que não passa de um burocrata e tem um pneu em volta da barriga que dá para rodar até Cleveland. E fala depois das suas crianças, que são dois adolescentes esnobes e melequentos, que usam aqueles tênis da moda que custam duzentos dólares; e a seguir descreve as alegrias da vida que leva em um condomínio fechado. Eu preferia cair durinha a morar em um daqueles condomínios com casas todas iguaizinhas e janelas com cortininhas.

Uma vez que, por efeito do vinho ou da situação com Syl, Lulu estava mais falante do que de costume, Nell aproveitou para continuar a conversa.

— Então, vocês duas não foram criadas aqui, juntas?

— Por Deus, não! Crescemos em Baltimore. Eu caí fora quando tinha dezessete anos, e fui direto para Haight-Ashbury. Vivi em uma comunidade no Colorado por algum tempo, viajei, passei por novas experiências. Quando cheguei aqui, ainda não tinha nem vinte anos. O que significa que estou neste lugar há mais de trinta e dois anos. Nossa!

A ideia de tantos anos a fez entornar o resto do vinho e se servir de um pouco mais.

— A avó de Mia me ofereceu um emprego, fazendo uma coisa e outra para ela. Depois, quando Mia nasceu, a mãe dela me contratou para cuidar do seu bebê, sempre que precisasse. Carly Devlin é uma pessoa muito boa, mas a verdade é que não estava muito interessada em criar uma criança.

— Então você criou Mia. Eu nunca imaginaria... — *Não é de estranhar, então, que ela seja tão protetora em relação a Mia,* pensou Nell. — Então, Lulu, não importa o que a sua irmã pense, você no fundo *tem* uma filha toda sua.

— Você está absolutamente certa. — Fez um ligeiro aceno com a cabeça e então colocou o copo sobre a mesa. — Faça tudo o que precisar por aqui. Eu volto logo. — Ela saiu em direção à porta da rua. — Se minha irmã sabichona voltar antes de mim, diga a ela apenas que você trabalha na livraria e parou aqui para me perguntar algo a respeito da loja.

— Tudo bem. — Com um olho no relógio, Nell organizou toda a refeição, guardou a salada e os acompanhamentos na geladeira, colocou em uma travessa as batatas que haviam sido cozidas no molho do lombinho e pôs os feijões verdes com ervas ao lado do assado.

Dando uma olhada na sala de jantar, viu que a mesa ainda estava para ser posta, e começou a caçar pratos, toalhas e guardanapos.

— Aqui está a metade do seu pagamento — anunciou Lulu ao voltar, com uma sacola de compras toda amarrotada.

— Obrigada. Escute, eu não sabia que pratos você queria usar, mas acho que estes aqui vão servir bem. Afinal, é uma refeição em família, e eles têm que ser informais e alegres.

— Está ótimo, até porque são só estes que eu tenho.

Lulu esperou até que Nell enfiasse a mão dentro da sacola e então sorriu, toda orgulhosa, diante do suspiro ofegante de Nell.

— Ah!... Puxa, Lulu!...

O modelo do suéter era simples. Tinha gola rulê e poderia ser usado com qualquer coisa. A cor é que era linda, um azul forte e marcante. O material era leve e macio como uma nuvem.

— Eu jamais esperei por algo tão lindo assim. — Nell já estava pegando a peça, colocando-a diante do corpo e esfregando o rosto contra o ombro — É absolutamente maravilhoso!

— Você abusa das cores neutras. — Satisfeita consigo mesma, Lulu já estava esticando e ajeitando as pontas, enquanto Nell continuava segurando o suéter. Depois se afastou um pouco para admirar o resultado. — Elas tornam as cores do seu rosto esmaecidas. Esse tom de azul as traz de volta e também combina com o seu tom de pele. Já comecei a trabalhar na outra peça. É mais longa, tipo túnica, e em um tom de vermelho bem forte.

— Não sei como agradecer. Mal posso esperar para experimentar e...

— Eles voltaram! — sussurrou Lulu, e imediatamente começou a empurrar Nell para a porta dos fundos. — Vai, vai!

— Você vai ter que sacudir a salada na hora de...

— Sei, sei!... Vá embora!

Nell agarrou o suéter novo, e Lulu bateu a porta na cara dela.

— ... colocar na mesa — riu Nell, enquanto terminava a frase a caminho do carro.

No instante em que botou os pés dentro de casa, tirou a camiseta e experimentou o magnífico suéter. Sem conseguir uma visão satisfatória do conjunto, porque o espelho era pequeno, arrastou uma cadeira e subiu nela para se ver melhor.

Houve um tempo em que ela tivera dezenas de agasalhos de caxemira, seda, os mais macios tipos de algodão, as mais refinadas lãs. Nenhum deles, porém, jamais lhe havia proporcionado uma alegria tão grande como aquele, tão simples e tricotado à mão por uma amiga... ou algo bem próximo de uma. Além do mais, em pagamento por um trabalho bem realizado.

Ela o despiu, dobrou-o e guardou-o carinhosamente em uma gaveta. Resolveu que o usaria para ir para o trabalho na segunda-feira. No momento, a camiseta era uma escolha melhor. Ela tinha um trabalho pela frente que iria provocar muita confusão e sujeira.

Seu trio de abóboras estava aguardando sobre uma camada de jornais esticados sobre a mesa da cozinha. Ela já havia usado uma grande quantidade da polpa da abóbora maior para preparar a sobremesa de Lulu. Faltava agora apenas entalhá-la.

Ela poderia preparar pão de abóbora, pensou, enquanto começava a recortar a segunda. E também tortas, biscoitos. As cascas inteiras e vazias que sobrassem serviriam de decoração para a varanda da frente. Grandes, gordas e assustadoras lanternas de abóbora para divertir os vizinhos e as crianças.

Nell estava enterrada, até o cotovelo, em polpa de abóbora e sementes quando Zack entrou pela porta de trás, com seus passos largos.

— Quero escavar a terceira abóbora — disse ele, enquanto chegava por trás dela e a enlaçava com força, esfregando o nariz em seu pescoço. — Sou mestre em criar lanternas para o Dia das Bruxas.

— Ora veja, as coisas que a gente vai descobrindo nas pessoas...

— Quer que eu jogue essa polpa no lixo para você?

— Jogar no lixo? E como é que eu vou preparar a torta?

— Com abóbora em lata! — Suas sobrancelhas se franziram com estranheza ao ver que ela estava jogando os pedaços de abóbora dentro de uma tigela grande. — Você usa realmente esse troço para preparar comida?

— É claro. De onde é que você acha que eles pegam "o troço" para colocar *dentro* das latas?

— Nunca tinha pensado nisso. Fábrica de abóbora. — Ele pegou uma faca grande para começar a escavar a terceira enquanto Nell lavava as mãos.

— Você obviamente teve uma infância muito protegida, xerife Todd.

— Se é assim, não consigo pensar em ninguém melhor do que você para me levar para o mau caminho. Que tal, assim que acabarmos de fazer isto, darmos uma volta lá para o lado da ilha onde bate mais vento, sentarmos no carro-patrulha da polícia e fazer algumas coisas contra a lei?

— Eu adoraria. — Ela voltou com um pincel atômico, para começar a desenhar um rosto horrendo na primeira abóbora. — Está tudo calmo na cidade?

— Está. Nesta época do ano, os domingos costumam ser tranquilos. Você já preparou tudo na casa da Lulu?

— Preparei. Não sabia que ela tinha sido casada.

— Faz muito tempo. Era um vagabundo que trabalhou nas docas por um tempo, segundo me contaram. Parece que o casamento não durou nem seis meses. Acho que foi isso que a deixou meio azeda com os homens, porque nunca mais a vi com ninguém, desde então.

— Ela trabalhava para a avó de Mia e depois ficou trabalhando para a mãe dela.

— Isso mesmo. Era a Lulu que segurava as rédeas de Mia, desde que eu consigo me lembrar. Na verdade, pensando nisso agora, Lulu foi a única pessoa no mundo que conseguiu colocar rédeas em Mia, durante muito tempo. Mia estava de caso com um sujeito chamado Sam Logan. A família dele é dona do hotel. Só que não deu certo, e ele foi embora da ilha. Nossa, isso já faz uns dez anos, talvez até um pouco mais.

— Ah, entendo. — *Sam Logan*, pensou Nell. *Era esse o homem que Mia amara no passado.*

— Sam e eu andávamos juntos, quando éramos mais jovens — continuou Zack, enquanto esburacava a abóbora. — Depois, perdemos contato. Mas eu me lembro que quando Sam e Mia estavam saindo juntos, Lulu o vigiava com olhar de falcão.

Ele riu ao se lembrar disso. De repente, puxou a faca das entranhas da abóbora.

Nell reparou em um brilho efêmero que a luz da cozinha refletiu e notou o gotejar de um líquido vermelho. Viu, enquanto o som de um vento furioso enchia sua cabeça, o sangue que manchava a camisa de Zack, suas mãos, escorrendo e formando uma poça que fluía como um rio vermelho aos seus pés.

Ela não conseguiu emitir nenhum som enquanto fechava os olhos e escorregava lentamente, como se não tivesse ossos, caindo da cadeira.

— Ei, ei, vamos lá, Nell... Volte, agora.

A voz dele parecia distante, como se os dois estivessem debaixo d'água. Alguma coisa gelada escorreu-lhe pelo rosto. Ela parecia estar voltando de profundezas abissais, retornando lentamente à superfície. Quando seus olhos se abriram, ela viu uma névoa branca que foi se dissipando muito devagar, camada por camada, até que viu o rosto dele tomar forma.

— Zack! — Aterrorizada, ela o agarrou, puxando-lhe a camisa para examiná-la, à procura de ferimentos. Os dedos dela pareciam gordos, moles e desajeitados.

— Aguente um pouco! — Ele teria começado a rir do jeito que ela agarrava os botões de sua camisa, tentando abri-los, se o rosto dela não estivesse branco como cera. — Espere, deite-se um pouco, relaxe e respire fundo.

— Sangue! É muito sangue!

— Shhh!... Calma!... — A primeira reação quando ela desmaiou tinha sido de pânico, mas ele, como sempre fazia nesses casos, pegou-a no colo e carregou-a até o sofá, procurando despertá-la. Agora, o pavor penetrante que ela expressava criava nós apertados em sua barriga.

— Garanto que você não comeu o suficiente nem para um passarinho hoje, não foi? Alguém que cozinha tanto quanto você deveria aprender como se alimentar regularmente. Vou pegar um copo com água e preparar alguma coisa para você comer. Se continuar se sentindo mal ou tonta, vamos chamar um médico.

— Não estou doente, nem enjoada, nem machucada. Você estava sangrando! — Suas mãos tremiam enquanto o afagavam. — Havia sangue em toda parte, na sua camisa, nas mãos, no chão. A faca. Eu vi...

— Não estou sangrando, meu amor. Não tenho nem um mísero corte em todo o corpo. — Ele levantou as mãos, virando-as para ela, para provar. — Foi uma impressão provocada pela luz, só isso.

— Não, não foi. — Ela apertou os braços em volta dele, agarrando-o com força. — Eu vi. Não toque mais naquela faca. Não toque nela!

— Está bem! — Zack beijou-lhe o alto da cabeça, acariciando seu cabelo. — Eu não vou tocar. Está tudo bem, Nell.

Ela apertou entre os dedos o medalhão que trazia pendurado no cordão, e invocou baixinho um encanto para proteção em volta da própria cabeça.

— Quero que você use isto, Zack. — Sentindo-se mais firme agora, ela se recostou e tirou o cordão por cima da cabeça. — Quero que use isto o tempo todo. Jamais o tire do pescoço.

Ele olhou para o coração entalhado na ponta do cordão e teve uma reação típica de um homem.

— Tudo bem, Nell, eu agradeço. Agradeço, mesmo. Só que isso aí é coisa de mulher!

— Então coloque por baixo da camisa — disse ela, impaciente. — Ninguém vai ver. Quero que o use noite e dia. — Ela o colocou sobre a cabeça dele enquanto ele continuava a rir. — Quero que me prometa que vai usar isto.

Antecipando o protesto que viria a seguir, Nell apertou-lhe o rosto entre as mãos.

— Este cordão pertenceu à minha mãe — disse. — É a única coisa dela que eu ainda possuo. Foi a única coisa que trouxe comigo da minha outra vida. Por favor, faça isso por mim, Zack. Prometa-me que você não vai tirá-lo do pescoço por razão nenhuma.

— Certo. Eu prometo, mas só se você me prometer também que vai comer alguma coisa agora.

— Vamos ter sopa de abóbora para o jantar. Você vai gostar.

Naquela noite, enquanto dormia, ela sonhou que corria desesperadamente através de uma floresta, sem conseguir encontrar o caminho de volta por entre ás sombras da lua.

E o cheiro de sangue e morte a perseguia.

Capítulo Dezesseis

Nell tirou tudo aquilo da cabeça, ou pelo menos tentou, e foi para o trabalho. Serviu café e brioches, brincou com os clientes habituais. Estava usando o novo suéter azul sob o avental e mexia com a colher de pau a sopa de abóbora que estava borbulhando e já pronta para a multidão esperada para a hora do almoço.

Reabasteceu a pilha de cartões do seu bufê, que Mia sugerira que ela colocasse ao lado da caixa registradora da cafeteria.

Estava tudo tão normal, quase leve, como uma brisa. A única diferença é que ela procurara instintivamente, pelo menos dez vezes, no decorrer da manhã, pelo cordão que não usava mais. A cada vez que fazia isso, a imagem de Zack coberto de sangue voltava à sua mente.

Ele tinha sido obrigado a ir ao continente naquela manhã. A ideia de tê-lo longe da ilha era um temor a mais. Ele poderia ser atacado na rua, assaltado. Abandonado no chão, sangrando e morrendo.

Quando acabou o seu turno, chegou à conclusão de que não tinha feito o bastante e precisava de ajuda.

Encontrou Mia ajudando um cliente a escolher livros para crianças. Ficou esperando, torcendo as mãos mentalmente, até que as escolhas foram feitas, afinal, e o cliente foi para o caixa da livraria.

— Sei que está ocupada, Mia, mas preciso falar com você.

— Tudo bem. Deixe-me pegar o casaco. Vamos dar um passeio.

Voltou poucos minutos depois com um casaco de camurça jogado sobre o vestido curto. Tanto o vestido quanto o casaco eram marrons, em tom bem escuro, o que fazia sua cabeleira sobressair e brilhar como se fosse uma juba de fogo.

Ela acenou para Lulu quando chegou à porta da frente.

— Vou tirar o horário de almoço. Lindo esse suéter — acrescentou, virando-se para Nell enquanto pisava na calçada. — Isso é trabalho de Lulu, não é?

— Sim.

— Você ultrapassou um obstáculo. Ela jamais teria feito algo assim tão bonito se não tivesse resolvido aceitar você. Meus parabéns!

— Obrigada. Eu... Você não quer subir para almoçar lá em cima?

— Não. — Mia colocou os cabelos para trás, e respirou fundo. Havia vezes, raras vezes, em que ela se sentia trancada, dentro da livraria. Nessas horas, precisava desesperadamente de espaço. — Vamos caminhar.

Ripley estava certa a respeito do "verão índio". A onda de frio tinha dado lugar a dias agradáveis, com temperatura morna e uma brisa úmida que trazia o perfume tanto do mar quanto da floresta. O céu estava nublado e contrastando com aquela cor cinza-azulada; as árvores se destacavam como faróis de fogo, com sua roupagem de outono. O oceano servia de espelho para o céu, e suas ondas agitadas eram um prenúncio de tormenta.

— Vai chover em menos de uma hora — previu Mia. — E olhe... — Ela fez um gesto em direção ao mar. Segundos depois, como se ordenado por Mia, uma pálida rachadura na escuridão foi acompanhada de um raio que cortou em dois o espelho de aço do céu. — A tempestade está chegando. Adoro uma boa tempestade. O ar fica elétrico, e a energia dele entra no sangue. Só que me deixa inquieta. Eu gosto de ficar junto dos meus penhascos durante uma tempestade.

Mia descalçou com cuidado os seus adoráveis sapatos, enganchou-os nos dedos, e pisou, descalça, na areia.

— A praia já está quase vazia — observou ela. — É um bom lugar para caminhar e para você me dizer o que a está perturbando.

— Eu tive uma... Não sei se foi uma visão. Na verdade, não sei o que era, mas me assustou muito.

— Conte-me o que viu. — Mia escorregou o braço livre por dentro do de Nell, e manteve o passo lento.

Quando acabou de ouvir a história, Mia continuou caminhando, mas perguntou:

— Por que você deu o seu medalhão para ele?

— Foi tudo o que consegui pensar na hora. Um impulso. Suponho que é porque aquilo é a coisa que mais me importa no mundo.

— Você o estava usando quando "morreu". E trouxe-o consigo para sua nova vida... Este é um símbolo do lugar de onde veio, uma conexão com a sua mãe. Seu talismã. Magia poderosa. Ele vai usá-lo porque você pediu a ele que o fizesse, e isso torna o amuleto mais forte ainda.

— É apenas um medalhão, Mia. Uma coisa que meu pai comprou para minha mãe no Natal, há muitos anos. Não é particularmente valioso.

— Você sabe que é mais do que isso. O valor desse objeto está no significado que tem para você e no amor que sentia pelos seus pais; esse mesmo amor que você ofereceu a Zack.

— E só isso é o suficiente? Não vejo como. Sei o que aquilo que eu vi significava, Mia. — E este era o terror que se expandia lentamente como uma fera dentro dela. — Na visão, o rosto dele estava acinzentado, e o sangue... Havia tanto sangue! Na visão, ele estava morto. — E se obrigou a repetir: — Estava morto! Não há alguma coisa que você possa fazer?

Ela já fizera tudo que podia, tudo que estava ao alcance do seu poder.

— Nell, o que é que você acha que eu posso fazer que você não possa, ou que já não tenha feito?

— Não sei. Tanta coisa mais. Isso foi uma premonição?

— É isso que você acredita ter sido?

— Sim. Sim. — Só pensar nisso já fazia sua respiração parar. — Foi tão nítido! Ele vai ser assassinado, e eu nem sei como.

— As coisas que vemos são possibilidades, potencialidades do que vai ocorrer, Nell. Nada é absoluto. Nenhum acontecimento, bom ou ruim, está garantido em nosso futuro. Você foi abençoada com essa visão, e agiu de acordo, para protegê-lo.

— Mas... Não existe uma maneira de impedir quem quer que vá tentar machucá-lo? Um encanto?

— Encantos não são uma cura para todas as circunstâncias, ou pelo menos não deveriam ser. E lembre-se... O que você envia pode se voltar, contra você ou contra os que você ama, triplicado. Quando você combate uma coisa, desencadeia outra.

Mia não falou o que passou pela sua cabeça. *Impeça a faca,* pensou ela naquele instante, de modo macabro... *e você pode estar colocando as balas em um revólver.*

— Uma tempestade está cada vez mais próxima — repetiu Mia. — E não só os trovões e os raios vão chicotear o céu esta tarde.

— Você *sabe* de alguma coisa!

— Eu *sinto* alguma coisa. Apenas *sinto*. Não consigo enxergar com clareza. Talvez não seja para eu ver. — Isso era uma frustração, essa barreira. E havia a consciência de que ela, uma bruxa solitária por tanto tempo, não poderia fazer o que precisava ser feito sozinha. — Vou ajudá-la com tudo o que conseguir, Nell. *Isso eu posso prometer.*

Mesmo com a preocupação de que poderia não ser o suficiente, ela viu Ripley de pé no calçadão, próxima da areia.

— Chame Ripley até aqui. Ela virá, por você. Conte-lhe tudo o que me contou.

Nell não precisou chamar, apenas se virou e olhou. Com sua calça cáqui e botas, Ripley veio em passos firmes na direção das duas.

— Vocês vão ficar completamente molhadas, se continuarem aqui fora por mais tempo.

— Trovões... — disse Mia, e um estrondo grave e abafado fez-se ouvir acima do mar. — Alguns relâmpagos... — E um deles explodiu como uma bomba de luz, iluminando tudo a oeste. — Mas a chuva não virá agora, pelo menos por mais meia hora.

— Está fazendo a previsão do tempo agora, Glinda? — perguntou Ripley com uma certa satisfação. — Poderia conseguir um emprego na TV.

— Não, vocês duas, agora não! — Nell estava na expectativa de ver o céu se abrir a qualquer momento, mas não se importava. — Estou muito preocupada com Zack.

— É mesmo? Pois eu também. Tenho que me preocupar quando meu irmão começa a usar joias de mulher. Apesar disso, devo agradecer a você a oportunidade que me deu de ridicularizá-lo.

— Ele lhe contou o motivo de estar usando o medalhão?

— Não... E eu hesito em repetir *exatamente* as palavras que ele usou para me responder, especialmente diante de duas damas tão bem-educadas. Mas, enfim, foi um começo divertido para o nosso dia de folga.

— Eu tive uma visão — começou Nell.

— Ah!... Perfeito! — Com cara de nojo, Ripley começou a se virar para ir embora, parando quando Nell agarrou com força o seu braço. — Olhe, eu gosto de você, Nell, mas você vai acabar me deixando irritada.

— Deixe-a ir embora, Nell. Ela *tem medo* de ouvir.

— Não tenho medo de nada! — gritou furiosa, porque Mia sabia exatamente como atingi-la. — Vá em frente. Conte-me exatamente o que você viu em sua bola de cristal.

— Não estava olhando para uma bola de cristal. Estava olhando para Zack — disse Nell, contando-lhe tudo.

Não importa com quanta força negasse ou o quanto levantasse os ombros em sinal de pouco caso. A verdade é que Ripley sentiu que estava tremendo por dentro, da cabeça aos pés.

— Zack sabe cuidar de si mesmo. — Ripley se afastou dela. Depois virou para trás novamente e acrescentou: — Olhem, para o caso de vocês não terem reparado, ele é um oficial de polícia, um defensor da lei capaz e exaustivamente treinado. Carrega uma arma mortal e sabe exatamente *como* usá-la e *quando* usá-la, se for necessário. Se ele faz parecer que o seu trabalho é fácil, é porque sabe lidar com quaisquer eventualidades que surjam. Eu confiaria minha própria vida a ele.

— Acho que o que Nell está querendo saber é se ela pode confiar a vida dele a você.

— Eu tenho um distintivo, também tenho uma arma e um cruzado de direita bem sólido. E assim que eu lido com as coisas — Ripley replicou, furiosa. — Se vier alguém atrás de Zack, podem apostar o que quiserem que eles vão ter que passar primeiro por mim.

— Uma multiplicada por três, Ripley. — Deliberadamente, Mia pousou uma das mãos sobre o seu braço. — No fim, você sabe que isso é o que vai ser preciso fazer.

— Eu *não vou* fazer.

— Já está fazendo. — Mia olhou para baixo. As três mulheres estavam de pé formando um círculo, embaixo de um céu revolto.

Instintivamente, Ripley deu um passo para trás e quebrou a conexão.

— Não espere isso de mim — disse ela. — Não dessa forma. — Ela virou as costas para as duas e para o vento que aumentava de intensidade e, pisando forte na areia, caminhou de volta até a cidade.

— Ela vai pensar a respeito e vai lutar contra isso. Como sua cabeça é feita de granito, vai levar um pouco mais de tempo do que eu gostaria. Mas, pela primeira vez em muitos anos, ela está vacilando. — Mia deu um reconfortante tapinha nas costas de Nell. — Ela não vai querer arriscar a vida de Zack.

Voltaram para a livraria, e, assim que colocaram o pé lá dentro, a chuva caiu torrencialmente.

Nell acendeu as velas no interior do seu trio de lanternas de abóbora, não apenas para decorar a varanda, mas para cumprir o seu propósito original. Ela as colocou voltadas para fora para afastarem o Mal.

Entre o conhecimento compilado dos livros que Mia lhe emprestara e seus próprios instintos, estava decidida a tornar o seu chalé tão protegido quanto um santuário.

Varreu a energia negativa, acendeu algumas velas para trazer tranquilidade e proteção. Espalhou várias jaspes-de-sangue, pequenas pedras roliças marchetadas de vermelho, e colocou vasinhos com sálvia no peitoril de todas as janelas. Sob os travesseiros em sua cama, espalhou raminhos de alecrim e pedras-da-lua.

Depois, foi preparar uma canja.

A sopa fervia enquanto a chuva continuava a vergastar a casa por fora, e seu pequeno chalé se transformou em um aconchegante casulo.

Mas ela não conseguia relaxar. Andava de um lado para o outro, olhando de janela em janela. Procurava algo para mantê-la ocupada, mas não conseguia encontrar. Obrigou-se a ficar sentada no escritório, a fim de completar o orçamento para uma festa que lhe havia sido encomendada. Dez minutos depois, porém, já estava de pé novamente, com a concentração tão fraturada quanto o céu lá fora, atingido pelos raios.

Desistindo, telefonou para a delegacia. Certamente Zack já deveria ter voltado do continente. Ela poderia falar com ele, ouvir sua voz. Isso a faria se sentir melhor.

Mas foi Ripley quem atendeu e lhe disse, com uma voz fria como uma bofetada, que Zack ainda não havia chegado, e que ele iria voltar quando tivesse que voltar.

Com isso, sua preocupação redobrou. A tempestade tomou as proporções de uma borrasca, para ela. O uivo do vento não mais se parecia com uma música, e se mostrava cheio de dentes e ameaças. A chuva era como uma cortina homogênea, e os relâmpagos, uma arma arremessada.

A escuridão pressionava as janelas como se fosse quebrar as vidraças e invadir o refúgio. O Poder que ela aprendera a aceitar e até mesmo abraçar começou a oscilar como a chama de uma vela diante de um bafo quente.

Uma grande quantidade de enredos se desenrolou em rápida sucessão através da sua mente, cada um mais horrível que o outro. Por fim, incapaz de aguentar mais, ela agarrou o casaco e a capa de chuva. Iria até o cais, para esperar pela barca. Tentaria forçá-lo a voltar.

Abriu a porta com violência e foi atingida pelo clarão de um relâmpago. Na escuridão total que se seguiu, conseguiu ver uma sombra vindo em sua direção. Abriu a boca para gritar, mas então, através do cheiro da chuva, da terra molhada e do aroma forte de ozônio, captou o perfume do seu amante.

— Zack! — Ela pulou sobre ele, quase fazendo com que os dois caíssem para fora do portal, enquanto ele tentava ao mesmo tempo segurá-la nos braços e manter o próprio equilíbrio. — Estava tão preocupada!...

— E agora está tão molhada!... — Ele a carregou para dentro de casa. — Escolhi um dia terrível para resolver assuntos no continente. Fiz uma viagem horrível de volta, na barca. — Colocando-a em pé, despiu sua jaqueta, que estava totalmente ensopada. — Tentei ligar para você, mas não consegui conexão pelo celular. Aquela foi a última barca de hoje, para entrar ou sair da ilha, com esse tempo.

Ele passou os dedos por entre os cabelos, espalhando chuva.

— Você está molhado até os ossos... — E, através da camisa encharcada e colada no peito, ela viu, com alívio, o suave contorno do medalhão, um pouco acima do seu coração. — ... E gelado também — acrescentou, enquanto pegava na sua mão.

— Tenho que admitir: estou sonhando com um banho quente há mais de meia hora.

E já teria tomado um a essa altura, pensou, se Ripley não o tivesse recebido na porta da frente, perguntado se estava tudo bem, e contado que Nell ligara, em pânico.

— Pois vá tomar seu banho. Depois, vou lhe servir uma tigela de canja quentinha.

— Essa foi, definitivamente, a melhor oferta que me fizeram o dia todo. — Ele apoiou o queixo de Nell em suas mãos. — Desculpe tê-la preocupado. Você não deveria ter ficado assim.

— Agora não estou mais. Vá logo, antes que pegue um resfriado.

— Os moradores da ilha são mais resistentes do que você pensa. — Ele a beijou suavemente na testa e foi direto para o chuveiro.

Deixou suas roupas em uma pilha ensopada no chão do banheiro, ligou a torneira quente do chuveiro e deixou escapar um suspiro agradecido quando pisou na banheira.

O pequeno banheiro, assim como a banheira que tinha sido instalada nele, não haviam sido planejados para um homem de quase um metro e noventa. O chuveiro era baixo e ficava na altura de sua garganta; se ele não tivesse cuidado, iria raspar o cotovelo contra a parede quando movimentasse os braços.

Ele, porém, já desenvolvera uma rotina durante o tempo em que estava com Nell.

Esticando os braços e apoiando-se na parede oposta, inclinou-se para a frente e deixou os jatos do chuveiro escorrerem sobre a sua cabeça e lhe descerem pelas costas. Já que ela costumava usar sabonetes e xampus com perfume feminino, ele casualmente "esquecera" alguns dos seus acessórios de banho sobre a pequena plataforma que ficava acima da banheira.

Nenhum dos dois mencionara esses adendos... ou a muda de roupas que ele deixara em uma das prateleiras do *closet* de Nell.

Jamais comentavam o fato de que raramente passavam uma noite longe um do outro. Outras pessoas comentavam, e ele sabia disso. Reparava nas piscadelas quando eles passavam e já estava se acostumando a ver o seu nome e o dela saindo da boca de todo mundo como se fossem um nome só.

Mas, entre si, jamais falavam a respeito disso. Talvez fosse uma espécie de superstição — ele pensou — não falar em voz alta a respeito do que ele tinha mais medo de perder na vida.

Ou talvez fosse apenas uma espécie de covardia.

Ele não estava certo se isso tinha alguma importância, mas tinha certeza de que já estava na hora de dar mais um passo à frente.

Ele mesmo dera um grande passo, o maior naquela mesma manhã, no continente.

Tinha que admitir agora que se sentia bem pelo que fizera. Ficara um pouco nervoso, a princípio, mas isso passou bem depressa. Nem mesmo a abominável viagem de volta conseguira diminuir a sua boa disposição.

Os sons que vieram do lado de fora da cortina o surpreenderam, e ele acabou fazendo um movimento mais brusco. A cotovelada que deu na parede ecoou no banheiro apertado, e seguiu-se uma torrente de xingamentos.

— Você está bem? — Dividida entre o engraçado da cena e a pena que sentia dele, Nell apertou os lábios e manteve a montanha de roupas molhadas dele apertadas contra o peito.

Ele desligou o chuveiro e abriu a cortina para o lado.

— Este banheiro é uma ameaça pública. Estou pensando em dar uma olhada no código de construções para... Ei, o que está fazendo com essas roupas na mão?

— Bem, eu... — Ela parou de falar, desconcertada, quando o viu sair completamente nu da banheira, pegando as roupas da mão dela. — É que eu pensei em jogá-las dentro da secadora.

— Deixe que eu mesmo cuido disso, mais tarde. Tenho uma muda de roupa por aqui. — Ele jogou as roupas molhadas no chão novamente, ignorando o olhar de estranheza dela enquanto as roupas caíam, com um barulho molhado, atrás dele.

— Pelo menos deixe-as penduradas. Vão acabar ficando com cheiro de mofo, se largadas em uma pilha desse jeito.

— Certo, certo. — Ele pegou uma toalha, esfregando o cabelo com ela. — Você veio até aqui só para me apressar?

— Na verdade, foi. — O olhar dela começou a descer lentamente, através do peito dele, ainda molhado, onde pendia seu medalhão, que brilhava, a barriga plana e musculosa, e os quadris estreitos em volta dos quais ele estava enrolando a toalha. — Agora, porém, não estou pensando de forma muito comportada.

— É mesmo? — Um olhar dela fazia mais para esquentar-lhe o sangue do que um oceano de água quente. — E no que está pensando?

— Estou aqui pensando que a melhor coisa a fazer com um homem que acabou de enfrentar um temporal desses é colocá-lo na cama, bem quentinho. Venha comigo.

Ele a deixou pegar em sua mão e puxá-lo até o quarto.

— Vamos brincar de médico? Porque eu acho que poderia ficar realmente doente depois daquela chuva, se isso valesse a pena.

Ela riu, e a seguir puxou a colcha para trás, ordenando:

— Deite!

— Sim, senhora.

Antes que conseguisse tirar a toalha, ela fez isso por ele. Quando tentou agarrá-la, porém, ela escapou jogando o corpo para trás e lhe deu um pequeno empurrão para atirá-lo na cama.

— Você já deve saber... — começou ela, pegando os fósforos e andando em torno de todo o quarto acendendo velas — ... que, segundo as tradições e lendas, as bruxas curavam as pessoas.

A luz das velas cintilou e bruxuleou.

— Já estou começando a me sentir muito saudável.

— Deixe que eu avalio.

— Estou contando com isso.

E ela se virou para ele.

— Você sabe o que eu jamais fiz para alguém?

— Não, mas estou louco de curiosidade.

Lentamente, ela levantou a bainha do suéter. Lembrou-se do dia em que ficara em pé, nessa mesma pose, na pequena praia ensolarada atrás da casa dele.

— Quero que você me observe... — centímetro por centímetro, foi despindo a suéter, revelando o corpo — ... e me deseje.

Mesmo que tivesse sido atingido por uma luz ofuscante, ele teria conseguido vê-la, com a pele brilhando sob a luz delicada.

Ela retirou os sapatos em uma espécie de dança graciosa. Seu sutiã branco simples tinha um corte baixo e envolvia suave e docemente as curvas sutis dos seios. Ela levou a mão até o fecho central, observou os seus olhos acompanhando ávidos o movimento, mas depois o deixou deliberadamente fechado e levou as pontas dos dedos do centro da barriga até o gancho das calças.

Sua pulsação começou a acelerar, enquanto o tecido deslizava sobre os quadris dela e descia pelas pernas. Quando as calças se amontoaram sob seus pés, ela saltou com os mesmos movimentos fluidos.

— Por que não me deixa fazer o resto?

Os lábios dela curvaram-se e ela chegou um pouco mais perto, mas não suficientemente perto. Jamais tinha se proposto a seduzir um homem; e não queria agora renunciar a esse Poder.

Conseguia imaginar as mãos dele agindo sobre ela, enquanto deslizava os dedos pelo próprio corpo, e sua respiração começou a sair mais ofegante dos pulmões.

Com um sorriso leve e astuto, ela finalmente abriu o fecho do sutiã e o deixou deslizar para o lado. Sentia os seios já cheios e macios. Despiu lentamente a calcinha, fazendo-a descer pelos quadris e livrando-se delas. Já estava toda molhada.

— Quero tomar você — sussurrou ela. — Lentamente. E quero que você me tome. — Ela se apoiou na cama sobre as mãos e os joelhos, arrastando-se devagar até envolvê-lo. — Lentamente. — Ela pareceu se derreter sobre ele. — Como se isso nunca mais fosse acabar.

Seus lábios eram quentes e suaves contra os dele. Buscando. O gosto dele penetrou-lhe no sistema como uma droga. Quando ele rolou para o lado para conseguir mais e ir mais fundo, ela o acompanhou, mas sem se render.

Deslizou as pontas dos dedos levemente para cima e para baixo de suas costas, encontrando prazer nos sulcos entre os seus músculos, as ondulações que se retesavam enquanto ele se excitava mais e mais.

Ela se deixou flutuar sobre a sensação que ele proporcionava em seu interior e obtinha dela; o deslizar gradual que ela exigia. A luz das velas tremulou e depois as chamas ficaram retas, como lanças eretas inundando o ar com seu perfume.

Os dois se levantaram juntos e dançaram naquele ar perfumado. Depois se ajoelharam no centro da cama, um de encontro ao outro, as bocas também seladas.

Se aquilo era um feitiço, ele queria ficar preso ali para sempre, sem questionamentos, sem tentar escapar. Bruxa, mulher ou a mistura das duas, ela era dele.

Ele observou o modo como sua mão contrastava com a pele dela, escuro sobre o claro, aspereza sobre suavidade. O modo como seus seios podiam ser seguros pela sua mão em concha e como os mamilos endureciam sob o leve esfregar do seu polegar.

Eles se tocaram e se saborearam. Uma pincelada com os dedos, uma leve lambida, uma carícia preguiçosa, uma bebida que descia suave pela alma.

Quando finalmente ele se deixou penetrar nela, o suave levantar e abaixar pareciam ondas de seda. A Magia cintilou quando olharam um para o outro, como se para cada um deles, naquele momento, ninguém mais existisse no mundo. Batida após batida, os corações no mesmo compasso, com uma intimidade que era mais do que apenas acasalamento e que transbordava, envolvendo carências passadas e uma paixão desenfreada.

Uma paixão que se despejou dentro do seu coração, entornando-se e transbordando como ouro.

Seus lábios se curvaram novamente em um sorriso enquanto ele abaixava a boca em direção à sua. As mãos se uniram, com os braços esticados e os dedos entrelaçados como se estivessem escorregando para fora do mundo, juntos.

Quando ela ficou toda enroscada ao lado dele, com a palma da mão aberta sobre a batida constante do seu coração, parecia que nada mais poderia tocá-los. Seu refúgio — pensou ela — estava seguro, e eles também estavam seguros dentro dele.

Todos os seus medos e preocupações, aquele terror que rastejava por dentro dela, pareciam tolos, naquele momento.

Eles eram simplesmente um homem e uma mulher apaixonados, deitados sobre uma cama quente e ouvindo o final da tempestade passar sobre suas cabeças.

— Eu queria saber se vou conseguir, algum dia, aprender a manipular objetos.

— Meu bem, na minha opinião, você manipula muito bem — ele soltou uma risada.

— Não! — Ela lhe deu um tapa, de brincadeira. — Eu estou falando sobre mover os objetos de um lugar para o outro. Se eu conseguisse fazer isso, iria dizer as palavras mágicas para realizar o encanto certo, e nós poderíamos tomar a canja na cama.

— Mas isso não funciona assim, funciona? — quis saber ele.

— Aposto que funciona para Mia, se ela quiser algo com muita vontade. Mas para alunas lerdas como eu, acho que é preciso mesmo levantar, ir até a cozinha e fazer tudo da maneira antiquada.

Ela virou a cabeça para lhe dar um beijo estalado no ombro, e então rolou para o lado e se levantou.

— Por que você não fica quietinha aqui e me deixa pegar a sopa?

Ela lançou-lhe um olhar por cima do ombro enquanto ia até o *closet* para apanhar o robe que finalmente tinha comprado.

— Muito esperto você, hein? Sugerir isso depois que eu já tinha me levantado.

— Foi isso mesmo que pensei, mas, já que você me pegou, vou colocar uma roupa também para lhe dar uma mãozinha.

— Ótimo. Aproveite para pegar aquela pilha de roupa encharcada no banheiro, quando for lá.

Pilha de roupa encharcada? Ele levou alguns segundos para se lembrar, e quando pulou para fora da cama e agarrou as calças ensopadas do chão ela já sabia. Enfiando a mão no bolso da calça, soltou um suspiro de alívio quando seus dedos encontraram uma caixa pequena.

Ela estava com um pão de forma alto e redondo sobre uma pequena prancha de madeira e já estava pegando a canja e despejando em largas tigelas, na hora em que ele entrou. Ela parecia tão bonita, tão à vontade, em casa, com o seu macio e confortável robe cor-de-rosa, ele pensou. Estava descalça e com o cabelo ligeiramente despenteado.

— Nell, por que não deixamos isso esfriar um pouquinho?

— Vamos ter que deixar mesmo, está pelando! Você quer um pouco de vinho?

— Em um minuto. — Estranho, ele achou que iria ficar nervoso, pelo menos um pouco. Mas estava completamente calmo. Colocou suas mãos nos ombros dela, virou-a para ele, depois deixou as mãos escorrerem em uma carícia sobre seus braços, até o cotovelo. — Eu amo você, Nell.

— Eu...

Foi tudo o que ela conseguiu dizer, antes de os lábios dele silenciarem os seus.

— Pensei em mil maneiras diferentes de fazer isso, Nell. Levar você para uma romântica volta de carro em uma noite especial, ou dar uma longa caminhada pela praia, de mãos dadas, na próxima lua cheia. Ou então um jantar elegante no hotel. Mas este aqui é o melhor jeito para nós, o lugar certo e o momento certo.

As pequenas ondas que agitavam seu estômago eram um aviso. Mas ela não conseguia dar um passo para trás. Não conseguia se mover; estava petrificada.

— Pensei em maneiras diferentes de pedir a você, que palavras iriam combinar melhor e o modo como devia dizê-las. Mas as únicas palavras que me vêm à cabeça neste instante são: Eu amo você, Nell. Case-se comigo.

A respiração que ela prendeu por mais de um minuto se soltou de repente, enquanto a alegria e o pesar travavam uma guerra indefinida dentro dela.

— Zack... Nós estamos juntos há tão pouco tempo!

— Podemos esperar um pouco mais para nos casarmos, se você preferir, mas não vejo motivos para isso.

— Por que não podemos deixar as coisas do jeito que estão?

De todas as reações que ele estivera esperando, a sensação de medo que ela trazia na voz não estava entre elas.

— Porque precisamos de um lugar só nosso — respondeu ele. — Uma vida só nossa, não pedaços da sua misturados com pedaços da minha.

— O casamento é apenas um detalhe legal. Só isso! — Ela se virou, afastando-se e andando meio cegamente em direção ao armário, para pegar os copos.

— Para algumas pessoas — disse ele, calmamente. — Não para você e para mim. Somos pessoas básicas e simples, Nell. Quando pessoas simples se apaixonam de verdade, elas se casam, dão início a uma família. Eu quero compartilhar a minha vida com você, ter filhos com você, envelhecer ao seu lado.

Lágrimas ameaçaram surgir nos olhos dela. Tudo que ele disse era o que ela queria, e tão fundo dentro do coração, que já estava gravado em sua alma também.

— Você está indo muito depressa, Zack. — Foi o que ela acabou dizendo.

— Não penso assim. — Ele retirou a caixa do bolso. — Comprei isto hoje porque nós já demos início à nossa vida juntos, Nell. Já está mais do que na hora de ver aonde isso vai nos levar.

Os dedos dela se fecharam sobre a palma da mão enquanto ela olhava para baixo. Ele lhe comprara uma safira, uma pedra quente e densa, incrustada sobre uma simples aliança de ouro. Sabia que tudo de que ela precisava era exatamente aquilo: calor e simplicidade.

Evan tinha escolhido um diamante gigantesco, um quadrado brilhante sobre platina, que pesava em seu dedo como se fosse um cubo de gelo.

— Sinto muito, Zack, sinto muito. Eu não posso me casar com você.

Ele sentiu o coração ser fatiado, mas não deu sequer uma piscada enquanto olhava para o rosto dela.

— Você me ama, Nell?

— Sim.

— Então eu mereço saber por que você não quer fazer uma promessa para mim e ouvir também uma promessa minha.

— Você está certo. — Ela lutava para se manter firme. — Eu não posso me casar com você, Zack, porque já sou casada.

Nada que ela pudesse ter dito teria conseguido deixá-lo mais aturdido.

— Casada? Você é *casada!* Pelo amor de Deus, Nell, nós já estamos juntos há meses.

— Eu sei. — Não era apenas choque o que ela via agora em seu olhar. Não era apenas raiva. Ele a olhava como se ela fosse uma completa estranha. — Eu o deixei, Zack, e você sabe disso. Já faz mais de um ano.

Ele ainda estava lutando para transpor o primeiro obstáculo. O fato de que ela tinha sido casada e não contara nada para ele. Mas não conseguia ultrapassar o segundo. O fato de que ela ainda continuava casada.

— Você o deixou... mas não se divorciou dele.

— Não, eu não consegui. Eu...

— E mesmo assim me deixou tocá-la, dormiu comigo, deixou que eu me apaixonasse por você, mesmo sabendo que não era livre.

— Sim. — Estava tão frio de repente, tão gelado na pequena cozinha que a sensação lhe penetrava os ossos. — E não tenho nenhuma desculpa para isso.

— Não vou nem perguntar quando é que você estava planejando me contar tudo, porque obviamente não estava. — Fechou a caixa com um movimento brusco e a colocou de volta no bolso. — Eu não durmo com mulheres casadas com outros homens, Nell, jamais fiz isso! Uma palavra de sua boca, uma única palavra vinda de você, e nós não teríamos chegado a esse ponto.

— Eu sei. Foi minha culpa. — A medida que a raiva dele aumentava, endurecendo a sua face, ela sentiu as forças que conseguira reconstruir começarem a se drenar de dentro dela, junto com as cores do seu rosto.

— E você acha que isso resolve tudo? — atirou ele de volta, enquanto a raiva e o sofrimento o adernavam como em um barco prestes a afundar. — Acha que assumir a culpa por isso apaga tudo?

— Não.

— Que droga! — Ele se virou de repente, com raiva, e reparou na mesma hora o jeito como ela se encolheu toda, ao sentir o movimento brusco dele. — Vou berrar e xingar quando tiver que berrar e xingar! E você só está conseguindo me deixar ainda mais furioso ficando em pé aí parada, na minha frente, como se estivesse esperando um soco. Eu *não vou* bater em você. Não vou *agora*, não vou *nunca*. E considero um insulto você ficar aí com medo disso.

— Você não sabe como são essas coisas.

— Não, não sei, porque você jamais me conta! — Ele tentava se segurar tanto quanto podia, embora a raiva ainda estivesse fazendo com que soltasse faíscas. — Ou melhor, você só conta o suficiente para manter as coisas funcionando bem, por mais um tempo, até a próxima vez.

— Talvez isso seja verdade. Mas eu lhe disse há muito tempo que não iria conseguir lhe contar tudo. E que não queria entrar em detalhes.

— Só que isso *não* é uma droga de detalhe. Você ainda está casada com o homem que fez isso com você.

— Sim.

— E por acaso tem algum plano para acabar com esse casamento?

— Não.

— Bem, isso é bastante direto para mim. — Ele agarrou suas botas e seu casaco.

— Não posso deixar que ele descubra onde eu estou. Não posso deixar que ele me encontre.

Ele começou a puxar a porta para sair, mas ainda ficou parado de pé mais um momento, com a mão na maçaneta.

— Você já parou para pensar, pelo menos uma vez já parou para olhar para mim e reparar que eu faria o que quer que fosse necessário para ajudá-la a resolver essa situação? Eu teria feito isso até por uma pessoa estranha, Nell, porque esse é o meu trabalho! Como é que você pôde achar que eu não faria também por você?

Ela sabia, agora, pensou, enquanto o via se afastar e ir embora. E isso era apenas uma das coisas que a amedrontava. Incapaz de chorar, ficou ali sentada, sentindo-se miserável na casa que ela tornara segura e agora estava vazia.

Capítulo Dezessete

— Eu o perdi! Arruinei tudo!
Nell se sentou na sala de estar de Mia, que era imensa e estupenda como uma caverna encantada. Estava diante de uma lareira acalentadora e tomava uma xícara de chá com canela, medicinal. Isis, em seu colo, esticou o corpo esbelto e quente, como se estivesse sobre um aconchegante cobertor.

Nada disso elevou seu estado de ânimo.

— Talvez o tenha danificado — explicou Mia. — Nada, porém, está tão perdido que não possa ser encontrado novamente.

— Mas não é possível consertar isso, Mia. Tudo o que ele me disse é verdade. Eu não queria pensar nisso, enxergar isso, mas é verdade. Não tinha o direito de deixar as coisas se tornarem tão sérias como deixei.

— É uma pena não ter à mão um chicote para flagelação, mas a gente pode improvisar alguma coisa. — Diante do olhar chocado de Nell, Mia levantou um dos ombros, de forma elegante. — Não é que eu não esteja solidária com vocês dois, porque estou. Mas o fato, Nell, é que você se apaixonou, vocês dois se apaixonaram. E cada um de vocês lidou com isso do jeito que precisavam. Trouxeram um ao outro algo que não é todo mundo que tem a graça de receber. Não há nada para se arrepender.

— Mas eu não estou arrependida de amá-lo, ou de que ele me ame. Tenho muitos arrependimentos, mas não esse.

— Tudo bem, então. Mas você terá que dar o próximo passo.

— Não há próximo passo. Eu não posso me casar com Zack porque estou legalmente unida a outro homem. E mesmo que Evan decida se divorciar de mim *in absentia,* ou algo assim, eu continuaria sem poder me casar com Zack. Minha identidade é falsa.

— Detalhes.

— Não para ele.

— Sim, você tem razão. — Ela ficou tamborilando com as pontas de suas lindas unhas na lateral da xícara que segurava, enquanto considerava a situação. — Certas coisas Zack só consegue enxergar preto no branco, porque ele é assim mesmo. Desculpe não ter pensado nisso há mais tempo e avisado você. Eu o conheço. — Enquanto se levantava e se esticava, continuou: — Mas eu não previa que ele fosse lhe propor um compromisso legal tão depressa. Estou meio por fora em questões de amor.

Ela serviu-se de um pouco mais de chá, enquanto andava de um lado para o outro na sala, tomando um gole de vez em quando.

Havia dois sofás, ambos em verde-folha bem escuro e bem convidativos. Tinha almofadões espalhados sobre eles, todos em tons de pedras preciosas e cobertos com tecido macio. A textura era essencial para uma vida luxuosa, e, nas horas de lazer, Mia fazia questão de luxo.

A sala estava coberta de antiguidades, porque ela sempre dava preferência ao antigo em vez do moderno, a não ser quando se tratava de equipamentos para negócios. Os tapetes sobre o piso de tábuas corridas de castanheiro estavam bastante gastos. Havia flores em toda parte, em jarras de cristal de valor incalculável e também em pequenos vasos coloridos e alegres, de pouco valor.

Algumas das muitas velas que ela mantinha em todas as salas estavam acesas. Apenas as brancas, para trazer paz.

— Você o magoou, Nell, em dois níveis. Um foi por não cair nos braços dele em supremo delírio de felicidade quando ele a pediu em casamento. — Ela parou, levantando uma das sobrancelhas. — Eu lhe disse que estou meio por fora nessa área; porém, apesar disso, acho que quando um homem pede uma mulher em casamento não costuma ficar muito satisfeito quando ela responde "Não, obrigada!".

— Eu sei! Não sou uma completa idiota, Mia.

— Não, querida, claro que não, desculpe. —Aparentando remorso, mas secretamente achando divertida essa reação, Mia parou atrás do sofá e despenteou carinhosamente o cabelo de Nell. — É claro que você não é. Eu deveria ter falado *três* níveis, porque o segundo é o seu senso de honra.

Ele acabou de descobrir que andou invadindo o que considera território de outro homem.

— Ah, essa é boa! Eu não sou uma droga de coelha!

— Zack, de qualquer forma, acha que violou algum tipo de código. O terceiro nível é que ele teria certamente feito o mesmo de qualquer modo, *se soubesse* da verdade, se você tivesse lhe contado as circunstâncias. Então ele poderia ser um pouco mais flexível em seus limites, porque a ama e a deseja, e porque se sentiria aliviado por você ter conseguido escapar de uma situação terrível. O fato, porém, de você não ter contado nada a ele, de tê-lo deixado ir em frente, de tê-lo deixado se apaixonar por você às cegas, é que vai ser difícil para ele engolir.

— Por que ele não consegue ver que o meu casamento com Evan não significa nada? Não sou mais Helen Remington.

— Você quer ser confortada ou ouvir a verdade? — perguntou Mia, com um tom neutro.

— Sei que não posso ter as duas coisas. Isso tudo pode ser verdade.

— Você mentiu para ele, e ao mentir deixou-o em uma posição indefensável. E, o que é pior, disse que não pretendia terminar com seu casamento.

— Eu não posso...

— Espere. Você não vai terminá-lo, e sem um fim não pode haver um novo começo. Isso é uma decisão puramente sua, Nell, e ninguém pode ou deve tomá-la por você. Mas você impediu Zack de ficar ao seu lado. Ficar ao seu lado ou, como deve funcionar em sua cabeça, imagino, pular na sua frente e defendê-la do seu demônio, Nell.

Ela se sentou de novo, pegando as mãos dela.

— Você acha que ele usa um distintivo só pela diversão, pelo pagamento irrisório ou pelo poder?

— Não. Mas ele não compreende o que Evan pode fazer, as coisas de que é capaz. Mia, há loucura dentro dele. Uma espécie de loucura fria e deliberada que não dá nem para começar a explicar

— As pessoas têm uma tendência a considerar a palavra "mal" como algo excessivamente dramático — disse Mia. — Mas na verdade é tudo extremamente simples.

— Sim. — Alguns dos nós se desfizeram dentro do estômago de Nell. Ela deveria saber a essa altura que não era preciso explicar tudo a Mia. — E ele não entende também que eu não consigo sequer suportar a ideia de ver

Evan novamente, ouvir a voz dele. Acho que desta vez eu me quebraria. Acho que isso iria me despedaçar.

— Você é mais forte do que pensa.

— Ele me... faz encolher. — Nell balançou a cabeça. — Não sei se você consegue compreender o que eu quero dizer.

— Sim, consigo. Você quer que eu prepare uma poção, ou um encanto, para fortificar você? Algo que sirva como escudo contra um homem, para que você possa ter o outro?

Mia se inclinou para a frente e fez uma carícia no pelo reluzente das costas de Ísis. A gata levantou a cabeça, trocou o que pareceu um olhar de cumplicidade com a dona, depois se enroscou.

— Existem coisas que podem ser feitas — continuou Mia, de forma mais enérgica desta vez. — Coisas para proteger, para deixar você centrada, para aumentar suas próprias energias. Mas, acima de tudo, Nell, lembre-se de que o Poder está dentro de você. Por agora...

Ela tirou a corrente de prata que trazia, puxando-a por cima da cabeça, juntamente com um disco que estava pendurado, também de prata. — Você deu a Zack o seu talismã, então eu vou lhe dar um dos meus. Isto pertenceu à minha bisavó.

— Não posso aceitar.

— É só um empréstimo — disse Mia, fazendo o cordão deslizar por sobre a cabeça de Nell. — Minha bisavó era uma bruxa muito astuta. Realizou um bom casamento, ganhou uma fortuna na Bolsa de Valores e conseguiu mantê-la, pelo que lhe sou eternamente grata. Não gostaria de ser pobre. Ela trabalhou como médica na ilha, antes de termos um médico devidamente diplomado morando aqui. Tratava de verrugas, fazia partos e até dava pontos em feridas profundas. Também cuidou de toda a população durante uma perigosa epidemia de gripe, entre outras coisas.

— O disco é lindo! O que significam estas letras entalhadas?

— É um idioma antigo, similar ao dos caracteres inscritos nas pedras ancestrais da Irlanda. Chama-se "ogham", alfabeto milenar dos celtas. Esta inscrição significa coragem. E agora que você está usando a minha coragem, eu vou lhe dar um conselho. Durma. Deixe-o brigar com os sentimentos dele, enquanto você examina os seus. Quando você for até ele, pois, por mais que ele a ame, não vai procurá-la, tenha bem claro em sua mente o que você quer e o que está disposta a fazer para consegui-lo.

— Você está agindo como um idiota, Zack!

— Certo. Agora, dá para você calar a boca?

Ripley achava que jamais ter que calar a boca era um privilégio de irmã.

— Escute — começou ela. — Eu sei que ela estragou tudo. Mas você não quer pelo menos saber por quê? — Ripley espalmou as mãos sobre a escrivaninha dele, inclinando-se para baixo, para encará-lo bem. —Você não quer fuçar, cavar, manobrar até que ela lhe conte por que ainda continua casada?

— Ela teve tempo suficiente para me contar, se quisesse. — Zack voltou a se concentrar no computador. Sua ida até o continente não acontecera apenas para comprar um anel. Ele também testemunhara em um caso, no tribunal. Agora que o caso estava encerrado, tinha que atualizar seu arquivo.

Ripley soltou um som que ficava em algum ponto entre um gemido e um berro.

— Você me enlouquece! Não sei por que você também não fica maluco. Ah, meu Deus! Você está apaixonado por uma mulher casada!

— Isto já está suficientemente claro na minha cabeça, no momento. — Ele lançou para a irmã um olhar murcho. —Agora, vá fazer sua ronda.

— Olhe, Zack, é óbvio que ela não quer nada com o outro cara. Ela o abandonou. Também me parece óbvio que ela está completamente gamada por você, e vice-versa. Nell já está aqui há quanto tempo, cinco meses? E, pelas aparências, está criando raízes, pensando em ficar de vez. O que quer que tenha havido antes já acabou.

— Ela ainda é legalmente casada. Isso para mim não é ter acabado.

— Sim, sim... Temos aqui o Senhor Certinho! — O fato de admirar o código de honra do irmão não significava que Ripley não pudesse se sentir exasperada. — Deixe rolar por um tempo. Simplesmente deixe as coisas do jeito que estão. Por que diabos você é obrigado a se casar com ela agora, afinal? Ah, espere. Esqueci com quem estou falando. Olhe, se você quer mesmo o meu conselho...

— Eu não quero. Realmente, não quero.

— Ótimo. Livre-se do problema sozinho, então. — Ela agarrou a jaqueta para, quase no mesmo instante, atirá-la na cadeira de volta. — Desculpe. É que eu não aguento ver você se magoando dessa forma.

Por saber disso, ele desistiu de fingir que estava atualizando os arquivos e passou as mãos na frente do rosto.

— Escute... Eu não posso começar uma vida com alguém que tem outra vida que ainda não terminou. Não posso levar uma mulher para a cama sabendo que ela ainda está legalmente casada com outro homem. E não posso amar alguém do jeito que amo a Nell e não querer, não esperar ou planejar me casar com ela, ter uma casa, ter filhos. Simplesmente não consigo fazer isso, Rip.

— Não, você não consegue. — Ela se chegou até ele, envolveu-lhe o pescoço carinhosamente com os braços, pousando seu queixo no alto de sua cabeça. — Talvez eu conseguisse. — Embora ela mesma não se imaginasse apaixonada por alguém o suficiente para ser obrigada a fazer essa escolha. — Mas eu compreendo perfeitamente que você não possa agir dessa maneira. O que não consigo entender é por que você, já que a ama perdidamente e a deseja tanto, não pode se sentar com ela e fazer com que ela lhe explique tudinho. Você merece saber.

— Não vou obrigá-la a contar nada à força, não só porque não faço as coisas desse jeito, mas porque tenho uma suspeita de que o homem com quem ela é casada agia exatamente assim.

— Zack... — Ripley virou o rosto para o lado, de modo que sua bochecha ficou apertada sobre o cabelo dele. — Já ocorreu alguma vez a você que ela morre de medo de se divorciar dele?

— Sim. — Ele sentiu uma fisgada rápida, porém aguda, no estômago. — Cheguei à conclusão de que pode ser isso. Descobri mais ou menos às três da manhã. Se for verdade, já tenho motivos a mais para esmurrar aquele saco de areia. Mas nada muda o principal. Ela é casada e não me contou. Não confia em mim o suficiente para saber que eu ficaria a seu lado, não importa o que pudesse acontecer.

Ele esticou o braço, fechando a sua mão devagar em volta da dela.

Foi assim que Nell os encontrou quando abriu a porta: abraçados um ao outro. E notou as faíscas de culpa que Ripley lançou com o olhar enquanto Zack fechava as pálpebras lentamente.

— Preciso falar com você, Zack. A sós. Por favor.

Instintivamente, Ripley apertou mais o seu abraço, mas Zack lhe deu uma palmadinha na mão.

— Ripley estava mesmo de saída para fazer a ronda.

— É, isso mesmo. Sempre me jogando para o lado quando a coisa começa a ficar boa. — Colocou a jaqueta sobre os ombros para sair, ponderando que era *isso* que as pessoas queriam dizer quando falavam que "dava para cortar a tensão com uma faca". Foi nesse instante que Betsy enfiou a cabeça pela porta.

— Xerife!... Oi, Nell, oi, Ripley. Xerife, Bill e Ed Sutter estão começando a se estranhar bem na porta do hotel. Parece que vai acabar saindo briga.

— Eu cuido disso — disse Ripley.

— Não. — Zack pulou como uma mola diante das palavras de Ripley. — *Nós dois* vamos cuidar disso.

Os irmãos Sutter oscilavam entre a lealdade familiar e um ódio mútuo que os corroía como veneno. E já que eram dois cabeças-duras e imensos como dois animais, Zack achou melhor não deixar Ripley sozinha em uma situação de dois contra um. No momento em que saía, deu uma olhada rápida para Nell e disse:

— Você vai ter que esperar.

Tão frio, pensou ela, esfregando os braços. Era duro receber gelo de um homem que era capaz de oferecer tanto calor. Pelo jeito, ele não ia facilitar. Estranhamente, mesmo depois das coisas horríveis que tinham acontecido na noite anterior, ela se convencera de que seria mais fácil.

Achou que ele a deixaria falar, que iria ser solidário com ela, compreensivo, que a abraçaria.

Ali parada, em pé, sozinha na delegacia, Nell viu a sua pequena fantasia se quebrar em duas e desaparecer.

Ali estava ela, engolindo o orgulho, arriscando sua paz de espírito e bem-estar, e tudo o que ele conseguia fazer era lhe lançar um olhar gelado.

Bem, então, talvez ela também devesse simplesmente deixar as coisas como estavam.

Atormentada, abriu a porta com força. Dois passos adiante e ela já não apenas via a confusão na parte de cima da rua como podia ouvi-la. Sentindo-se congelar, imóvel, colocou os braços em volta de si mesma e passou a assistir a tudo o que estava acontecendo.

Um homem imenso, com cabelo cortado bem curto, estava dando socos na barriga de outro homem com cabelos igualmente curtos. Xingamentos voavam para todos os lados. Uma multidão interessada no movimento estava reunida a uma distância segura, e alguns deles pareciam estar torcendo por um ou pelo outro, uivando e gritando seus nomes.

Zack e Ripley já estavam se metendo entre os dois, afastando-os à força. Nell não conseguia ouvir o que estavam dizendo para os briguentos, mas embora a multidão estivesse subitamente mais quieta devido à chegada da polícia, isso não parecia estar tendo muito impacto sobre os irmãos Sutter.

Só faltavam esbofetear a cara um do outro.

Nell se encolheu toda quando viu o primeiro punho entrar em ação. Houve muita gritaria, e ela ouviu o barulho como se fosse o estourar de uma onda na praia, viu muito movimento que parecia perdido em um borrão indistinto.

Zack já tinha um deles preso pelo braço, e Ripley tinha o outro. Ambos já estavam com as algemas à mostra, colidindo-se e empurrando-se entre os palavrões e ameaças cerradas.

Foi então que um dos irmãos se soltou e avançou furiosamente sobre o outro, mas errou o alvo e acertou um soco no rosto de Zack.

Nell viu a cabeça de Zack voar para trás com a força do golpe e ouviu a multidão dar um grito de horror em uníssono. Tudo então ficou absolutamente parado, parecendo um filme com a imagem congelada.

Ela já estava correndo pela rua quando os movimentos e as vozes das pessoas começaram novamente.

— Bem, que diabos, agora chega, Ed. Você está preso! — Zack fechou as algemas com firmeza nos pulsos de Ed, e Ripley fez o mesmo com o outro irmão. — E você vai preso também, Bill. Seus dois desmiolados esquentados! E vocês aí em volta, vão cuidar da vida — ordenou ele olhando para a pequena multidão, enquanto empurrava Ed com força.

Ao olhar para frente, deu de cara com Nell, que estava na calçada como uma corça pega de surpresa pelos refletores e praguejou baixinho.

— Ora, vamos, xerife, você sabe que eu não pretendia atingi-lo.

— Não me interessa quem você estava pretendendo atingir. — Especialmente quando era ele quem estava sentindo gosto de sangue na boca. — Você acaba de agredir um oficial de polícia.

— Foi ele quem começou.

— *Aqui* que fui eu! — Bill berrou, olhando para trás enquanto Ripley o empurrava com energia para a frente. — Mas, mesmo sem ter começado, pode ter certeza de que vou terminar, assim que tiver chance!

— Você e qual exército?

— Calem a boca agora mesmo! — ordenou Ripley. — Dupla de delinquentes quarentões.

— Mas foi o Ed quem deu o soco nele. Por que é que você está me prendendo também?

— Porque você é um estorvo público! Se vocês dois querem arrebentar a cabeça um do outro, façam isso na privacidade de sua casa, não no meio da rua.

— Olhe, vocês não vão nos colocar na cadeia de verdade, não é, gente? — Mais calmo agora diante do seu destino, Ed virou a cabeça para fazer um apelo: — Vamos lá, Zack, você sabe que minha mulher vai me tirar o couro se você me trancafiar. Afinal de contas, foi só uma briga de família.

— Não quando acontece no meio da *minha* rua, nem quando envolve a *minha* cara. — Seu maxilar latejava como o diabo. Ele levou Ed direto até a delegacia e até os fundos, para uma das duas pequenas celas gradeadas. — Aí dentro você vai ter bastante tempo de esfriar a cabeça antes que eu vá chamar sua mulher. Se ela vem até aqui para pagar sua fiança, vai depender dela.

— O mesmo vale para você — disse Ripley, dirigindo-se a Bill com um tom alegre na voz, enquanto retirava as algemas dele e o empurrava para dentro da cela.

Depois que as portas das celas foram trancadas, ela bateu as mãos uma contra a outra, como se as estivesse limpando.

— Deixe que eu faço o relatório, Zack, porque digito muito mais devagar do que você. Deixe que eu chamo as mulheres deles, também, embora suspeite que elas vão saber a respeito do caso antes mesmo de eu começar a preencher a papelada.

— Por mim, está bem. — Com cara de nojo, Zack passou as costas da mão sobre a boca e borrou a cara com sangue.

— É melhor colocar um pouco de gelo nesse queixo e nos lábios também. O Ed Sutter tem um punho do tamanho do estado do Idaho. Ei, Nell, por que você não leva o nosso herói até a sua casa e lhe oferece um pouco de gelo?

Zack, que não percebera que Nell havia voltado, se virou lentamente e ficou olhando para ela, que continuava parada à porta aberta da delegacia.

— Sim — respondeu ela. — Vou fazer isso.

— Tem gelo lá atrás. Eu mesmo posso cuidar disso.

— Mas é melhor manter uma distância segura de Ed — aconselhou Ripley. — Pelo menos até ter certeza de que não vai destrancar a cela e revidar.

— Talvez.

Os olhos dele já não estavam tão frios e distantes quanto antes, Nell notou. Tinham agora um tom verde-escuro e pareciam um pouco vidrados. Ela umedeceu os lábios antes de falar:

— Gelo vai fazer o inchaço diminuir... E um pouco de chá de alecrim vai ajudar a acalmar a dor.

— Ótimo. Está bem. — Sua cabeça já estava cheia de sinos badalando; por que não acabar logo com aquilo? — Duzentos e cinquenta dólares de multa para cada um — falou para Ripley. — Ou, então, vinte dias de cadeia. Se não gostarem da ideia, preencha um formulário de ordem de prisão, e eles podem resolver tudo no tribunal.

— Sim, senhor! — Ripley sorriu enquanto Zack saía, com porte altivo. *Não é uma boa, essa?*, pensou ela. Toda aquela confusão tinha melhorado o seu estado de espírito.

Eles caminharam até o chalé em silêncio. Nell já não sabia mais o que dizer ou como dizer. O homem furiosamente zangado que estava ao seu lado parecia tão estranho quanto aquele outro, frio, tinha sido. Não havia nenhuma dúvida em sua cabeça de que ele não queria lidar com ela naquele momento. Sabia muito bem o tempo que levava uma pessoa para conseguir recobrar o equilíbrio depois de levar um soco na cara.

Mesmo assim, ele tomara um soco a curta distância e, em vez de deixar a cabeça e a raiva assumirem, esboçara pouca reação.

As pessoas estavam sempre dizendo que alguém era mais durão do que parecia. Isso aparentemente era verdade em relação a Zachariah Todd.

Ela abriu a porta do chalé e, ainda sem dizer nada, caminhou direto até a cozinha e começou a preparar uma bolsa de gelo com um saco plástico enrolado em um pano fino.

— Obrigado. Eu devolvo o pano de prato, logo.

Ela já pegara a chaleira para preparar chá, mas piscou ao olhar para ele, que se preparava para sair.

— Aonde é que você vai?

— Dar uma volta para espalhar essa raiva.

— Vou com você. — Não vendo outra escolha, largou novamente a chaleira sobre a pia.

— Você não quer a minha companhia neste momento, Nell, e eu também não quero a sua.

Era uma descoberta e tanto aprender que às vezes era preferível levar um tapa a ouvir certas palavras.

— Isso não pode ser evitado, Zack. Temos coisas a conversar, e quanto mais adiarmos isso, mais difícil vai ser.

Ela abriu a porta da cozinha e ficou esperando por ele. — Vamos tentar caminhar no bosque aqui atrás. Podemos considerá-lo um território neutro.

Ele não se preocupara em vestir a jaqueta de policial ao sair da delegacia, e a chuva que caíra na noite anterior tinha feito a temperatura baixar bastante. Ele, porém, parecia não se importar com isso. Ela olhou para cima, na direção dele, enquanto caminhavam em direção ao pedacinho de floresta que havia nos fundos da casa.

— Esse gelo não vai adiantar nada se você não usá-lo.

Ele o apertou contra seu queixo dolorido e se sentiu ligeiramente ridículo.

— No verão, quando cheguei aqui, eu me perguntava como é que seria caminhar entre as árvores no outono, com todas aquelas cores e as primeiras ondas de frio. Sentia muito a falta do frio e da mudança das estações, quando morava na Califórnia.

Ela soltou um suspiro curto, e a seguir tomou fôlego.

— Morei na Califórnia por três anos. Basicamente em Los Angeles, embora nós também passássemos bastante tempo na casa de Monterey. Eu gostava mais de lá, mas aprendi a não dar a perceber isso, senão ele encontraria motivos para cancelar nossas viagens para o norte. Ele gostava de encontrar sempre pequenas e novas formas de me punir.

— Você se casou com ele.

— Casei. Ele era bonito, romântico, talentoso, esperto e rico. Eu pensei: "Ora, chegou o meu príncipe encantado, e nós viveremos felizes para sempre." Estava fascinada, me sentia lisonjeada e apaixonada. Ele trabalhou muito duro para fazer com que eu me apaixonasse por ele. Não vale a pena entrar em todos os detalhes. De qualquer modo, você já deve ter imaginado alguns deles. Ele era cruel nas pequenas coisas e nas grandes também. Fez com que eu me sentisse pequena, depois menor, depois a menor das criaturas, até que só me faltava sumir, de tão minúscula. Quando ele me bateu pela primeira vez... foi um choque. Ninguém jamais havia batido em mim. Eu deveria tê-lo abandonado, naquele mesmo instante. Ou pelo menos tentado. Ele jamais me deixaria ir embora, mas eu deveria ter tentado. Só que estávamos casados havia poucos meses, e de algum modo ele me fez sentir que eu tinha merecido apanhar. Por ser burra. Ou desastrada. Ou descuidada e esquecida. Por todo tipo de coisas. Ele havia me treinado como a um cão. Não me orgulho disso.

— Você procurou ajuda?

Estava tão silencioso ali no bosque! Ela conseguia escutar, naquele silêncio, cada passo que ela e Zack davam, pisando no chão já coberto de folhas secas.

— A princípio, não. Eu conhecia tudo sobre aquele tipo de abuso, intelectualmente. Tinha lido artigos, histórias. Mas nada daquilo se aplicava a mim. Não me sentia parte daquele padrão. Tinha vindo de uma família estável, criada em um bom lar. Era casada com um homem inteligente e bem-sucedido, morava em uma casa imensa e linda, tinha criados e empregados.

Nesse ponto, ela enfiou a mão no bolso. Preparara uma espécie de saquinho mágico, para lhe dar coragem, e o atara com sete nós bem-feitos e sob rituais e cuidados especiais. Deixou que seus dedos o acariciassem, e isso a ajudou a acalmar os nervos.

— O problema é que eu continuava a cometer pequenos deslizes. Pensava que, uma vez que eu aprendesse, tudo ficaria maravilhoso de novo. Só que foi ficando cada vez pior, e eu já não conseguia mais continuar enganando a mim mesma. Certa noite ele me arrastou escada acima pelos cabelos. Eu tinha cabelos muito compridos na época — explicou. — Nessa noite eu pensei que ele fosse me matar. Achei que ele ia bater em mim, a seguir me estuprar e por fim dar cabo da minha vida. Mas ele não fez isso. Não fez nada disso, mas percebi que ele poderia ter feito o que quisesse, e eu não teria sido capaz de impedi-lo. Fui direto à polícia, mas ele era um homem influente. Tinha contatos importantes. Eu tinha apenas algumas marcas roxas, mas nada de muito significativo ou chocante. Eles não fizeram nada.

— Mas deviam ter feito! — protestou Zack. Saber disso o fez sentir um ponto oco no corpo, que o queimava por dentro. — Eles deveriam ter levado você para um abrigo próprio para mulheres que são vítimas desse tipo de abuso.

— Para eles, eu era apenas mais uma mulher rica e mimada que gostava de causar problemas. Mas nada disso importa — continuou ela, com cansaço. — Eles poderiam ter me levado para qualquer lugar, mas ele acabaria me encontrando. Cheguei a fugir uma vez, e ele me achou. E paguei caro por isso. Ele me fez ver com clareza, e quis ter certeza de que eu compreendesse, que havia um ponto fundamental em nossa vida: eu pertencia a ele e jamais conseguiria escapar. Para onde quer que eu fosse, ele me encontraria, porque me amava.

Nell sentiu um violento arrepio na espinha ao dizer isso. Parou, virou o rosto e encarou Zack.

— Era a versão dele do que é amor, sem regras nem fronteiras. Egoísta, frio, obsessivo e poderoso. Ele preferia me ver morta a me libertar. Isso não é força de expressão.

— Eu acredito. Mas, enfim, você escapou.

— Apenas porque ele pensa que eu estou morta. — Ela finalmente contou a ele em detalhes, com a voz clara, límpida e sem emoções, tudo o que fizera para quebrar as correntes.

— Jesus Cristo, Nell! — Com o susto, ele deixou até o saco de gelo cair no chão. — Foi um milagre que você não tenha se matado de verdade.

— De qualquer maneira, estaria me libertando. Estaria fugindo. Estaria vindo para cá. Eu acredito, acredito mesmo, piamente, que o momento em que o carro despencou no abismo foi o mesmo momento em que começou a minha jornada até aqui. Até você.

Zack sentiu uma vontade imensa de tocá-la, mas ainda não estava bem certo se era para lhe fazer um carinho ou para sacudi-la com força e raiva. Diante da dúvida, preferiu enfiar as mãos nos bolsos.

— Eu tinha o direito de saber disso há mais tempo, quando as coisas entre nós começaram a mudar. Tinha todo o direito de saber.

— Eu nem esperava que as coisas entre nós fossem mudar.

— Mas elas mudaram! E, se você não desconfiava do ponto para onde estávamos indo, então *é* meio tapada.

— Não sou tapada! — Sua voz cresceu e mostrou irritação. — Talvez eu estivesse errada, mas não sou burra. Não *planejei* me apaixonar por você. Não *queria* me apaixonar por você, nem mesmo me *envolver* com você. Foi você quem me perseguiu o tempo inteiro.

— Não vem ao caso como foi que tudo aconteceu. O fato é que aconteceu. Você sabia onde estava pisando e por que, mas não me contou.

— É que eu sou uma mentirosa! — respondeu ela, no mesmo tom de voz. — Sou trapaceira, sou uma megera! Só não venha me chamar de tapada ou burra. Nunca mais faça isso em sua vida!

— Ai, meu Jesus Cristo! — Perplexo, sem saber o que fazer a seguir, ele se afastou e levantou os olhos para o céu.

— Não vou mais ser depreciada por ninguém. Nunca mais! Não vou ser diminuída e nem vou ser deixada de lado até que seja conveniente para você prestar atenção na minha existência de novo.

— É isso que você pensa que está acontecendo? — Ele virou a cabeça, com curiosidade, e olhou para ela.

— Estou apenas lhe dizendo como é que as coisas são. Andei pensando muito desde que você saiu porta afora, ontem. Não vou choramingar nem ficar me lamuriando encolhida em um canto só porque você ficou perturbado por minha causa. Isso seria um insulto a nós dois.

— Ora, três vivas para isso!

— Ah, vá para o inferno!

Ele girou o corpo por completo e caminhou na direção dela. O terror fez o estômago de Nell se contorcer, e as palmas das suas mãos ficaram frias e úmidas, mas ela se manteve firme, sem arredar pé.

— Este é um momento muito ruim para arrumar briga comigo, especialmente porque você está errada.

— Só estou errada porque você está analisando pelo seu ponto de vista. Pelo meu, fiz o que tinha que fazer. Não queria ter magoado você, mas não posso voltar no tempo e mudar isso.

— Não, eu sei que não pode. Então, vamos em frente. Você deixou alguma coisa de fora nessa história que eu deva saber?

— A mulher que despencou com o carro naquele precipício chamava-se Helen Remington. Sra. Evan Remington. Eu não respondo mais por esse nome. Não sou ela.

— Remington... — Ele pronunciou o nome bem devagar. Ela quase podia vê-lo pesquisando em algum arquivo mental. — Um nome de Hollywood.

— Exato.

— Você fugiu para o mais longe possível.

— Exato, também. E jamais voltarei. Encontrei a vida que eu quero aqui.

— Comigo ou sem mim?

Pela primeira vez desde que ela começara a contar sua história, sentiu um bolo no estômago. Respondeu:

— Vai depender de você.

— Não, não vai. Você já sabe muito bem o que eu quero. A questão agora é o que *você* quer.

— Eu quero você! E você sabe disso.

— Então você vai ter que terminar o que começou. Precisa dar um fim a isso. Dê entrada em um pedido de divórcio.

— Não posso! Você não escutou nada do que eu disse?

— Ouvi cada palavra e até outras coisas que você nem contou. — Uma parte dele queria tranquilizá-la, puxá-la para mais perto dele, servir de abrigo para ela. Dizer-lhe que nada disso importava agora...

Mas importava.

— Você não pode passar o resto da sua vida com isso na cabeça, Nell, sempre temerosa, olhando por trás dos ombros ou fingindo que esses três anos não existiram. Eu também não posso, por dois motivos. Em primeiro lugar, porque isso vai começar a consumir você por dentro, e em segundo lugar porque o mundo é muito pequeno. Você jamais vai ter certeza absoluta de que ele não conseguirá encontrá-la. E se ele a encontrar e você ficar com medo, achando algum motivo por que ele a encontrou, o que acontece? Vai começar a fugir de novo?

— Já faz mais de um ano desde que eu desapareci. Ele não pode me encontrar se acha que eu estou morta.

— Mas você jamais vai ter certeza! Tem que colocar um ponto final nisso, mas não dar um fim a essa situação sozinha. Eu não vou deixar que ele toque em você. Essa não é a praia dele — disse, levantando o queixo dela com a ponta do dedo. — É a minha.

— Você o está subestimando.

— Não acho. Sei que não estou subestimando a mim mesmo, ou Ripley, ou Mia. Ou muita gente na ilha que sabemos que faria tudo o que fosse possível para ajudar você.

— Não sei se consigo fazer o que você está me pedindo. Durante mais de um ano me dediquei a fazer de tudo para ter certeza de que ele jamais descobriria que eu estou viva, que ele jamais conseguiria descobrir onde estou. Não sei se tenho coragem de me mostrar novamente, agora. Preciso pensar. Preciso que você me dê um tempo para pensar.

— Certo. Conte-me depois o que decidir. — Ele se abaixou para pegar a improvisada bolsa de gelo. Os cubos, em sua maior parte, já haviam derretido. Como ele não estava se importando muito com a dor no queixo, abriu o pano e despejou o resto do conteúdo no chão. — Se você não quiser se casar comigo, Nell, vou aceitar a sua decisão. Mas depois que você pensar bem sobre tudo isso, preciso que me diga o que decidiu a respeito do resto, também.

— Eu amo você. Não tenho que pensar muito para decidir sobre isso.

Ele olhou fixamente para ela e ficou ali de pé, no bosque silencioso, onde as folhas faziam uma revolução nas cores e o ar ainda carregava um leve aroma úmido da chuva da véspera.

Então Zack estendeu a mão para ela.

— Vamos, vou levar você para casa.

Capítulo Dezoito

Ripley lançou sobre Zack o seu olhar mais pesaroso. E reclamou baixinho. Ela guardou as reclamações para dar mais impacto quando afirmou:

— Mas eu não quero ir à casa de Mia!

Viver com a irmã durante quase trinta anos o tornou imune a essas táticas. Mesmo assim, ele tinha que lhe dar crédito pela encenação.

— Quando você era criança, praticamente *morava* na casa de Mia.

— Aquele tempo já passou... *Agora é* hoje. Consegue ver a diferença? Por que é que *você* não *vai* até lá?

— Porque eu tenho um pênis. E vou evitar perguntar se você consegue ver a diferença. Vamos lá, seja camarada, Rip.

Ela deu uma volta na sala em um círculo completo, a sua versão de girar os calcanhares sobre o assoalho.

— Se a Nell vai ficar na casa da Mia esta noite, então a própria Mia vai poder ficar de olho nela. Pelo amor de Deus, Zack, não banque a mãezinha protetora. O idiota lá de Los Angeles nem desconfia de que ela possa estar viva.

— Se estou sendo superprotetor, vamos ter que conviver com isso. Não a quero dirigindo perto dos penhascos sozinha, à noite. — O pensamento de seu carro voando pelo precipício, a quase seis mil quilômetros de distância dali, formou uma bola de gelo em sua barriga. — Até que tudo isso fique resolvido, quero manter o olho nela o tempo todo.

— Então mantenha *você* o olho nela. Vocês é que estão tentando decidir se vão ser aquele casal perdidamente apaixonado que fica sofrendo a novela inteira ou vão ser o Ward e a June Cleaver!*

Zack resolveu deixar a piadinha passar, pois sabia que esse era o jeito de ela começar uma disputa de implicâncias um com o outro para então sair soltando faíscas e acabar tirando o corpo fora.

— Eu jamais vou compreender como é que eu posso saber mais a respeito das mulheres do que você, já que são da mesma espécie.

— Tenha cuidado, seu espertinho.

Ele descobriu que não tinha deixado a piadinha passar, afinal.

— Ela não precisa de mim para ficar em cima dela. Nem sequer precisa de um homem babando, ainda que seja um magnífico exemplo de masculinidade como eu. Ela tem muitas decisões difíceis para tomar. Eu, por minha vez, estou tentando ficar um pouco distante, mas ao mesmo tempo sem querer que ela pense que me afastei, até que tenha resolvido todas essas questões difíceis.

— Caramba! Você tem mesmo pensado muito sobre tudo isso.

O fato simples é que ele a estava deixando em uma situação difícil. Zack queria que ela ficasse de olho em Nell, e a própria Ripley, por sua vez, preferia ficar de olho no irmão. Não tivera um momento de sossego desde que ele contara a história de Nell.

Sangue na lua, ela pensou. A visão que Nell tivera, de Zack todo coberto de sangue. Um marido sociopata, potencialmente homicida, e os sonhos perturbadores da própria Ripley. Ela detestava admitir que estava entrando no território dos maus agouros, mas a verdade é que... diabos, os presságios não eram nada bons.

— O que é que você vai ficar fazendo enquanto eu estiver servindo de babá para o amor da sua vida, lá na Estação Central das Bruxas?

Havia algo mais que ele aprendera em quase trinta anos de convivência com ela. Podia sempre contar com Ripley.

— Bem... — respondeu ele. — Vou ficar fazendo as rondas noturnas por nós dois, depois vou comprar alguma comida para viagem e voltar para casa, a fim de enfrentar um jantar solitário.

---

* Personagens de um antigo seriado americano de TV, casal perfeito que vivia criando problemas ao tentar praticar boas ações. (N. T.)

— Se acha que isso vai me fazer morrer de pena de você, não se iluda. Trocaria de lugar com você em um estalar de dedos. — Ela caminhou até a porta. — Vou até a casa da Nell, para avisar que eu vou ficar com ela esta noite. E quero que você se cuide, também.

— Como disse?

— Não quero mais falar sobre isso. Estou só dizendo para você ter cuidado.

— Tudo bem, eu me cuido.

— E compre um pouco de cerveja. Você tomou a última lata.

E bateu a porta com força, porque... porque sim.

Mia preparou novos encantos. A cada dia parecia que o ar estava ficando mais pesado. Como se alguma coisa o estivesse pressionando para baixo e tornando-o mais denso. Deu uma olhada lá para fora. Já estava bem escuro. A noite era tão comprida no final do mês de outubro, tantas horas para atravessar, até o amanhecer.

Havia coisas que não era apropriado falar durante a noite, nem mesmo pensar. A noite poderia ser uma janela aberta.

Ela acendeu incenso de sálvia para combater a negatividade, colocou brincos de ametista para fortalecer sua intuição. Teve a tentação de colocar alguns raminhos de alecrim sob o travesseiro, para espantar sonhos maus. Mas precisava olhar, precisava ver com atenção os sinais.

Adicionou uma pedra de jaspe-de-sangue arredondada no cordão em volta do pescoço, pois fortalecia a energia e também aliviava o estresse.

Era a primeira vez em muitos anos, pelo que ela conseguia lembrar, que se sentia tão constantemente perseguida pelo estresse.

Essa noite não era o momento para isso, ela se forçou a lembrar. Estava na hora de levar Nell para o estágio seguinte do seu aprendizado, e essas coisas deviam ser sempre alegres e descontraídas.

Acariciou o saquinho mágico dentro do bolso, que estava cheio de cristais e ervas e, como ensinara a Nell, amarrado com sete nós. Ela não gostava de se sentir assim tão tensa, como se estivesse esperando constantemente que um desastre fosse acontecer.

Tolice, na verdade, porque afinal de contas ela estivera se preparando para enfrentar desastres e desviá-los por toda a vida.

Escutou o carro e viu o raio de luz dos faróis rasgar a sua janela da frente. Enquanto caminhava até a porta, visualizou-se derramando lentamente toda a sua tensão dentro de uma caixa de prata e depois trancando-a.

Assim, ela conseguiu exibir a aparência descontraída e calma de sempre, quando abriu a porta. Até o momento em que viu Ripley.

— Visitando as favelas, delegada?

— Não tinha nada melhor para fazer. — Ela se surpreendeu ao ver que Mia estava usando um vestido longo totalmente preto. Mia raramente usava preto. Era uma coisa que Ripley tinha que admitir: a mulher à sua frente não era previsível. — Hoje é algum dia especial?

— Na verdade, sim. Não faço objeções quanto a você ficar por aqui, se a Nell assim desejar, mas não interfira!

— Suas atividades não me interessam o suficiente para me fazer interferir.

— Essa briga ainda vai levar muito tempo? — perguntou Nell, em um tom agradável. — Estava pensando em tomar um cálice de vinho.

— Acho que já terminamos. Entrem e sejam bem-vindas. Podemos levar o vinho conosco.

— Levar conosco? Para onde vamos? — perguntou Nell.

— Para o círculo. Você trouxe o que eu lhe disse para trazer?

— Está tudo aqui. — Nell deu uma palmadinha na enorme bolsa que carregava.

— Ótimo! Vou pegar o que precisamos, e depois podemos ir.

Ripley ficou circulando pela sala livremente enquanto Mia acabava de se aprontar. Ela sempre gostara da casa do penhasco. Ainda adorava o lugar. As salas imensas, cheias de objetos curiosos, os cantos estranhos, as grossas portas de madeira trabalhada e os pisos brilhantes.

Na sua opinião, dava para se virar muito bem e ser feliz com apenas um quarto e uma cama dobrável, mas era obrigada a admitir que a casa de Mia tinha estilo... e classe. No quesito atmosfera, então, não dava para superar.

Além de tudo, era confortável. Aquele era um lugar para afundar em uma cadeira e colocar os pés para cima.

Um lugar, ela se recordava, por onde um dia correra livre, alegre e bem-vinda como um cãozinho de estimação. Era um inferno notar subitamente o quanto ela sentira falta dessas pequenas coisas e o quanto *ainda sentia* falta de tudo aquilo.

— Você ainda usa o quarto no alto da torre? — perguntou Ripley de forma casual, enquanto Mia escolhia um vinho tinto no armário.

Quando Mia se virou para trás, seus olhos e os de Ripley se encontraram. Lembranças compartilhadas.

— Sim — respondeu. —Algumas das suas coisas ainda estão lá até hoje — continuou enquanto cobria os três cálices com um pano de linho branco, como se fosse um ritual.

— Eu não as quero.

— Mesmo assim, elas ainda estão lá. E já que você está aqui, poderia ajudar a carregar esta sacola. — Ela fez um gesto indicando uma imensa bolsa antes de pegar uma outra, que continha o vinho e os copos.

Foi na frente e abriu a porta dos fundos. Isis veio correndo e se esgueirou pela porta aberta para o lado de fora. Isso surpreendeu Nell, pois a gata em geral não fazia a mínima questão de se juntar a elas.

— É uma noite especial. — Mia levantou o capuz do manto que atirara sobre os ombros. O manto era preto como o resto da roupa e ostentava um detalhe ao longo de toda a borda, em um tom forte de vinho. — Ísis sabe disso. Está chegando o *Samhain*. Na milenar tradição celta, é a noite em que os deuses podem se tornar visíveis para os humanos. Nell precisa aprender a acender o fogo sagrado.

— Você está andando muito depressa com ela, não acha? — perguntou Ripley, que levantara subitamente a cabeça.

Mia simplesmente examinou o formato da lua, enquanto caminhava. Estava em quarto minguante, e seu brilho se reduzira a uma estreita faixa de luz, redonda e fina como a ponta de uma unha. Logo estaria completamente escura e se transformaria na lua nova. Em torno do estreito traço de luz pontiagudo dos dois lados, Mia conseguia ver uma névoa um pouco mais escura e ainda mais densa que o fundo do céu.

— Não, Ripley — respondeu ela. — Estamos no ritmo certo.

— A noite do Dia das Bruxas. A elevação dos mortos. — Ripley se sentiu incomodada por Mia estar conseguindo deixá-la pouco à vontade. — As sombras fervem com os espíritos do mal, e apenas os corajosos ou os tolos caminham pelas trevas.

— Tolices — replicou Mia, com suavidade. — E não lhe serve de nada tomar esse caminho para tentar apavorar Nell.

— O fim da terceira e última colheita do ano — falou Nell, aspirando profundamente o ar da noite. — ... A época de nos lembrarmos dos nossos mortos, um tempo para celebrar o eterno ciclo. Também é a noite em que o véu entre a vida e a morte está mais fino do que em qualquer outro momento do ano. Não se pode dizer que seja um acontecimento negativo, e eu já aprendi que representa mais um tempo de reafirmação e alegria. Além, naturalmente, de ser o dia do aniversário de Mia.

— É... O dia em que a jovem aqui faz trinta anos! — disse Ripley, como provocação.

— Não seja metida a besta, Ripley. — Havia uma ponta de irritação na voz de Mia, embora com um tom de brincadeira. — Você também, daqui a seis semanas, lembra?

— Sim, mas você sempre vai ser mais velha do que eu.

Ísis já alcançara a clareira; estava sentada sobre as patas de trás com a cabeça levantada, imóvel como uma esfinge e bem no centro do círculo.

— Trouxemos algumas velas como luz de trabalho. Você bem que podia espalhá-las pelas pedras aqui em volta e acendê-las, Ripley.

— Não. — Ela enfiou as mãos, em um gesto deliberadamente teatral, dentro dos bolsos da sua jaqueta de bombardeiro. — Carregar sua bolsa de badulaques é uma coisa, participar disso é outra. Não vou tomar parte!

— Ora, tenha paciência! Você não vai quebrar o seu celibato de magia só por acender uma ou duas velas. — Mas Mia agarrou a bolsa da mão de Ripley e caminhou de modo altivo em direção às pedras.

— Deixe que eu faço isso — insistiu Nell. — De que adianta vocês ficarem zangadinhas quando sabemos que cada uma acaba fazendo o que quer?

— É mesmo? Por que está tão zangada, Mia? — Ripley mantinha a voz baixa, agachando-se enquanto Mia voltava para escolher o que precisava para a cerimônia de dentro das bolsas. — Normalmente eu tenho que fazer um esforço muito maior para conseguir deixar você irritada.

— Talvez eu esteja mais sensível ultimamente.

— Parece cansada.

— É porque *estou* cansada! Alguma coisa está para acontecer. E está forçando a sua chegada! Está cada vez mais perto! Não sei por quanto tempo vou ser capaz de evitar a sua vinda; nem mesmo sei se devo. Só sei que vai correr sangue.

Ela agarrou com força o punho de Ripley, mantendo-a imóvel.

— E vai haver dor, também... E terror... E pesar. E o meu maior receio é de que sem o círculo pode também haver morte!

— Se você está tão certa disso, Mia, ou com medo do que possa acontecer, por que não mandou vir mais gente? Você conhece outras.

— O destino não é de nenhuma das outras, e você sabe perfeitamente disso. — Ela olhou para trás na direção de Nell. — Talvez ela seja forte o bastante.

Mia colocou o corpo em posição ereta, jogando o capuz para trás.

— Nell! Venha até aqui, vamos formar o círculo.

Ripley esperava qualquer coisa naquele momento, menos a nostalgia e o desejo que a invadiram, enroscando-se lentamente por dentro dela, enquanto assistia ao ritual básico e as palavras tão familiares ecoavam em sua cabeça.

Ela desistira de tudo aquilo, tentou lembrar a si mesma. Pusera tudo de lado.

Agora observava com certo interesse a varinha e o pequeno punhal de cabo preto. Ela sempre preferira a espada.

Sua boca se contraiu, e os lábios se apertaram considerando o que estava acontecendo, enquanto Mia acendia as velas com um fósforo especial, muito comprido. No exato momento em que resolveu abrir a boca para falar, para questionar, Mia se virou e lançou-lhe um olhar apaziguador.

Claro, pensou Ripley, *tudo tem que ser sempre do seu jeito*. Mas guardou o comentário para si mesma.

> *Terra, vento, fogo e água, todos e cada elemento*
> *Ouçam o apelo de suas filhas, aqui neste momento*
> *Enquanto a lua acima de nós por todo o céu cavalga,*
> *Levantem-se do círculo mágico que o ar do mar salga.*

Com a cabeça jogada para trás e os braços levantados, Mia ficou aguardando. O vento aumentou e parecia cantar. As chamas das velas ficaram retas e imóveis como lanças, apesar do redemoinho de ar sussurrante. Debaixo de seus pés, a terra começou a tremer levemente, e do caldeirão frio no centro da clareira uma suave fragrância começou a se desprender das borbulhas do líquido que subitamente começou a ferver dentro dele.

Quando Mia abaixou os braços novamente, tudo voltou à calma.

Nell ainda estava tentando recuperar o fôlego. Nos últimos meses, ela vira, fizera e ouvira coisas fantásticas. Mas, até aquela noite, não havia sido presenteada com uma demonstração tão forte e palpitante.

— O Poder a aguarda — disse Mia, e lhe estendeu a mão.

Quando Nell a segurou com força, sentiu a pele morna de Mia, quase quente.

— Ele aguarda dentro de você — continuou ela. — O seu elemento de ligação é o ar, e invocá-lo é mais fácil para você. Mas há quatro elementos. Hoje à noite você vai criar o fogo.

— A fogueira ritual, eu sei. Mas nós não trouxemos lenha.

— Não precisamos de lenha! — Com uma risada descontraída, Mia deu um passo para trás. — Procure ficar centrada em você mesma. Limpe sua mente. Este fogo não queima... Este fogo não machuca. Ele ilumina a escuridão e brilha, através da magia. Quando você construir sua torre alta e dourada, vai conhecer toda a sua força e seu poder. E depois que ele começar, não vai trazer o mal para ninguém.

— E cedo demais para ela! — disse Ripley, do lado de fora do círculo.

— Calada! Você não deve interferir. Olhe para mim, Nell. Você pode confiar em mim e em si mesma. Observe com atenção... E veja!

— Segurem seus chapéus! — murmurou Ripley, dando um pequeno passo para trás, só para garantir.

Mia abriu as mãos, que estavam completamente vazias. Espalmou e separou os dedos. Girando-os, estendeu os braços para a frente como que tentasse alcançar alguma coisa.

Surgiu uma faísca azul muito brilhante. Depois, outra. A seguir, uma dezena, e finalmente uma quantidade grande demais para ser contada. Elas faziam um chiado, como fogo em contato com água, e transformaram o ar dentro do círculo até fazê-lo assumir um tom forte de safira.

E então, de súbito, do centro liso do círculo, onde não havia vegetação, subiu um pilar brilhante e dourado feito de chamas.

As pernas de Nell simplesmente se dobraram, e ela ficou de cócoras, para a seguir cair de costas no chão com um baque surdo. Nada do que se passava em sua mente naquele instante poderia ser traduzido por palavras, mesmo que ela conseguisse reunir os pedaços de pensamentos espalhados dentro de sua cabeça.

— Eu falei! — suspirou Ripley, balançando a cabeça.

— Calada! — Mia girou o corpo, afastou-se do pilar de fogo e estendeu a mão para ajudar Nell a se colocar de pé novamente. — Você já tinha me visto fazer mágica antes, irmãzinha. Você mesma já fez alguns encantamentos.

— Mas nada desse tipo.

— Ah, isso é apenas uma habilidade básica.

— Básica? Mia, francamente! Você fez surgir *fogo*. Do nada!

— O que ela quer dizer é que é mais ou menos como perder a virgindade. Dá uma espécie de empolgação! — explicou Ripley, tentando ajudar. — As vezes é até menos agradável do que você imaginava da primeira vez. Depois de um tempo, porém, você vai se aprimorando.

— É mais ou menos isso — concordou Mia. — Agora, mantenha-se centrada em si mesma, Nell. Você já aprendeu como. Limpe sua mente. Visualize, arrebanhe e acumule o Poder à sua volta, crie o seu próprio fogo.

— Mas eu não consigo...

— Como pode saber, se você não tentar? — cortou Mia, com o dedo levantado. — Vamos, concentre-se! — Ela foi para trás de Nell e colocou as mãos sobre seus ombros. — Há muita luz dentro de você, e calor, e energia. Você sabe disso! Faça tudo isso se reunir e trabalhar junto. Sinta... Começa com um formigamento na barriga, depois sobe na direção do coração. Daí se espalha e preenche você por completo.

Com delicadeza, colocou as mãos sob os braços de Nell, levantando-os. — ... A sensação flui por baixo de sua pele, como um rio de luz, vai seguindo por toda a extensão do braço, até alcançar a mão e a ponta dos dedos. Deixe que ela chegue, devagar. Já está na hora...

Enquanto elas trabalhavam, Ripley observava. Havia algo de maravilhoso naquilo, mesmo que de um modo estranho. Era como presenciar Mia oferecendo equilíbrio a Nell, como se estivesse lhe ensinando os primeiros passos, encorajando, mantendo o ritmo, fazendo aumentar a confiança.

A primeira vez nunca era fácil, nem para a professora nem para a aluna, ela sabia. O rosto de Nell estava reluzindo com o suor do esforço. Os músculos retesados de seus braços vibravam.

A clareira, que não estivera completamente em silêncio durante todo o processo, agora parecia vibrar. O ar, que não estivera completamente parado em nenhum momento, começou a suspirar.

Surgiu uma fagulha fraca e espasmódica. Para evitar que Nell se afastasse dando um passo para trás, Mia continuava lá, mantendo-a no lugar, com o seu encorajamento calmo e estável, suave como um cântico.

E mais uma fagulha, desta vez mais forte.

Ripley notou que foi Mia quem deu um passo para trás, deixando sua pequena irmã hesitar e vacilar de pé, de um lado para o outro, mas sozinha, por conta própria. Odiando a demonstração de fraqueza, Ripley sentiu lágrimas de puro sentimento se reunirem dentro de seus olhos e brilharem à luz das fagulhas. Sentiu também uma pequena fisgada de orgulho quando o fogo de Nell finalmente tremulou e ganhou vida.

Pela primeira vez desde que começara, Nell sentiu as batidas fortes do próprio coração, o levantar e o abaixar do peito. Poder, brilhante como prata, pulsava-lhe pelas veias.

— Isso é melhor do que perder a virgindade. É maravilhoso, é brilhante — sussurrou ela. — Nada mais na vida vai ser igual para mim depois disso.

Ela se voltou, cheia de alegria e triunfo, mas Mia não estava mais olhando para ela, e sim para Ripley.

— Precisamos de três.

— Pois você não vai conseguir que a terceira seja eu! — gritou Ripley, furiosa, recusando-se a deixar as lágrimas escorrerem.

Mia reparara nas lágrimas não derramadas; as compreendia da mesma forma que também compreendia Ripley.

— Pois muito bem. — E disse para Nell: — De qualquer modo, ela provavelmente não consegue mais, mesmo.

— Não me diga o que eu sou ou não capaz de fazer! — reclamou Ripley.

— Vai ser difícil para ela descobrir isso e encarar o fato, especialmente depois de ter visto você conseguir de forma tão brilhante e em tão pouco tempo — falou, continuando a olhar para Nell.

— E pare de falar como se eu não estivesse aqui. Odeio isso!

— Então por que está aqui? — Mia perguntou com irritação. — Nell e eu podemos muito bem fazer a terceira, juntas. — Fora isso, afinal, que Mia tinha planejado antes de dar de cara com Ripley na porta. — Nós certamente não precisamos das suas tentativas enferrujadas. Poupe-nos desta visão patética. Você sabe muito bem que nunca foi tão boa nisso quanto eu. — E disse, tornando a olhar para Nell: — Ripley sempre ficou furiosa pelo fato de que o que vinha com tanta facilidade para mim demandava um esforço tão grande dela.

— Eu sempre fui tão boa quanto você, nos mínimos detalhes.

— Até parece!...

— Posso ser até melhor, se quiser.

Ah..., pensou Mia, *Ripley jamais foge de um desafio*, e gritou:

— Se é assim... Prove!

Enfraquecida pelo sentimento de competição, despertada pelas lembranças do passado e sentindo-se arrepiada pela audácia, Ripley colocou o pé dentro do círculo.

Não!..., pensou Nell, enquanto a via se aprumar.

Ela não esticou lentamente os braços como Mia tinha feito, mas pareceu atirá-los para frente com violência, e o fogo que foi expelido com força da ponta dos seus dedos atingiu o solo.

No minuto em que fez isso, ela bufou entre os dentes, emitindo um som agudo, como o de uma cobra.

— Você fez isso de propósito, Mia!

— Talvez, mas você também. E olhe só... O céu não desabou! Você fez a sua escolha, Ripley. Eu jamais poderia tê-la obrigado a fazer isso, se você não quisesse.

— Isso não muda nada. Foi só por essa vez!

— Se é assim que você quer, tudo bem... porém, já que está aqui, bem que podíamos saborear um pouco de vinho. — Mia ficou observando o trio de pequenas fogueiras que continuavam a tremular no chão diante delas. O fogo de Ripley era maior do que o dela, resultado da raiva. Mas não era nem de perto, pensou Mia sorrindo por dentro com satisfação, tão elegante quanto o que criara.

E, servindo o vinho, sentiu um calor crescer por dentro do corpo. Era esperança.

As três tomaram mais um cálice antes de retornarem à casa de Mia.

Inquieta agora, Ripley ficava andando de um lado para o outro, olhando para fora pelas janelas, balançando as moedas que trazia no bolso. Mia a ignorava. Em todo o longo tempo em que as duas se conheciam, Ripley jamais tivera a alma sossegada. E, naquele momento, Mia compreendia que havia uma guerra consideravelmente grande sendo travada dentro dela.

— Já decidiu como é que vai resolver a sua situação com Zack? — perguntou Ripley a Nell.

— Ainda não. — Sentada no chão, olhando hipnotizada para a lareira, Nell levantou a cabeça e olhou para ela. — Uma parte de mim tem esperanças de que Evan no fim aceite me conceder o divórcio e tire esse fardo dos meus ombros. Outra parte, porém, sabe que essa não é a questão principal do problema.

— Se você não enfrenta o touro e o pega de frente, pelos chifres, ele passa por cima de você.

Nell tinha admiração por Ripley. Era forte, resistente, e estava sempre pronta para tudo.

— O problema, Ripley, é que saber disso e agir desse jeito são duas coisas bem diferentes. Evan jamais teria conseguido arrancar um pedaço de alguém como você.

— Então... — Ripley levantou os ombros — ... se ele lhe arrancou um pedaço, pegue-o de volta.

— Ela vai fazer isso quando estiver pronta — interrompeu Mia. — Você, mais do que ninguém, sabe que é impossível impor suas crenças, ideias ou padrões a outra pessoa. Ou apagar o medo de alguém que não seja você mesma.

— Ela está aborrecida comigo porque eu magoei Zack. Não posso culpá-la por sentir isso, Ripley.

— Ele já é um menino crescido. — Ripley deu de ombros, para então se sentar no braço do sofá. — O que pretende fazer a respeito dele? Quero dizer, de Zack... nesse meio tempo?

— Fazer?

— Sim, fazer. Vai simplesmente deixá-lo se torturar e remoer os pensamentos? Essa é a fase que vem logo depois da revolta inicial, e posso lhe assegurar por experiência própria que é muito pior para se conviver. Cheguei à conclusão de que nós duas nos tornamos amigas, mais ou menos, desde que você chegou aqui. Então, faça um favor à sua amiga aqui e tire Zack dessa fossa antes que eu seja obrigada a esganá-lo quando estiver dormindo.

— Nós já conversamos sobre isso.

— Não estou falando de papo. Estou falando de ação! Ela é mesmo assim tão inocente? — Ripley perguntou, olhando para Mia.

— Pelo jeito, sim. Olhe, Nell, o que a Ripley está sugerindo, naquela maneira sutil e delicada que tem, é que você atraia Zack para a cama mais próxima e se livre de todos os problemas que afligem vocês através de uma ou duas rodadas de sexo selvagem. O que, na verdade, é a solução dela para todos os tipos de aborrecimentos incômodos, incluindo unha encravada.

— Sou horrível, pode me morder. Sabe, Nell, a Mia desistiu do sexo, o que explica por que virou essa megera rabugenta.

— Eu não desisti. Simplesmente fiquei mais seletiva do que uma gata no cio.

— Não se trata de sexo! — Fazer essa afirmação, fazê-la de modo rápido e decidido, foi a única solução de Nell para evitar outra briga.

— Entendo... Evidente... Estou sabendo. — Ripley fez uma cara de deboche.

— Me deixa triste, mais do que consigo reconhecer — suspirou Mia —, ter que concordar com Ripley. Pelo menos em parte. E claro que o seu relacionamento com Zack, Nell, não é baseado apenas em sexo, ao contrário de todos os relacionamentos da Ripley. Mas o amor físico é uma parte vital dele, uma expressão dos sentimentos que vocês sentem um pelo outro, uma celebração deles e da sua intimidade.

— Pode colocar flores em volta, Mia, mas continua sendo sexo. — Ripley replicou, balançando o copo. — Por mais que Zack tenha uma cabeça elevada e seja respeitador, continua sendo um homem. Ficar sem levar você para a cama para dar uma...

— Ripley, por favor!... — cortou Mia.

— Para dar uma... prova de seus sentimentos — completou, com um tom de menina comportada, diante da censura de Mia —, vai deixá-lo tenso e vulnerável. Se ele tiver que enfrentar o seu idiota lá de Los Angeles, seria bom que estivesse em plena forma.

— Ele tem tido todo o cuidado, para me manter bem afastada dele, com relação a isso.

— Então, encurte a distância... "com relação a isso" — disse Ripley, com objetividade. — Olhe o que podemos fazer: você me leva até a sua casa, e eu acampo lá esta noite. Você sai e vai até lá em casa. Ele vai estar sozinho e você vai conseguir dar conta do recado. Já andou sassaricando com ele tempo bastante para saber que botões apertar.

— Ripley, isso é uma atitude capciosa, fraudulenta e manipuladora!

— Então, qual é a *sua* grande ideia? — perguntou Ripley, jogando a cabeça para o lado.

— Talvez eu apareça lá... — Sem conseguir evitar, Nell começou a rir — Apenas para *conversar*.

— Tudo bem, não importa o nome que você dê. — Ripley acabou de beber o vinho. — Agora, talvez a gente possa levar estes cálices e o resto dos objetos para a cozinha e apanhar as suas coisas.

— Claro. — Nell se levantou e começou a recolher os cálices. — Deixe tudo por minha conta, volto em um minuto.

— Não se apresse.

Mia esperou até que Nell estivesse fora da sala antes de falar.

— Ela não vai levar muito tempo, portanto, diga logo o que não queria falar na frente dela.

— O que eu fiz esta noite não muda nada.

— Não precisava nem dizer.

— Cale a boca um segundo, Mia. — Ela começou a andar de um lado para o outro novamente. Mia notou que Ripley tinha conseguido se abrir, ainda que por pouco tempo, mas isso foi o suficiente. Ela também sentira o peso sufocante no ar, e a pressão que aumentava cada vez mais. — Tudo bem, eu concordo com você; temos problemas pesados chegando. Não vou fingir que não senti nada, e também não vou fingir que não fiquei aqui tentando arrumar um jeito de lidar com isso. Talvez eu até conseguisse, mas não quero colocar Zack em risco. Portanto, vou entrar nessa, Mia. Mas só por essa vez!

Mia não demonstrou muita empolgação com o fato, e nem lhe ocorreu fazer isso. Disse apenas:

— Vamos acender as fogueiras do ritual à meia-noite da véspera do Samhain. Podemos nos encontrar às dez da noite no Sabá. Zack já está usando o talismã de Nell, mas eu faria alguma coisa a mais para proteger a casa também, se eu fosse você. Ainda se lembra como se faz?

— Eu sei o que fazer! — respondeu Ripley com impaciência. — Logo que tudo isso passar, as coisas vão voltar a ser como eram antes, Mia. Lembre-se bem que isso tudo...

— Já sei, já sei!... — retrucou Mia. — *É só por essa vez!*

Zack já tinha desistido de mexer na papelada, não estava com vontade de olhar no telescópio e já descartara completamente a ideia de que poderia conseguir pegar no sono. Estava tentando agora, deitado na cama, se entediar ao máximo, para ver se ficava com sono. Para isso, pegou uma das revistas de Ripley sobre armas.

Lucy estava toda esparramada ao lado da cama, em um sono largado e profundo que ele invejava. De vez em quando as pernas dela davam um repuxão, pois devia estar perseguindo gaivotas ou nadando, em seus sonhos. De repente, porém, a cadela levantou a cabeça em um movimento brusco, e deixou escapar um leve ganido de alerta poucos segundos antes de Zack ouvir a porta da frente se abrir.

— Relaxe, garota. É apenas a Ripley que está de volta.

Ao ouvir o nome, Lucy já estava de pé, agitando as pernas e correndo em direção à porta, onde ficou balançando o corpo todo.

— Pode esquecer. Já é muito tarde para brincadeiras.

A batida na porta do quarto fez Lucy começar a latir de forma descontrolada, e Zack perguntou, com raiva:

— O que é?

Lucy ficou rodando em torno de si mesma, alegre, e por fim pulou com entusiasmo em cima de Nell.

Zack deu um pulo da cama, mas continuou sentado, sob as cobertas.

— Lucy, chega! Quieta! Desculpe. Eu pensei que fosse Rip. — Ele quase jogou os lençóis para o lado e se levantou, mas então se lembrou que estava completamente nu. — Aconteceu alguma coisa?

— Não. Nada. — Ela se inclinou para fazer festa em Lucy, tentando descobrir qual dos dois estava mais embaraçado, e decidiu que era empate. — Eu só queria ver você. Falar com você.

— Por que você não vai lá para baixo? — propôs ele, dando uma olhada no relógio e vendo que já era quase meia-noite. — Eu desço logo, logo.

— Não. — Ele não ia tratá-la como se fosse uma visita. — Aqui está bom. — Ela se aproximou mais, sentando-se na beira da cama. Ele ainda estava usando o medalhão, e isso pelo menos significava alguma coisa. — Consegui fazer uma fogueira esta noite.

— Ah, foi? — respondeu ele, analisando o rosto dela.

— Não! Você não entendeu. — Riu um pouco, esfregando a cabeça de Lucy. — Eu fiz mesmo. Não foi com lenha nem com fósforos. Foi com mágica.

— Ah!... — Ele sentiu um formigamento no peito. — Bem, o que eu deveria dizer ao ouvir isso? Meus parabéns? Ou... Puxa vida, que legal!

— Isso fez eu me sentir mais forte, estimulada. E... completa. Queria contar para você. Foi algo que fez eu me sentir como quando estou com você. Quando você me toca. E você não quer me tocar agora só porque tenho um vínculo oficial com outra pessoa no papel.

— Mas garanto que isso não impede a vontade, Nell.

Ela assentiu com a cabeça e deixou o alívio de ouvir aquilo assentar. A seguir, falou:

— Você não quer tocar em mim porque estou ligada legalmente a outra pessoa. Mas o fato, Zack, é que o único homem com quem tenho um vínculo real é você. Quando fugi, jurei para mim mesma que jamais me ligaria a outro homem novamente. Jamais correria esse risco de novo. Então apareceu você. E eu descobri que tenho mágica nas mãos. — Ela levantou a mão espalmada, fechando-a em seguida e colocando-a de encontro ao coração. — É um sentimento surpreendente, emocionante e doce. Ainda assim, isso não representa nada... nada, Zack, diante do que eu sinto dentro de mim por você.

— Nell... — Qualquer defesa, qualquer motivo racional que ele pudesse ter, simplesmente se esfarelou diante disso.

— Eu sinto a sua falta, Zack. Sinto falta de estar com você. Não estou pedindo para que você faça amor comigo. Eu ia tentar isso. Vim até aqui pensando em seduzir você.

— E... o que a fez mudar de ideia? — perguntou ele, passando a mão levemente pelos cabelos dela.

— É que eu não quero mentir mais para você. Nunca mais, nem mesmo de uma forma inofensiva. E não quero fazer com que uma parte dos seus sentimentos lute contra a outra. Quero apenas ficar com você, Zack. Simplesmente ficar aqui. Não me mande embora.

Ele a puxou mais para perto de si, até que a cabeça dela ficou completamente aninhada sobre seu ombro, e sentiu o longo e sentido suspiro de contentamento dela ecoar o dele.

Capítulo Dezenove

Não era fácil para um homem de negócios, importante e bem-sucedido, sumir por alguns dias. Era um transtorno complicado e muito enfadonho ser obrigado a remarcar reuniões, adiar compromissos, informar aos clientes, deixar os funcionários preparados e em alerta...

Havia um mundo de pessoas que dependiam dele.

Ainda mais entediante era fazer arranjos e organizar uma viagem pessoalmente, em vez de usar os serviços de um assistente.

Depois de pensar cuidadosamente a esse respeito, porém, Evan decidiu que era o melhor caminho a seguir. Ninguém deveria saber para onde ele estava indo ou o que ia fazer. Nem a sua equipe, nem os seus clientes e muito menos a imprensa. Naturalmente que poderia ser encontrado pelo celular se surgisse uma crise incontornável. Fora isso, até que ele tivesse acabado de resolver o que havia se proposto, tinha que permanecer incomunicável.

Precisava *saber* com certeza.

Não conseguira tirar da cabeça a informação que sua irmã tão casualmente lhe passara.

A mulher que parecia ser o clone de Helen. O fantasma de Helen.

Helen.

Ele acordava de noite suando frio com imagens de Helen, a *sua* Helen, caminhando ao longo de uma praia pitoresca qualquer. Viva. Rindo dele. Entregando-se a qualquer homem que a chamasse com o dedo.

Era insuportável.

O pesar terrível que sentira logo após a sua morte trágica estava se transformando lentamente, inexoravelmente, em um ódio frio e mortal.

Será que ela o enganara? Será que de alguma forma planejara e executara a simulação da própria morte?

Ele não a julgava esperta o bastante para fazer isso nem certamente corajosa o bastante para tentar abandoná-lo, muito menos conseguir fazê-lo. Ela *sabia* quais seriam as consequências. Ele tinha deixado isso perfeitamente claro.

Entre eles era *Até que a morte nos separe.*

Obviamente, ela não poderia ter conseguido tudo aquilo sozinha. Tivera alguma ajuda! Um homem... Um amante! Uma mulher, especialmente uma mulher como a Helen, jamais conseguiria arquitetar um plano como aquele, usando apenas a própria cabeça. Por quantas vezes não teria ela se esgueirado de algum modo para traí-lo com algum ladrão de mulheres alheias, um safado qualquer, e discutido todos os detalhes da encenação?

Rindo e transando, conspirando e planejando.

Ah, havia muitas contas a acertar.

Ele poderia ter se acalmado novamente, poderia ter continuado a cuidar da vida e dos negócios, sem nenhuma interferência externa. Ele quase conseguira se convencer mais de uma vez que as afirmações de Pamela não passavam de tolices. Ela era, afinal de contas, apenas uma mulher. E as mulheres, como todos sabiam, eram dadas a voos da imaginação e devaneios idiotas, pela própria natureza.

Fantasmas não existiam. E tinha havido apenas uma Helen Remington no mundo. A Helen que tinha sido feita para ele, apenas para ele.

Houvera momentos, porém, naquela imensa e glamourosa casa em Beverly Hills, agora vazia, em que ele pensara ter ouvido fantasmas sussurrando pelos cantos ou captado o som forte e nítido das gargalhadas zombeteiras da sua mulher morta.

E se ela não estivesse morta?

Ele *tinha* que saber. Tinha que ser cuidadoso, e esperto.

— A barca já vai sair!

— Como disse? — Seus olhos, de um azul pálido como água, piscaram.

O empregado da barca parou de soprar o café para viagem que segurava e instintivamente deu um passo para trás de modo a escapar daquele olhar vazio. Parecia, ele se lembraria mais tarde, um imenso mar sem vida.

— A barca já vai sair! — repetiu. — O senhor está indo para a Ilha das Três Irmãs, não está?

— Sim. — O sorriso estranho que se espalhou pelo rosto bonito era ainda pior do que os olhos. — Sim, é para lá que eu vou!

Segundo rezava a lenda, a irmã conhecida como Ar tinha abandonado a ilha para ir ao encontro do homem que prometera amá-la e cuidar dela. E, quando ele quebrara todas essas promessas e conseguira transformar sua vida em um inferno, ela não fizera nada. Tinha dado à luz suas crianças sob um imenso sentimento de pesar e as criara sob o signo do medo. Tinha se curvado e acabara se quebrando.

Morrera.

Seu último ato fora mandar as filhas de volta para a Ilha da Três Irmãs, para protegê-las. Mas não fizera nada, mesmo sabendo que tinha poderes, para proteger ou salvar a si mesma.

Assim, o primeiro elo de uma corrente de maldição fora forjado.

Nell pensava nessa história mais uma vez. Meditava sobre escolhas e erros, sobre o seu destino. Mantinha essa imagem bem forte na cabeça enquanto caminhava pela rua do lugar que transformara agora em lar. E que ela pretendia manter assim.

Quando entrou pela porta da delegacia, notou que Zack estava repreendendo severamente um jovem que ela não reconheceu de imediato. Automaticamente, resolveu sair e continuar o seu caminho, mas Zack simplesmente levantou um dedo para fazê-la esperar, sem diminuir o ritmo da bronca.

— Você vai agora mesmo direto até a casa da Sra. Demeara para não apenas limpar cada pedaço de abóbora despedaçada como também se desculpar por ser tão retardado. Ainda por cima vai ter que pagar uma multa por estar portando explosivos ilegais e também uma outra por dano deliberado contra a propriedade alheia. Quinhentos dólares!

— Quinhentos dólares?! — O menino, que tinha uns treze anos no máximo, pelos cálculos de Nell, levantou a cabeça que tinha mantido abaixada o tempo todo. — Puxa, xerife Todd, eu não tenho quinhentos dólares! E a minha mãe já vai me matar mesmo...

— Por acaso eu disse que já acabei? — perguntou Zack, simplesmente levantando as sobrancelhas para parecer ainda mais impiedoso.

— Não, senhor... — O menino mastigou as palavras e voltou a olhar para baixo, de um jeito tão envergonhado que Nell teve vontade de ir até lá e dar uma palmadinha de solidariedade em sua cabeça.

— Você pode trabalhar para cobrir a multa, se preferir, limpando a delegacia. Duas vezes por semana, a três dólares por hora.

— Três dólares? Mas então eu vou levar mais de... — O menino se lembrou de calar a boca. — Sim, senhor. Desculpe, xerife, o senhor ainda não tinha acabado.

Seus lábios estavam prendendo o riso, mas Zack conseguiu mantê-los em uma linha firme e reta, impassíveis.

— Bem — continuou ele. — Tenho também algumas tarefas extras que você pode fazer na minha casa, aos sábados.

Ai... essa doeu!, pensou Zack. Não havia destino mais cruel para um menino do que ficar preso, sem poder sair, em um sábado.

— O pagamento é o mesmo. Já pode começar lá neste sábado agora e aqui na delegacia na segunda-feira, depois da escola. E se eu ouvir falar que você aprontou outra, a sua mãe vai ter que entrar na fila para escalpelar você. Ficou bem claro?

— Sim, tio Zack!... Ahn, quero dizer... Sim senhor, xerife!

— Agora, cai fora!

E o menino saiu correndo, provocando um deslocamento de ar quando passou, voando, por Nell.

— Tio Zack?...

— Na verdade, somos primos em segundo grau. Sou assim uma espécie de tio honorário.

— E o que foi que ele fez para merecer o castigo de um trabalho tão pesado?

— Colocou uma cabeça de negro dentro de uma abóbora preparada para o Dia das Bruxas, na casa da professora de História dele. E olhe que era uma daquelas bem grandes. Quando explodiu, espalhou pedaços de abóbora para todo lado, provocando um susto enorme no pessoal da casa.

— Agora você está me parecendo um pouco orgulhoso da façanha dele.

— Engano seu! — Colocou a sua melhor cara de blefe. — Aquele menino debilóide poderia ter explodido os próprios dedos, o que foi exatamente o que eu quase fiz quando tinha mais ou menos a idade dele e explodi a abóbora da minha professora de Ciências, fazendo um barulho espetacular quando voou tudo pelos ares. É claro que nada disso vem ao caso agora, senão nós vamos ter que aguentar esse tipo de travessura de Dia das Bruxas mais vezes. Tenho que colocar moral e impor um castigo bem grande logo no início, para servir de exemplo.

— Então eu acho que você fez um bom trabalho. — Ela caminhou até ele, sentando-se na cadeira à sua frente. — Será que está com tempo agora para outro assunto, xerife?

— De repente, dá para espremer alguns minutos. — Ele ficou surpreso por ela não ter se inclinado para beijá-lo e por ela estar tão reta, tão parada e tão solene. — Qual é o assunto?

— É que eu vou precisar de alguma ajuda e orientação. A respeito de leis, imagino. Assumi uma falsa identidade e preenchi formulários oficiais com informações falsas, assinando tudo com um nome que não é legalmente o meu. Imagino que simular a própria morte seja ilegal, também. Pelo menos, deve haver alguma coisa a respeito de fraude contra o seguro de vida. Havia provavelmente apólices em que ele aparecia como beneficiário.

— Eu acho que um bom advogado seria capaz de resolver tudo isso para você e acho também que depois que todos os fatos forem explicados, não haverá acusações. — Ele não conseguia tirar os olhos dela. — Por que está me dizendo tudo isso, Nell?

— Por que eu quero me casar com você. Quero passar toda a minha vida com você e ter todos aqueles filhos com você. Para conseguir, tenho que dar um fim ao meu passado, então resolvi fazer isso o quanto antes. Preciso apenas saber o que tenho que fazer e se vou ser obrigada a passar algum tempo na cadeia.

— Você não vai para a cadeia! Acha realmente que eu permitiria que isso acontecesse?

— Não depende de você, Zack.

— Os papéis falsos e tudo o mais não vão apagar o senso de justiça de ninguém. O fato é que... — Ele já analisara muitas vezes a situação sob esse ângulo. — O fato, Nell, é que, quando você contar toda a sua história, vai se transformar em heroína.

— Não. Não sou heroína de ninguém.

— Você conhece as estatísticas sobre mulheres casadas que sofrem abusos? — Ele abriu a gaveta de baixo, pegou uma pasta e a jogou sobre a mesa. — Andei pesquisando alguns dados sobre isso. Pode ser que você queira dar uma olhada neles, uma hora dessas.

— Mas comigo era muito diferente.

— É diferente para cada mulher, a cada vez que acontece. O fato de que você foi criada em um lar estável e foi morar, depois de casada, em uma casa grande, luxuosa e cheia de pompa não muda nada. Muitas mulheres que pensam que com elas é diferente e que não há nada que possam fazer para mudar a sua situação vão olhar para você e ouvir falar do que você fez. Algumas delas poderão até dar um passo que jamais dariam se não fosse por sua causa. Isso faz de você uma heroína.

— Diane McCoy. Ainda o incomoda muito o fato de não ter conseguido ajudá-la, não é? O fato de que ela não quis deixar que você a ajudasse.

— Existem muitas Diane McCoy por aí.

— Certo. — Ela assentiu. — Mas, mesmo que a opinião pública fique do meu lado, ainda existem muitos outros detalhes legais.

— E nós vamos resolver todos eles, um de cada vez. Com relação à seguradora, por exemplo; eles certamente vão conseguir o dinheiro de volta. Pagaremos, se for preciso. Faremos o que tivermos que fazer, juntos.

Ao ouvir isso, ela sentiu como se um peso estivesse sendo retirado dos seus ombros.

— Zack, eu não sei nem por onde começar.

Ele se levantou, rodeou a escrivaninha, foi até onde ela estava e se agachou a seu lado.

— Quero que você faça isso por mim mesmo. Sei que pode parecer egoísmo, mas não consigo evitar. Só que eu quero que você faça isso também por você. Tenha certeza do que quer fazer.

— Eu quero ser Nell Todd. Quero ter um nome que deseje usar.

Ela viu a expressão dele se alterar, a emoção em seu olhar se tornar mais profunda, e soube naquele momento que jamais estivera tão certa de algo assim em toda a sua vida.

— Estou com medo dele e não consigo evitar — continuou ela. — Mas acho que agora entendo que isso nunca vai parar enquanto não estiver resolvido. Quero viver com você. Quero sentar com você na varanda de noite e olhar para as estrelas. Quero aquele anel maravilhoso que você comprou para mim. Quero tantas coisas com você que jamais imaginei que poderia ter. Estou apavorada e quero parar de me sentir assim.

— Eu conheço um advogado em Boston. Vamos ligar para ele agora mesmo e dar início a tudo.

— Certo. — Ela soltou um suspiro aliviado. — Está certo.

— Há ainda uma outra coisa da qual eu posso cuidar agora mesmo. — Ele ficou de pé, foi até a mesa e abriu uma das gavetas. O coração de Nell deu um pequeno pulo quando ela viu a pequena caixa nas mãos dele. — Eu tenho carregado isso para lá e para cá comigo desde aquele dia, deixando aqui ou na gaveta da minha mesinha de cabeceira em casa. Vamos colocá--lo no lugar ao qual pertence.

Ela se levantou e esticou a mão.

— Sim, vamos.

O estômago estava aos pulos quando Nell saiu da delegacia para voltar à livraria. Mas havia um ar de alegre expectativa misturada com um sentimento de nervosismo. Toda vez, porém, que ela olhava para o dedo e via a linda pedra azul, a expectativa vencia.

Ela entrou na loja, acenou para Lulu e praticamente flutuou pelas escadas até o escritório de Mia.

— Preciso contar algo para você.

— Tudo bem... — Mia levantou os olhos do teclado do computador e se virou. — Eu bem que podia estragar o seu prazer de me contar dizendo *Meus parabéns* e *Eu sei que vocês vão ser muito felizes,* mas não quero fazer isso.

— Ah... Você reparou no anel!

— Irmãzinha, eu reparei no seu rosto. — Não importava o quanto ela se sentisse cansada de tudo o que se referisse a amor: a visão desse amor estampado no rosto de Nell aqueceu-lhe o coração. — Mas eu quero ver o anel, também. — Ela deu um pulo, agarrando a mão esquerda de Nell. — Uma safira! — Ela não resistiu a um suspiro. — Isso é um presente de amor! Como anel, ele pode enviar energias e tem poder de cura. Também pode ser usado como proteção contra o Mal. E, além de tudo isso, é lindo! — Mia beijou Nell nos dois lados do rosto. — Estou muito feliz por você.

— Conversamos com um advogado que Zack conhece em Boston. Ele é meu advogado, agora. Vai me ajudar com todas as complicações e a papelada do divórcio. Vai pedir também uma ordem restritiva contra Evan, embora eu saiba que é apenas um pedaço de papel.

— E um símbolo. Há muito poder nisso.

— Sim. Em um ou dois dias, assim que ele estiver com tudo preparado, vai entrar em contato com Evan. Então, nesse momento, Evan vai descobrir tudo. E, com ou sem ordem restritiva, ele vai querer vir até aqui, Mia. Eu sei que vai.

— *Pode ser que você esteja certa.* — Será que era isso que ela andava pressentindo, o terror, o aumento da pressão?

As últimas folhas já haviam morrido, e a primeira nevasca ainda estava por cair.

— Mas, Nell, lembre-se de que você não está sozinha. Zack e Ripley vão ficar esperando por todas as barcas que chegarem aqui, depois que ele for contatado. Se você não está planejando ir morar com Zack de imediato, então pode ficar comigo. Amanhã é o Sabá. Ripley concordou em participar da cerimônia. Quando o círculo estiver fechado, ele não vai mais conseguir entrar. Isso eu lhe prometo.

Ela pensou em contar a Ripley logo em seguida, assim que conseguisse encontrá-la. Porém, no minuto em que Nell colocou os pés para fora da loja, foi atingida por uma onda de náusea que rolou grossa e pegajosa dentro da sua barriga. Cambaleou ligeiramente para o lado, com o suor aflorando em sua pele. Sem ter outra escolha, encostou-se de encontro à parede do prédio e esperou a sensação de enjoo diminuir.

Quando o pior já havia passado, tentou regularizar a respiração, inspirando pausadamente. Era o nervosismo, disse a si mesma. Tudo estava começando a acontecer ao mesmo tempo agora, depressa demais. Não havia mais como voltar atrás. Haveria interrogatórios, a imprensa, olhares e murmúrios, até mesmo de pessoas que ela ainda nem conhecia.

Era natural se sentir com o estômago embrulhado.

Olhou mais uma vez para o seu anel, para os raios de esperança que ele emitia, e os restos do enjoo passaram na mesma hora.

Ela poderia procurar por Ripley mais tarde, decidiu. Naquele momento, iria comprar uma garrafa de champanhe e os ingredientes para um bom prato de carne assada.

Evan saiu da barca com o carro e entrou na Ilha das Três Irmãs no instante exato em que Nell estava encostada na parede externa da livraria, se sentindo fraca. Ele olhou em volta, avaliando a região das docas, sem interesse. Olhou para a praia, igualmente sem se impressionar. Seguindo as instruções que conseguira, dirigiu até a Rua Alta e saltou na porta do hotel Pousada Mágica.

Era quase um pulgueiro, apropriado para a gentalha da classe média, avaliou com desprezo. Saindo do carro, examinou a rua, no exato momento em que Nell virava a esquina em direção ao mercado.

Entrando no Hotel, ele se registrou.

Pegou a suíte mais cara, mas não viu nenhum charme nos tetos rebaixados ou nas antiguidades cuidadosamente preservadas. Detestava quartos como aquele, preferindo o funcional, o despojado, o moderno. A arte apresentada nas paredes, se é que alguém poderia chamar aquilo de arte, variava entre aquarelas enevoadas e imagens do mar. O frigobar não tinha sua marca de água mineral favorita. Era de se esperar.

E a vista? Ele não conseguia ver nada além de praia e mar, gaivotas barulhentas e o que imaginou serem barcos de pesca, ao longe, provavelmente pertencentes aos ilhéus.

Nem um pouco satisfeito, foi até a sala da suíte. Dali, era possível ver a curva do litoral e os inesperados penhascos ao longe, onde em um estava um velho farol. Notou a casa de pedra também e ficou se perguntando que tipo de idiota escolheria um lugar tão isolado para morar.

De repente, viu-se apertando os olhos. Parecia vir algum tipo de luz brilhante se infiltrando pelas árvores. Devia ser alguma ilusão de ótica, decidiu, já com profundo tédio.

De qualquer modo, não viera até ali para apreciar a vista, com toda a certeza. Viera procurar por Helen ou se certificar de uma vez por todas que o que sobrara dela continuava descansando no fundo do oceano Pacífico. Em uma ilha pequena como aquela, tinha certeza de que conseguiria resolver tudo isso em pouco tempo, talvez até em menos de um dia.

Desfez as malas, pendurou meticulosamente suas roupas de forma que cada peça ficasse alinhada precisamente a uma polegada da outra. Pegou todos os seus artigos de toalete, incluindo o fino sabonete cremoso antirrugas com tripla proteção. Jamais usava os produtos de cortesia oferecidos pelos hotéis, como xampus e sabonetes minúsculos. A mera ideia era repugnante.

Finalmente, colocou a fotografia emoldurada de sua falecida e adorada esposa sobre a mesa. Inclinou-se e beijou, por cima do vidro, o fino arco formado por sua boca.

— Se você estiver aqui, Helen querida, vou encontrá-la.

Ao sair, fez uma reserva para jantar em um restaurante próximo. A única refeição que ele considerava aceitável de se fazer em um hotel era o café da manhã.

Saiu e virou à esquerda, exatamente no momento em que Nell, carregando duas sacolas de ingredientes, virava a esquina no final do quarteirão, à direita, em direção à sua casa.

Aquela era, Nell tinha absoluta certeza, a manhã mais feliz de toda a sua vida. O céu parecia estar prateado, com pinceladas em leves tons de rosa, dourado e vermelho profundo. Seu gramado parecia ter sido acarpetado com folhas que faziam alegres barulhos crocantes sob seus pés, folhas que haviam caído e deixado as árvores totalmente nuas e com aspecto misterioso. O que acabava criando um clima perfeito para uma ilha que vivia das tradições do Dia das Bruxas.

Passara a noite toda com um homem que havia mostrado a sua apreciação por um bom prato de carne assada e provara isso de uma forma muito satisfatória.

Os brioches estavam no forno, o vento, fazendo o ar trepidar levemente, as janelas, balançando, e ela, preparada para enfrentar todos os seus demônios.

Em pouco tempo deixaria o seu pequeno chalé, e isso era uma coisa da qual ia sentir falta. Mas a ideia de montar uma casa com Zack compensava a perda.

Eles passariam o Natal juntos, pensou ela. Talvez já estivessem até mesmo casados antes disso, se todos os embaraços legais estivessem resolvidos até lá.

Ela pretendia se casar ao ar livre, no meio da brisa. Não era muito prático, mas era o que queria. Usaria um vestido longo, de veludo. Veludo azul. E carregaria um pequeno buquê de flores brancas. Todas as pessoas que ela havia conhecido na cidade estariam lá para servir de testemunhas desse lindo momento.

Enquanto sonhava acordada, seu gato miou longamente, de forma lamurienta.

— Diego! — Ela se agachou e esfregou os dedos sobre a cabeça do bichano. Ele já não era mais um filhote, na verdade, tendo se transformado em um gato esbelto. — Esqueci de dar comida a você, não foi? Estou meio cabeça-oca hoje — explicou ela. — Estou apaixonada e vou me casar. E você vai morar conosco em nossa nova casa de frente para o mar e vai fazer amizade com a Lucy.

Pegou a ração, enchendo a tigela, enquanto ele se enroscava agitado em suas pernas, acariciando-as com a cauda.

— Uma mulher que conversa com o gato deveria ser considerada, no mínimo, esquisita — disse uma voz masculina atrás dela.

Nell não deu nenhum pulo, o que deixou ambos satisfeitos. Em vez disso, levantou-se calmamente e caminhou até onde Zack estava encostado no portal.

— Esse gato pode se tornar parte da família, embora eu já tenha ouvido dizer que isso vai depender só dele. Bom dia, xerife Todd.

— Bom dia, Srta. Channing. Será que eu poderia saborear uma xícara de café com um brioche?

— Só se pagar primeiro.

Ele se aproximou, abraçou-a com um longo, profundo e apaixonado beijo e perguntou:

— Isso serve?

— Sim, você me deu até demais. Deixe-me entregar seu troco. — Ela o apertou novamente com um novo beijo, prolongando-se ainda mais desta vez, sentindo o sabor dele. — Eu estou tão feliz!

Eram precisamente oito e meia da manhã quando Evan se levantou para saborear o desjejum do hotel, composto de um café exageradamente doce, suco de laranja fresco, uma omelete feita apenas com claras, e duas fatias de torrada de pão integral.

Logo cedo, ele já havia utilizado o salão de ginástica do hotel, que era como eles denominavam aquilo. Ao passar pela piscina coberta, lançara apenas um olhar de desdém. Não suportava a ideia de utilizar piscinas públicas, mas chegou até a considerar a ideia de dar um mergulho, até notar que já havia alguém a usando. Uma morena esguia que nadava de modo compassado de um lado para o outro, como se estivesse disputando algum tipo de competição, pensou ele.

Ele viu seu rosto apenas de relance, quando ela girava a face de um lado para o outro enquanto nadava ritmicamente.

O que ele não viu, ao desviar a atenção dela e sair, foi a sua brusca mudança de ritmo ao nadar. O jeito como subiu da água de repente, como se estivesse reunindo todas as suas forças para atacar alguém. E a maneira como atirou longe os óculos de natação, voltando até a borda com os pés se arrastando pelo fundo da piscina, enquanto olhava em torno, em busca do que lhe pareceu ser uma presença inimiga.

Ele tomou banho em seu quarto e se vestiu com um suéter cinza-claro e calças escuras. Olhou para o relógio, já preparado para reclamar se a refeição atrasasse um minuto sequer.

Mas ela chegou na hora e exatamente como tinha pedido. Não conversou com o garçom e nem lhe respondeu. Jamais fazia essas coisas tolas. O sujeito era pago para entregar refeições e não para confraternizar com os hóspedes.

O café da manhã o agradou, e ele ficou até mesmo surpreso de não ter conseguido encontrar nenhuma falha na refeição. Enquanto comia, leu o jornal da manhã e ouviu o noticiário da televisão, que deixara ligada ao lado, na sala de estar da suíte.

Enquanto isso, pensava sobre qual seria a melhor estratégia para conseguir descobrir o que viera investigar. Caminhar pela cidade, como fizera no dia anterior, ou andar de carro pela ilha como planejara fazer hoje poderia não ser suficiente. Também não funcionaria sair perguntando por aí se as pessoas conheciam alguém com a descrição de Helen. As pessoas nunca cuidavam apenas da própria vida, e haveria muitas perguntas e especulações; ele acabaria chamando a atenção.

Se, por acaso, Helen estivesse viva e morando ali, quanto menos atenção ele chamasse sobre si mesmo, melhor.

E se ela estivesse morando ali, o que estaria fazendo? Não tinha habilidades para fazer coisa alguma. Como é que poderia ganhar a vida por conta própria, sem ter o dinheiro dele para sustentá-la? A não ser, é claro, que estivesse usando o próprio corpo para seduzir outro homem e conseguir ser sustentada por ele. As mulheres, no fundo, eram todas prostitutas.

O melhor a fazer no momento era relaxar um pouco e esperar a fúria passar. Era difícil pensar de forma lógica quando estava com raiva. Ainda que justificada.

Ele conseguiria encontrá-la, disse a si mesmo para se tranquilizar. Se ela estivesse viva, seria encontrada. Ele simplesmente saberia na hora. E isso o levou a pensar sobre o que deveria fazer *quando* ou *se* isso acontecesse.

Não havia dúvidas de que ela merecia ser punida. Por atormentá-lo, por enganá-lo, por tentar quebrar as promessas que lhe fizera ao se casar com ele. A inconveniência e o embaraço de tudo aquilo não podiam ser calculados.

Ele a levaria de volta para a Califórnia, é claro, mas não de imediato. Precisariam ir primeiro para algum lugar sossegado, algum lugar privado, antes de fazerem qualquer outra coisa. Um local onde ele pudesse obrigá-la a se lembrar das promessas. Onde ele pudesse obrigá-la a se lembrar de quem é que mandava.

Depois, poderiam dizer que ela tinha sido cuspida do carro. Que tinha batido com a cabeça ou algo assim. Que ela tivera amnésia e havia perambulado para longe do local do acidente.

A imprensa iria adorar, decidiu Evan. Provavelmente iriam engolir tudo.

Eles poderiam trabalhar nos detalhes da história depois que estivessem instalados no tal lugar privado e quieto.

Se nada disso fosse possível, caso ela se recusasse a seguir esse plano ou o rejeitasse, até mesmo se tentasse fugir de novo ou fosse choramingando procurar pela polícia, como já havia feito, então ele seria obrigado a matá-la.

Tomou essa decisão com a mesma frieza com que decidira o que pedir no café da manhã.

As escolhas dela eram perfeitamente simples, em sua opinião. Era viver... ou morrer.

Ao ouvir as batidas na porta, Evan dobrou cuidadosamente o jornal e foi caminhando calmamente, para atender.

— Bom dia, senhor! — cumprimentou alegremente a jovem arrumadeira. — O senhor pediu serviço de quarto entre nove e dez horas.

— Certo. — Ele olhou para o relógio, notando que já eram nove e meia. Perdera tempo com seus planos; mais tempo do que planejara.

— Espero que o senhor aproveite sua estada. Gostaria de que eu começasse pelo quarto?

— Sim.

Ficou sentado aproveitando uma última xícara de café e leu uma reportagem sobre uma nova crise na Europa Oriental que não poderia ter lhe interessado menos. Em Los Angeles ainda estava amanhecendo. Era cedo demais para ligar para a Costa Oeste e ver se havia alguma coisa nova em seus negócios da qual ele devesse ser informado. Mas ele poderia ligar para Nova York. Tinha negócios em andamento lá, e não faria mal algum dar uma mexidinha na panela.

Foi até o quarto para pegar sua agenda e encontrou a arrumadeira, com os braços cheios de roupa de cama limpa, olhando fixamente para o porta-retratos com a fotografia emoldurada de Helen.

— Há algum problema?

— O quê? — Ela ficou ruborizada. — Não, senhor. Desculpe.
Ela começou a se mover com rapidez para fazer a cama.

— Você estava olhando para a fotografia com muita atenção. Por quê?

— É que... Ela é uma moça muito bonita. — A voz dele estava dando calafrios em sua espinha. Ela queria acabar de arrumar a suíte o mais depressa possível, para ir embora dali.

— Sim, ela é linda. É minha mulher, Helen. Pelo jeito como estava olhando para a fotografia, pensei que talvez já a tivesse encontrado em algum lugar.

— Ah, não, senhor, acho difícil eu conhecer a sua esposa. É só que ela me faz lembrar uma outra pessoa que eu conheço.

— Ah, é? — Ele teve que fazer um esforço supremo para evitar que os dentes rangessem.

— Ela realmente se parece muito com a Nell, só que a Nell não tem todo esse cabelo abundante e bem-tratado, ou esse ar de... não sei explicar, sofisticação, por assim dizer.

— É mesmo?... — Seu sangue começou a ferver, mas ele procurou manter a voz em um tom neutro e suave, quase amigável. — Isso é muito interessante. Minha mulher ficaria fascinada em saber que existe uma outra pessoa assim tão parecida com ela. — *Nell...*, pensou ele. A mãe de Helen a chamava desde pequena por este apelido: Nell. Um nome simples e sem elegância, que ele sempre detestara.

— É realmente muito interessante... E ela mora aqui na ilha, essa tal de... Nell? — quis saber, de forma casual.

— Ah, mora, sim. Ela se mudou para cá no último verão, para o chalé amarelo. Ela a responsável pela cafeteria que fica no andar superior da livraria, e oferece serviços externos de bufê, também. Sabe cozinhar que é uma maravilha! O senhor deveria experimentar ir até a cafeteria da loja para almoçar. Eles servem uma sopa divina que vem acompanhada por um sanduíche. Há sempre um diferente para cada dia da semana. É uma coisa realmente imbatível.

— É bem capaz que eu faça isso — disse ele, muito suavemente.

Nell entrou correndo pela porta dos fundos da "Livros e Quitutes", lançou um cumprimento casual para Lulu e depois seguiu em frente, na direção das escadas.

Ao chegar lá em cima, começou a trabalhar com a velocidade de um relâmpago.

Menos de dois minutos mais tarde, gritou lá para baixo, com uma voz que tentava transmitir frustração e um pedido de desculpas:

— Mia, sinto terrivelmente, mas será que você poderia dar uma subidinha até aqui em cima, um instante?

— Essa menina já deveria ter aprendido a se virar sozinha a essa altura — resmungou Lulu, o que a fez receber um olhar enviesado de sua patroa.

— E você já deveria ter aprendido a deixá-la em paz a essa altura — retrucou Mia, seguindo direto para as escadas.

Nell estava ao lado de uma das mesas da cafeteria, onde um lindo bolo com cobertura de glacê branco gelado rebrilhava sob a iluminação de trinta velas de aniversário acesas. Também sobre a mesa estava uma pequena caixa embrulhada para presente e três taças cheias e espumantes de *mimosa*, um drinque feito com champanhe e suco de laranja.

— Feliz aniversário!

A delicadeza do gesto tão doce a fez baixar totalmente a guarda, de um modo que ela raramente se permitia, e um sorriso desabrochou e se espalhou pelo rosto de Mia, inundando-o de puro deleite.

— Obrigada... Bolo? — Ela levantou uma das sobrancelhas enquanto pegava em uma das taças. — Mimosas também... e presentes! Assim, quase vale a pena chegar aos trinta anos.

— Trinta! — Chegando logo atrás dela, Lulu resmungou: — Ainda é um bebê. Quando chegar aos cinquenta, aí sim, poderemos conversar. — Ela entregou outra caixa embrulhada, ainda maior que a de Nell. — Feliz aniversário, Mia!

— Obrigada, Lulu. Bem, o que eu faço primeiro?

— Primeiro, um desejo... — Nell ordenou. — Depois apague todas as velas de uma vez só.

Havia tanto tempo que ela não fazia algo assim tão simples como um desejo, mas naquele momento fez um, para depois usar todo o fôlego para apagar as velas.

— Agora tem que cortar o primeiro pedaço. — Nell lhe entregou uma faca de bolo.

— Tudo bem. Depois, quero abrir meus presentes. — Mia cortou o bolo e a seguir lançou-se para a caixa maior, rasgando o papel.

A manta comprida era macia como água e da cor do céu da meia-noite. Espalhados em toda a volta estavam os símbolos dos doze signos do zodíaco.

— Mas... Lulu! Isso é fabuloso!

— Vai mantê-la aquecida.

— É maravilhosa! — Nell esfregou os dedos para sentir a textura da manta. — Tentei visualizar quando Lulu a descreveu, mas é muito mais bonita do que eu imaginava.

— Obrigada. — Mia se virou e esfregou sua bochecha na de Lulu antes de beijá-la.

Embora o rubor quase fizesse o rosto de Lulu explodir, esta afastou Mia para longe.

— Vá em frente, Mia — disse ela. — Abra agora o presente de Nell, antes que ela entre em erupção.

— É só uma coisinha que eu comprei porque me fez lembrar de você — explicou Nell, enquanto Mia jogava a manta para o lado para abrir a caixinha. Dentro havia brincos, pequenas estrelas de prata que brilhavam contra um fundo de pedras-da-lua.

— São lindos! — Mia os segurou contra a luz antes de beijar Nell. — E perfeitos, particularmente para um dia como hoje — acrescentou, estendendo os braços.

Ela estava usando preto de novo, mas a superfície brilhante do tecido tinha apliques de pequenas estrelas de prata e luas.

— Não consegui resistir e comprei isso para usar no Dia das Bruxas, e agora, estes brincos... — Ela fez questão de retirar na mesma hora os brincos que colocara pela manhã e substituí-los pelos que Nell tinha dado. — ... Vão dar um toque final!...

— Está certo, então. — Lulu levantou sua taça. — Viva a chegada do grande três e do imenso zero!

— Ora, Lulu, não fique estragando tudo, repetindo minha idade. — Mas Mia estava rindo enquanto brindavam. — Agora, quero comer bolo! — Ela levantou seu pequeno relógio de prata que ficava pendurado em uma das correntes em volta do pescoço. — Vamos abrir a loja alguns minutos mais tarde, hoje.

Não foi difícil encontrar o chalé amarelo. Evan passou de carro pela frente dele, diminuindo a velocidade para examinar a pequena casa enfiada no meio das árvores. Pouco melhor que um barraco, na sua opinião, e o insulto de considerar algo com aquela aparência como residência quase o fez engasgar.

Então, ela preferia viver naquela cabana a morar nas casas maravilhosas que ele lhe oferecera.

Teve que lutar contra a vontade quase incontrolável de ir correndo até a tal cafeteria em cima da livraria e arrastá-la para a rua. Cenas em público, porém, ele se obrigou a lembrar, não eram a melhor maneira de se lidar com uma esposa desonesta.

Isso exigia privacidade.

Dirigiu de volta até o centro da pequena cidade, estacionou o carro e depois voltou até o chalé a pé. Seu sangue já estava quase em ebulição. Um estudo cuidadoso das redondezas mostrou que nenhuma das casas vizinhas era próxima o bastante para preocupá-lo. Mesmo assim, ele entrou no terreno por trás, pelo meio das árvores, e circundou a casa com cuidado. Permaneceu nas sombras, observando tudo em volta.

Como nada se movia, nada sequer balançava com o vento, seguiu até a porta dos fundos.

Sentiu então uma onda estranha, como se alguma coisa, algo forte e impaciente, o atingisse. Essa onda estranha parecia empurrá-lo para trás, como se quisesse impedi-lo de chegar até a porta. Por um momento, sentiu algo que poderia ser descrito como medo circular sobre a sua pele e se viu realmente dando um passo para trás e se afastando do portal.

A fúria então voltou e destruiu o medo. Enquanto as estrelas penduradas nas calhas faziam ruídos enlouquecedores, sob o efeito de súbitas lufadas de vento, ele atravessou o que lhe pareceu uma sólida parede de ar e agarrou com força a maçaneta.

Ela nem mesmo se dava ao trabalho de trancar a casa, aquela idiota, pensou com desprezo, enquanto entrava. Viu como ela era descuidada? Como era tola?

Ao ver o gato, ele próprio quase rosnou. Detestava animais. Criaturas imundas. Eles se encararam por um longo tempo, mas depois Diego sumiu rapidamente de vista.

Evan examinou a cozinha e depois começou a caminhar pelo chalé. Queria saber como é que a sua *falecida* esposa tinha vivido neste último ano.

Ele mal podia esperar para encontrá-la novamente.

Capítulo Vinte

Ela pensou em ir para casa uma meia dúzia de vezes. Naquele dia, porém, havia muita diversão em volta de toda a cidade. A maioria dos comerciantes do lugar havia se paramentado com fantasias apropriadas para celebrar o dia. Havia demônios vendendo aparelhos domésticos e fadas em caixas registradoras, digitando a venda de hortaliças.

Nell almoçara bem tarde com Ripley e teve um improvisado encontro com Dorcas a respeito do bufê para uma festa de Natal.

Além do mais, parecia que cada pessoa que passava por ela parava para felicitá-la pelo noivado.

Ela já fazia parte do lugar. Pertencia à cidade e sentia alegria nisso. Pertencia a Zack. E, finalmente, pertencia a si mesma.

Deu uma passada na delegacia para combinar um encontro com Zack mais tarde, para distribuir os saquinhos de doces e guloseimas que ela já preparara para oferecer a todos os fantasminhas e duendes que eram esperados a partir do anoitecer.

— Pode ser que eu me atrase um pouco. Tenho que ficar de olho em alguns dos meninos mais velhos — explicou-lhe Zack. — Acabei de receber dois adolescentes que tentaram me convencer de que os doze rolos de papel higiênico que estavam comprando tinham sido uma encomenda das mães deles.

— E onde é que você conseguia papel higiênico para enrolar em volta das casas, quando era criança?

— Roubava do armário do banheiro lá de casa, como qualquer criança com apenas meio cérebro.

— E houve mais algum caso de abóboras explosivas? — Suas covinhas se acentuaram.

— Não. Acho que a notícia do castigo já se espalhou por aí. — Ele colocou a cabeça para o lado, examinando-a melhor. — Você está parecendo mais alegre, hoje.

— E estou mesmo mais alegre hoje. — Ela deu um passo à frente, envolvendo o pescoço dele com seus braços.

Ele tinha acabado de colocar os braços em torno da cintura dela quando o telefone tocou.

— Mantenha esse pensamento que eu já volto. — Esticou o braço para atender, sem largá-la.

— Escritório do xerife. Sim, Sra. Stubens. O quê?... — Ele deixou de se apoiar na ponta da mesa e se colocou de pé de novo. — Alguém se machucou? Que bom! Não, não, fique aí mesmo que eu já estou indo. — Dirigiu-se a Nell, enquanto caminhava ao outro lado da sala, até o cabideiro, para pegar a sua jaqueta. — Era Nancy Stubens. Estava ensinando o filho a dirigir, e o rapaz jogou o carro em cima do Honda Civic dos Bigelow, que estava estacionado.

— Mas ele está bem?

— Sim, mas eu vou tentar aliviar as coisas por lá. Pode ser que leve um tempo. Aquele Honda era novinho em folha.

— Bem, você sabe onde me encontrar.

Nell já tinha andado meio quarteirão quando Gladys Macey apareceu para saudá-la.

— Nell! Espere um instante. — Um pouco ofegante pelo esforço de alcançá-la, Gladys colocou a mão sobre o coração. — Deixe-me ver esse anel do qual já ouvi falar tanto.

Antes mesmo de Nell estender a mão, Gladys já a estava agarrando e se inclinando para conseguir dar uma olhada mais de perto, e com mais cuidado, na linda pedra azul.

— Eu devia ter imaginado que aquele rapaz, o Zack, faria um bom trabalho. — Ela assentiu com a cabeça em sinal de aprovação, para depois levantar o olhar para Nell. —Você tirou a sorte grande, minha filha. E eu não estou falando do anel.

— Eu sei.

— Eu o acompanhei enquanto crescia. Quando ganhou corpo e se transformou em um rapagão, um homem mesmo, se você me entende, eu costumava me perguntar que tipo de mulher iria fisgá-lo. Fico feliz em saber que foi você. Criei um carinho muito especial por você, querida.

— Sra. Macey... — Sem saber o que dizer, Nell a abraçou. — Obrigada.

— Você vai ser boa para ele. — Ela bateu nas costas de Nell com afeto. — E ele também vai ser muito bom para você. Sei que você teve alguns problemas no passado. — Ela simplesmente balançou a cabeça enquanto Nell se afastava. — Havia algo muito pesado em seus olhos quando você chegou aqui na ilha. Não existe mais isso em você.

— Consegui deixar tudo para trás. E estou feliz.

— Dá para notar. Já marcaram a data?

— Não, ainda não. — Nell pensou nos advogados, nos conflitos, em Evan, e sentiu que teria forças para lidar com aquilo. — Vamos marcar, assim que for possível.

— Quero um lugar na primeira fila, no casamento.

— A senhora terá, com certeza. E todo o champanhe que conseguir beber em nosso trigésimo aniversário de casamento, também.

— Vou cobrar esse convite, ouviu? Bem, agora tenho que ir. Dentro de pouco tempo, os monstros vão aparecer batendo em minha porta, e eu não quero que minha casa fique toda ensaboada ou coberta de papel higiênico. Diga àquele seu futuro marido que ele escolheu muito bem a noiva.

— Eu digo. — *Aquele seu futuro marido*, Nell pensou quando começou a andar de novo. Que pensamento maravilhoso!

E apressou o passo. Tinha que correr um pouco para chegar em casa antes de anoitecer.

Chegou pela entrada da frente do chalé, olhando em volta ao entrar na varanda. Segura, afinal, de que estava completamente sozinha sob a luz do crepúsculo, esticou as mãos para ajeitar as lanternas, mantendo-as firmes. A seguir, respirou bem fundo e tentou se manter focada.

Teve bastante trabalho, fez muito esforço, e com o auxílio de um fósforo certamente teria sido mais rápido. Mas não lhe teria dado a mesma emoção do que ver as velas se acenderem sozinhas e as abóboras brilharem iluminadas por dentro pelo fogo que saíra de sua mente.

Puxa! Ela deixou escapar um longo suspiro, seguido de uma gargalhada curta. *Caramba, isso é muito legal!*

Não era apenas pela mágica, ela decidiu. Era o conhecimento e a alegria de saber *quem* ela era e *o que* ela era. Conseguira encontrar a sua força, o seu propósito de vida e o seu coração. Poderia ter o controle de tudo em sua vida novamente, de modo a poder compartilhar isso com um homem que realmente acreditava no valor dela.

Não importa o que acontecesse agora ou dali a um ano: ela era naquele momento, e seria sempre, a Nell.

Seguiu dançando, subiu os degraus, foi até a porta da frente e a abriu, despreocupada.

— Diego! Cheguei! Você não vai acreditar no dia maravilhoso que eu tive. Um dia incrível.

Foi dando volteios pela sala, no escuro, até a cozinha, e acendeu a luz. Colocou uma chaleira no fogo antes de começar a encher uma cesta grande com os saquinhos de balas e doces que preparara.

— Espero que venham muitas crianças. Já faz muitos anos que eu não brinco de "gostosuras ou travessuras". Mal posso esperar. — Ela abriu o armário da cozinha. — Ah, meu Deus, que cabeça a minha! Deixei o carro lá na livraria. Onde é que eu estava com a cabeça?

— Você sempre foi muito distraída.

A caneca que ela pegara escorregou de sua mão feito água, esbarrou na bancada e se espatifou no chão. Um rugido horrível encheu-lhe os ouvidos quando ela se virou para trás.

— Olá, Helen. — Evan estava caminhando lentamente em sua direção. — Como é bom rever você!

Ela não conseguiu pronunciar o nome dele, não conseguiu emitir um som sequer. Rezou para que fosse mais uma visão, outra alucinação. Mas ele esticou o braço, e aqueles dedos longos e frios acariciaram-lhe o rosto.

Nell gelou até a medula.

— Senti saudades de você. Por acaso achou que eu não viria buscá-la? — Aqueles dedos agora escorregavam lentamente em torno de sua nuca e isso lhe trouxe uma repugnante sensação de náusea. — Por acaso, Helen, você pensou que eu não a encontraria? Eu não lhe disse, Helen, tantas vezes, que nada iria nos manter afastados um do outro?

Nell simplesmente fechou os olhos quando ele inclinou a cabeça e esfregou de leve a sua boca sobre a dela.

— O que você fez com o seu cabelo? — continuou ele em seu monólogo. Suas mãos agarraram-na pelos cabelos, sacudindo-os com força. — Você sabe o quanto eu adoro seu cabelo quando ele está comprido. Você o cortou apenas para me desagradar, não foi?

Uma lágrima escorreu lentamente pelo seu rosto, enquanto ele continuava a sacudir-lhe a cabeça. Sua voz, seu toque pareciam estar drenando *tudo aquilo* no que ela se transformara, deixando-a como tinha sido.

Começou a sentir que a Nell em que se transformara nos últimos meses desvanecia pouco a pouco.

— Isso me desagrada, Helen. Você me causou muitos problemas. Muitos. Você roubou um ano de nossas vidas.

Seus dedos se apertaram e se tornaram mais cruéis quando forçou o queixo dela para cima.

— Olhe para mim, sua piranhazinha burra! Olhe para mim quando eu estiver falando com você!

Seus olhos se abriram e tudo o que ela conseguiu ver foram os dele, aquelas piscinas claras e completamente vazias.

— Você vai ter que pagar por isso. Sabe disso, não sabe? Mais de um ano assim, completamente apagada de minha vida. E esse tempo todo você morando aqui, nesta pequena choça, rindo de mim, trabalhando como garçonete, servindo pessoas. Tentando começar o seu pequeno negócio patético, um negócio relacionado com... "cozinha". Fazendo tudo que podia para me humilhar, não é?

A mão dele desceu do rosto para a garganta dela e começou a apertá-la.

— Vou acabar perdoando você, depois de algum tempo, Helen. Mas só depois de algum tempo, porque você é um pouco lenta para entender as coisas, um pouco burra. Não tem nada para me dizer, meu amor? Nada para dizer, depois dessa separação tão longa?

— Como conseguiu me encontrar? — Os lábios dela estavam gelados e secos; parecia que iam rachar a qualquer momento.

Ele sorriu então, um sorriso que a fez tremer.

— Eu lhe disse, minha querida, que conseguiria encontrar você aonde quer que você fosse, não importa o que fizesse. — Ele lhe deu um empurrão violento que a atirou de encontro à bancada. A dor foi registrada pelo corpo de uma forma meio ausente, como uma memória.

— Sabe o que eu encontrei aqui, em seu pequeno ninho, minha Helen? Helen, minha prostituta? Roupas de homem! Com quantos homens você andou dormindo, sua vadia?

A chaleira começou a apitar, mas nenhum dos dois ouviu.

— Você encontrou algum dos robustos pescadores locais e o deixou colocar as rudes e desajeitadas mãos de trabalhador por todo o seu corpo? Por cada curva desse corpo que pertence a mim?

Zack. Foi o seu primeiro pensamento claro. Claro o bastante para que seus olhos marejados demonstrassem um forte medo.

— Não há nenhum pescador em minha vida — disse ela, quase gritando quando ele a esbofeteou.

— Mentirosa! Você sabe o quanto eu deteso pessoas mentirosas.

— Não há nenhum... — As lágrimas desceram com a bofetada seguinte. Mas isso a acordou de volta para a realidade do que ela era. Nell Channing é quem estava ali, e ela iria lutar. — Fique longe de mim. Fique longe! — Ela correu para pegar uma das facas grandes do porta-talheres, mas ele foi mais rápido. Ele sempre tinha sido mais rápido.

— É isso o que quer? —Agarrou o cabo e exibiu a comprida lâmina de corte serrilhado, levando-a até menos de uma polegada do seu nariz. Ela se espremeu toda, pensando: *Então, ele vai me matar mesmo, afinal...*

Mas em vez disso ele se afastou novamente, atingindo-a com as costas da mão com uma bofetada ainda mais violenta, que a fez voar.

Ela caiu de encontro à mesa, batendo com a cabeça na quina do tampo de madeira grossa. O mundo relampejou e depois ficou escuro.

Ela nem sentiu quando seu corpo caiu no chão.

Nesse exato momento, Mia estava oferecendo doces a um jovem astronauta. A livraria era um dos pontos mais populares da pequena cidade, no Dia das Bruxas. Ela enfeitara a loja com esqueletos saltitantes, abóboras sorridentes, pequenos fantasmas que voavam e, é claro, um recanto para a convenção das bruxas. As flautas e harpas haviam sido substituídas por uivos, gritos agudos e sons de correntes sendo arrastadas.

Estava se divertindo como nunca.

Serviu o fantasma de um *cowboy* com um ponche de frutas retirado de um caldeirão, debaixo do qual pequenos pacotes de gelo seco lançavam rolos de fumaça.

Os olhos do menino pareciam imensos de tanto espanto, enquanto olhava para ela e perguntava:

— Você vai voar pelos céus montada em sua vassoura esta noite?

— É claro! — Ela se agachou cochichando em seu ouvido. — Já ouviu falar de alguma bruxa que não faça isso?

— A bruxa que perseguiu Dorothy no *Mágico de Oz* era uma bruxa muito malvada!

— Era mesmo. Aquela era uma bruxa realmente muito má — concordou Mia. — Mas eu, não; sou uma bruxa muito boa.

— Aquela do filme era hor-rí-vel! e tinha a cara toda verde. Você é muito bonita. — Deu uma risadinha enquanto bebia um pouco do ponche.

— Ora, muito obrigada, meu jovem. Em compensação, você está muito amedrontador. — Ela entregou-lhe um saco de guloseimas. — Espero que não venha me pregar peças hoje à noite.

— Não, não. — Ele balançou a cabeça para os lados. — Obrigado, moça! — E enfiou a sacolinha dentro da sua mochila para em seguida correr em busca da mãe.

Divertida e ainda rindo, Mia sentiu uma fisgada que a deixou alerta. A dor veio muito rápida e forte, como um facho de luz que tivesse atingido sua têmpora. Teve então a visão de um homem com olhos muito pálidos de tão claros, cabelos dourados e o brilho de uma lâmina.

— Chame Zack! — Ela correu para a porta e berrou para uma assustada Lulu. — Temos problemas. Nell está em apuros. Chame Zack agora mesmo!

E correu pela rua, desviou-se de um bando de crianças fantasiadas e quase atropelou Ripley.

— É Nell!

— Eu sei! — A cabeça de Ripley ainda estava doendo. — Temos que correr!

Nell voltou a si lentamente, com a visão fragmentada e a cabeça latejando. O silêncio era total. Rolou para o lado, gemendo baixinho, e conseguiu ficar de quatro, apoiando-se nos joelhos e nas mãos. A náusea forte que sentiu a fez encolher-se toda novamente.

A cozinha estava quase totalmente às escuras, iluminada apenas pelo brilho fraco de uma vela colocada no centro da mesa.

Ele estava ali, sentado em uma das cadeiras da cozinha. Ela conseguia ver seus sapatos, o brilho deles, o vinco perfeito de suas calças, e sentiu vontade de chorar.

— Por que você me obriga a puni-la, Helen querida? A única explicação que encontro é que você deve gostar disso. — Ele a cutucou com o sapato.

— E isso o que acontece, então?

Nell começou a engatinhar para longe. *Dê-me apenas um momento*, ela rezava em silêncio. *Pode ser que eu consiga recobrar minhas forças novamente.*

Ele, porém, simplesmente pressionou o sapato sobre as costas dela.

— Nós agora vamos para algum outro lugar, onde possamos ficar sozinhos. Onde possamos discutir todas essas tolices e todos os problemas que você me causou.

E então franziu as sobrancelhas. Como é que conseguiria sair com ela dali? Não tinha planejado deixar marcas nela, pelo menos não em lugares onde pudessem ser notadas. Foi ela que o obrigara a fazer isso.

— Vamos caminhar até o meu carro — decidiu então. — Você vai ficar me esperando dentro dele enquanto eu faço as malas e registro a minha saída do hotel.

Ela balançou a cabeça. Sabia que era inútil, mas balançou a cabeça mesmo assim. Então recomeçou a chorar baixinho, quando sentiu Diego esfregar o corpo contra suas pernas.

— Você vai fazer exatamente o que eu estou mandando! — Ele deu pequenas batidas com a ponta da faca contra a mesa. — Se não fizer isso, não vou ter outra escolha. As pessoas já acreditam que você está morta, Helen. E o que se acredita pode facilmente se tornar realidade.

Sua cabeça se levantou bruscamente quando ele ouviu um som do lado de fora da porta.

— Talvez seja o pescador voltando para casa — sussurrou, levantando-se, segurando com mais firmeza a faca em suas mãos.

Zack abriu a porta, de modo hesitante, praguejando quando o celular que trazia pendurado no cinto tocou. A quebra no ritmo de caminhar foi o que salvou sua vida.

Notou um borrão de movimento e viu de relance o brilho da lâmina sendo brandida de cima para baixo. Desviando-se do golpe, no escuro, procurou por sua arma enquanto puxava o corpo para o lado. A faca penetrou no ombro, em vez de ser enterrada direto no coração.

Nell gritou, ficou de pé, mas sentiu a cabeça girar e ficou meio cambaleante. Na cozinha escura, ela podia ver as duas silhuetas lutando. *Preciso de uma arma*, pensou, mordendo o lábio com força para evitar que desmaiasse de novo.

Aquele canalha *não* ia conseguir tirar o que era dela. *Não* conseguiria fazer mal a quem ela amava.

Procurou, com as pernas bambas, pelo porta-talheres, onde ficavam as outras facas, mas ele não estava mais ali.

Virando-se novamente, preparou-se para pular, para usar os dentes e as unhas. E viu Evan sobre o corpo de Zack, com a faca gotejando sangue sobre ele.

— Oh, meu Deus, não! Não!

— É este o seu cavaleiro com armadura brilhante, Helen? Este é o homem que está trepando com você pelas minhas costas? Ele ainda não está morto — falava, com dificuldade. — Mas eu tenho todo o direito de matá-lo, por tentar roubar a minha esposa.

— Não! — Ela respirou fundo e soltou um suspiro. Lutava por dentro para tentar reunir suas forças e reencontrar sua fonte de Poder. — Eu vou com você! Faço qualquer coisa que você quiser!

— Mas você vai fazer mesmo, de qualquer jeito — comandou Evan.

— Ele não interessa a você! — Começou a andar em volta da bancada e viu Diego agachado, com os dentes à mostra e os pelos eriçados. — Ele não interessa a nenhum de nós. E a mim que você quer, não é? Fez toda essa viagem por minha causa.

Sabia que ele iria atrás dela. Se conseguisse escapar pela porta, ele sairia no seu encalço e deixaria Zack. Foi necessária toda a sua força de vontade para evitar que se jogasse entre eles e ficasse por cima de Zack, para servir de escudo e protegê-lo. Mas se fizesse isso, se ela simplesmente olhasse para ele naquele momento, sabia que ambos seriam mortos.

— Eu sabia que você viria me buscar — continuou ela, cada músculo tremendo, enquanto olhava Evan baixar a faca lentamente e colocá-la de lado. — Eu sempre soube.

Evan se levantou e deu um passo na direção dela, mas o gato pulou como um tigre sobre as costas dele, com todas as unhas estendidas. Com o uivo de dor e raiva soando em seus ouvidos, Nell aproveitou para fugir.

Disparou em direção à rua, em direção à cidade, mas, quando olhou para trás, ele já estava saindo pela porta. Ela jamais conseguiria.

Então, seria entre eles dois, afinal. Colocando toda a fé no destino, ela desviou bruscamente e mergulhou em direção à floresta.

Zack conseguiu, com dificuldade, se colocar de joelhos no momento em que Evan partia porta afora. A dor era imensa, e lhe parecia que dentes quentes mordiam seu ombro. O sangue escorria abundantemente dos seus dedos, quando ele conseguiu ficar de pé.

Então, pensou em Nell e se esqueceu da dor.

Já estava saindo desabalado pela porta, no momento em que viu as árvores engolirem Nell e o homem que a perseguia.

— Zack!

Ele parou apenas para dar uma olhada rápida e aterrorizada em sua irmã e em Mia.

— Ele está atrás dela! — gritou para as duas. — Está com uma faca, e ela não está muito longe dele.

Ripley mordeu o lábio de preocupação. A camisa do irmão estava empapada de sangue. Ela fez um sinal afirmativo com a cabeça e pegou a sua arma ao mesmo tempo que ele.

— O que quer que você tenha preparado — disse, olhando para Mia — está na hora de usar!

E se enfiou floresta adentro, atrás do irmão.

Com a lua nova em total escuridão, a noite era cega. Nell correu como um animal selvagem, rasgando a roupa nos arbustos, tropeçando em galhos caídos. Se conseguisse fazer com que ele se perdesse dentro da floresta, poderia dar a volta pelo outro lado e se encontrar com Zack.

Ela rezava com cada batida do coração, pedindo que ele ainda estivesse vivo.

Conseguia ouvir Evan logo atrás dela. Perto, muito perto. Sua respiração já se transformara em sopros engasgados, retalhados pelo medo, mas a respiração dele, pouco atrás, parecia forte, compassada e determinada.

Uma tonteira súbita a atingiu, e ela teve vontade de se deixar cair de joelhos no chão. Lutou contra isso, quase tropeçando novamente. *Não ia perder essa luta agora!*

De súbito, o corpo dele se jogou sobre o dela e a jogou longe.

Ela rolou e pulou para o lado, pois seu único pensamento era o de se livrar dele. De repente congelou quando ele puxou-lhe a cabeça para trás, segurando-a pelos cabelos curtos, e encostou a ponta da faca em sua garganta.

Seu corpo sentiu-se esvaziar, e ela ficou toda mole como uma boneca de pano.

— Por que não enfia logo a faca? — disse, com a voz fraca. — Acabe logo com isso!

— Você fugiu de mim! — Havia um traço de desorientação em sua voz, tanto quanto raiva. — Você correu!

— E vou continuar fugindo. Até que você me mate, vou continuar fugindo. Prefiro estar morta a viver com você! Já morri uma vez mesmo, portanto, me mate de novo. Deixei de ter medo de você!

Nell sentiu a lâmina começar a apertar a pele, mas, ao ouvir o som de passos, Evan a ajeitou e a colocou de pé.

Mesmo sentindo ainda a lâmina fria da faca em sua garganta, ficou feliz quando viu Zack.

Ele estava vivo. A mancha escura na camisa brilhava sob a luz suave das estrelas. Mas estava vivo, e nada mais importava.

— Solte-a! — Zack ficou em posição de tiro, segurando a arma e apoiando o braço do revólver sobre o outro, que estava machucado. — Largue a faca e afaste-se dela.

— Vou cortar a garganta dela. Ela é minha, e eu não vou hesitar. — Os olhos de Evan passaram de Zack para Ripley e para Mia, que se posicionaram em semicírculo.

— Se você a machucar, você morre! Não vai conseguir sair daqui de pé.

— Vocês não têm o direito de interferir em assuntos de marido e mulher. — Havia algo que soava quase razoável em sua voz, algo que parecia estranhamente sensato, por baixo da loucura. — Helen é minha mulher. Legalmente, moralmente, eternamente. — Ele puxou a cabeça dela um pouco mais para trás, ainda com a faca encostada em sua garganta. — Joguem suas armas no chão e saiam daqui, agora. Este é um assunto meu!

— A pontaria está difícil. — Ripley disse, entre os dentes. — Não há iluminação suficiente aqui!

— O melhor meio não é esse. Abaixe a arma, Ripley. — Mia estendeu a mão para ela.

— Vá para o inferno com isso! — Seus dedos estavam formigando no gatilho. *Canalha!...*, era tudo em que ela conseguia pensar, vendo a garganta exposta de Nell e sentindo o cheiro do sangue de seu irmão.

— Ripley! — chamou Mia de novo, de forma suave mas insistente, com as ordens irritadas de Zack ao fundo, que gritava para que Evan soltasse a faca e largasse Nell.

— Droga, droga! — Ripley, cedeu afinal, abaixando o revólver. — É melhor que você esteja certa.

Zack não as escutava. Elas haviam deixado de existir para ele. Sua única realidade naquele momento era Nell.

— Eu vou fazer muito mais do que matá-lo, seu canalha. — Zack segurava a arma com firmeza e sua voz era calma como um lago no verão. — Se você cortá-la, se der nela uma simples beliscada com a faca, eu vou esquartejar você, pedaço por pedaço. Mas antes disso você ainda vai sofrer muito. Vou dar alguns tiros em um dos seus joelhos, até despedaçá-lo, e depois no outro. Vou dar um tiro no seu saco, também, logo depois, e outro na barriga, a seguir. Depois, vou ficar sentado em cima de você, para você sangrar até morrer.

A cor que a raiva trouxera ao rosto de Evan foi se desbotando. Ele acreditou no que Zack estava dizendo ao olhá-lo nos olhos. Acreditou nas dores e na morte que viu estampadas em seu rosto resoluto. Suas mãos tremeram ligeiramente no cabo da faca, mas ele não se moveu.

— Ela pertence a mim! — gritou Evan.

A mão de Ripley agarrou com força a de Mia. Nell sentiu a onda de energia que elas criaram, sentiu as quentes ondas de amor e terror que vinham de Zack, firme, ali, sangrando por ela.

E sentiu, como jamais havia sentido, uma sensação de medo vinda do homem que a segurava por trás.

Seu nome era Nell Channing, agora e para sempre. E o homem que estava atrás dela valia menos do que nada.

Ela apertou a mão em volta do pingente que Mia lhe dera. Ele vibrou.

— Eu pertenço a mim mesma! — disse, sentindo o Poder invadir o seu corpo como uma poça que ia inchando lentamente. — Eu pertenço a mim! — E completou, um pouco mais rápido: — E a você, Zack! — E o olhou fixamente. — Ele já não consegue mais me ferir agora.

E, levantando o outro braço, pousou-o sobre o punho de Evan, suavemente.

— Solte-me, Evan, e você vai conseguir escapar com vida. Vamos deixar tudo isso para trás. É essa a chance. É a sua última oportunidade!

A respiração de Evan estava ofegante, mas ele sussurrou no ouvido dela:

— Sua piranha burra! Então você acha mesmo que eu vou deixá-la ir embora, assim?

— A escolha é sua. — Agora havia pena em sua voz. — Você sabe que vai ser a sua *última* escolha.

Um cântico suave se fez ouvir dentro da cabeça dela e foi aumentando, como se estivesse ali o tempo todo, apenas esperando para que ela o libertasse. Nell se perguntou como tinha sido capaz de sentir tanto medo de uma pessoa como ele.

> *O mal que você fez a todos e a mim*
> *Volta triplicado, pois deve ser assim*
> *Esta noite eu o deixo, enquanto o céu troveja*
> *Para sempre serei livre, e que assim se faça e seja.*

Sua pele, nesse instante, começou a brilhar, forte como a luz do sol. Suas pupilas ficaram dilatadas e escuras como a luz das estrelas. A faca tremeu, deslizou inerte sobre sua pele, afastou-se e caiu. Ela ouviu o grito engasgado de sufocamento e o gemido longínquo que não chegou a grito, enquanto Evan desmoronava atrás dela.

Nell não se dignou sequer a olhar para trás.

— Não atire nele — pediu com toda a calma a Zack. — Não o mate. Isso não seria bom para você.

E, por ter visto a intenção real ainda em seus olhos, foi caminhando até Zack, enquanto Evan começava a gemer.

— Não seria bom para nós. Ele não é nada, agora — Encostou a mão no coração de Zack, sentindo as batidas. — Ele é apenas aquilo que fez a si próprio.

Evan continuava caído no chão, contorcendo-se todo, como se algum verme desprezível estivesse deslizando por baixo de sua pele. Seu rosto estava branco como giz.

Zack abaixou a arma e envolveu Nell com o braço que não tinha sido atingido. Manteve-a ali junto dele por um momento e depois estendeu as mãos para a frente e entrelaçou seus dedos com os de Mia e os de Ripley, ligando-os todos e formando um círculo.

— Fique com elas — disse Zack a Nell. — Eu cuido dele. Não vou matá-lo. Ele vai sofrer muito mais se viver.

Ripley acompanhou os movimentos do irmão que, pegando as algemas, caminhou em direção ao homem que rastejava. Ele próprio tinha que executar essa última ação, pensou, e ela tinha que deixá-lo fazer isso.

— Vou dar dois minutos para Zack algemar e anunciar os direitos legais daquele lixo humano. Depois, quero que ele vá direto para a clínica. Não sei a profundidade daquele ferimento.

— Eu vou levá-lo. — Nell olhou para o sangue de Zack espalhado em suas mãos. Fechou os punhos e pareceu-lhe que sentia a pulsação do sangue dele em suas palmas. — Vou ficar com ele.

— A coragem — Mia esticou a mão e tocou o pingente — quebra o encanto. O amor tece outro, ainda mais forte. — Ela puxou Nell para junto de si, dando-lhe um abraço bem apertado. — Você foi brilhante, irmãzinha.

Voltando-se para Ripley, completou:

— Quanto a você... encontrou o seu destino.

Bem cedo, no Dia de Todos os Santos, logo depois de as fogueiras rituais terem sido apagadas, por encanto, e antes de o dia raiar iluminando o céu, Nell se sentou em uma cadeira na cozinha do chalé amarelo, com a mão repousando suavemente sobre a de Zack.

Ela precisava voltar, estar ali, para organizar seus pensamentos sobre tudo que acontecera ou que poderia ter acontecido. Já tinha varrido para fora as energias negativas que ainda impregnavam o lugar e acendera velas e um incenso.

— Eu preferia que você tivesse passado a noite na clínica, Nell.

— E eu digo o mesmo de você — replicou ela, virando a mão e enlaçando-a na de Zack.

— Ora, eu levei só alguns pontos. Mas você levou uma pancada muito forte na cabeça.

— Não foi assim tão forte. E vinte e três pontos não são "alguns".

Vinte e três pontos, ele pensou. Um corte largo e profundo. O médico disse que tinha sido um verdadeiro milagre o fato de que nenhum músculo ou artéria importante tivesse sido cortada ou perfurada.

Para Zack, aquilo tinha sido mágica. A mágica de Nell.

Ela esticou o braço para tocar a bandagem branca que enfaixava o ferimento e depois foi fazendo os dedos escorregarem sobre o seu peito, até tocar no medalhão de ouro.

— Você não o tirou do pescoço — disse ela.

— Você me pediu para não tirar. Então ele ficou muito quente — contou, fazendo com que seu olhar se levantasse para se ligar ao dela. — Um segundo antes de levar a facada. Pude ver, na minha cabeça, naquele momento meio turvo e escuro, a lâmina descendo na direção do coração, e de repente foi como se algo a tivesse desviado, como se tivesse esbarrado em um escudo e mudado de rumo. Na hora, me pareceu só imaginação. Mas não foi.

— Fomos mais fortes do que ele. — Nell levou suas mãos entrelaçadas até o seu rosto. — Fiquei completamente aterrorizada; era como se estivesse me afogando, afundando no medo, a partir do momento em que ouvi a voz dele atrás de mim. O medo carregou tudo o que eu tinha construído e tudo o que aprendera a respeito de mim mesma. Ele me paralisou, sugou minhas forças e minha vontade. Era *esse* o poder que ele tinha sobre mim. Mas tudo começou a voltar, e, quando ele feriu você, o poder voltou como uma enxurrada. Só que eu não conseguia pensar com clareza. Bater com a cabeça deve ter sido a causa disso.

— Mas você saiu correndo para me salvar.

— E você correu atrás dele para salvar a mim. Somos uma dupla de heróis.

Zack tocou-lhe a face, levemente. Havia marcas roxas nela que ele sentia doer como se fossem em seu próprio rosto.

— Ele nunca mais vai machucá-la de novo. Vou até a delegacia para dispensar a Ripley assim que amanhecer e vou entrar em contato com o promotor público, no continente. Duas acusações de tentativa de assassinato vão deixá-lo atrás das grades por muito tempo, não importa o quanto seus advogados sejam bons.

— Não estou mais com medo dele. Ele estava patético no fim, consumido pela própria crueldade e estava com isso. Sua loucura está olhando para ele agora, encarando-o. Ele jamais será capaz de escondê-la novamente.

Zack ainda conseguia ver os olhos sem cor de Evan Remington, imensos, selvagens e agressivos, em um rosto branco como cera.

— Se ele tiver que ficar em um pequeno quarto com as paredes acolchoadas, vai ser tão bom quanto uma cela.

Ela se levantou para servir mais chá. Quando voltou até a mesa, porém, Zack enlaçou-lhe o corpo e apertou seu rosto sobre o peito dela, um pouco abaixo do pescoço.

— Vai levar algum tempo até eu conseguir tirar da cabeça a imagem de você com aquela faca imensa e afiada encostada na garganta.

— Vamos ter o resto de nossas vidas para colocar outras imagens no lugar dessa — disse ela, acariciando-lhe os cabelos. — Quero me casar com você, xerife Todd. Quero começar esse resto de nossas vidas bem depressa.

Sentando-se no colo dele, ela soltou um longo suspiro enquanto recostava a cabeça sobre o seu ombro são. Através da janela, começaram a aparecer os primeiros raios coloridos anunciando a aurora, e um fogo pálido acendeu o céu.

Colocando a mão no coração dele, Nell notou que seus batimentos estavam no mesmo ritmo que os dela. E soube então que a magia mais verdadeira estava ali.

Impresso no Brasil pelo
Sistema Cameron da Divisão Gráfica da
DISTRIBUIDORA RECORD DE SERVIÇOS DE IMPRENSA S.A.
Rua Argentina, 171 – Rio de Janeiro, RJ – 20921-380 – Tel.: (21)2585-2000